新しいエコロジーとアート

「まごつき期」としての人新世

Art and the New Ecology: the Anthropocene as a 'dithering time'

長谷川祐子 編

以文社

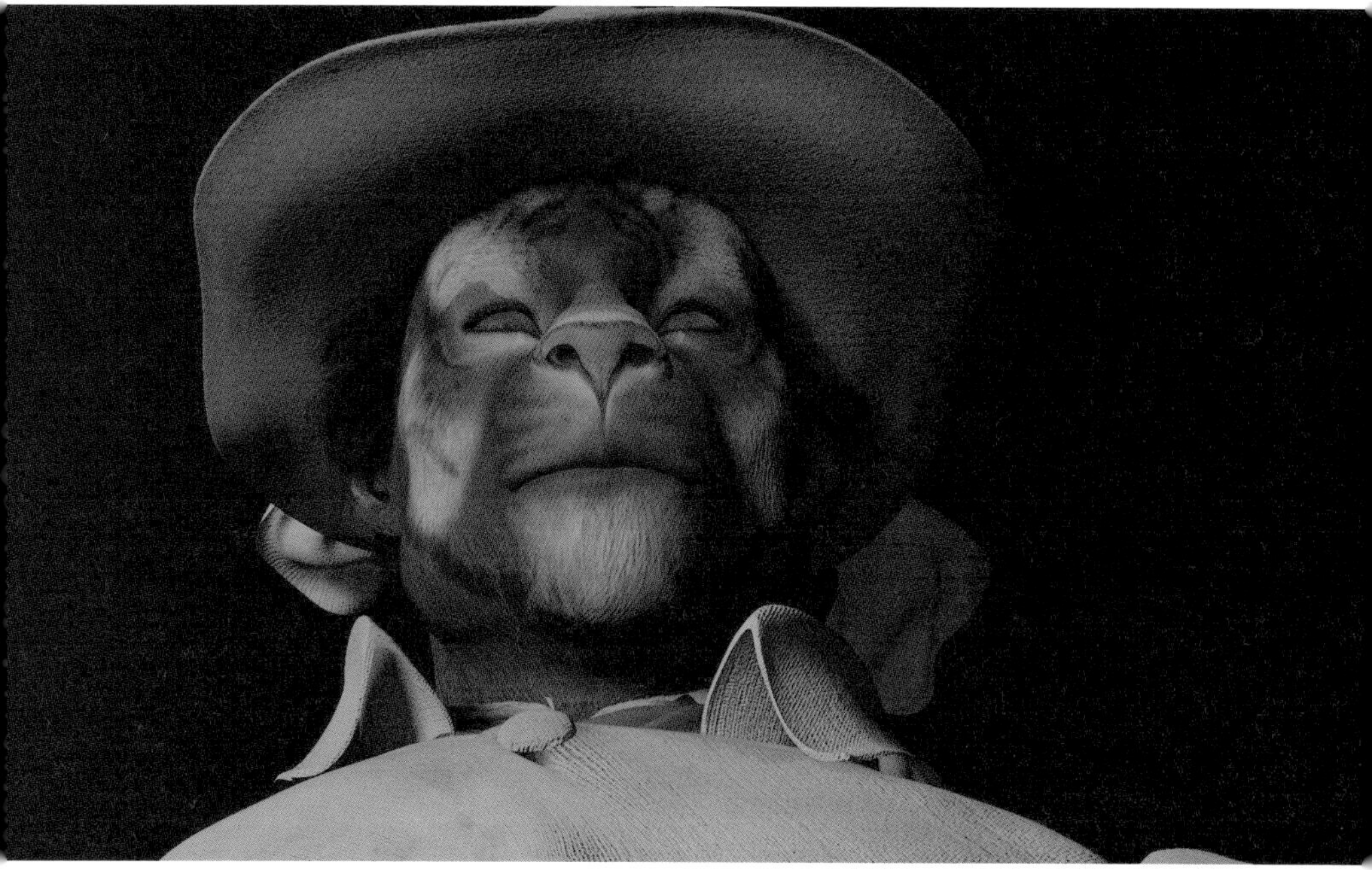

01 Ho Tzu Nyen, *One or Several Tigers*, 2017, synchronzied double channel HD projection, automated screen, shadow puppets, 10 channel sound, show-control system.
Image courtesy of the artist and Edouard Malingue Gallery.

02

02 Keiken + Ryan Vautier + Sakeema Crook, Metaverse: *We are at the End of Something*, 2020, Courtesy of the artist.

03 Herwig Scherabon, *The Earth Will Spin Yet We Won't Be Here*, 2019, 3-channel audiovisual installation, Funded by the Austrian Federal Ministry of Arts and Culture, Civil Service and Sport, Research at LABVERDE residency, Photo by Jukan Tateisi.

04 Olafur Eliasson, *Beauty*, 1993. Installation view at Moderna Museet, Stockholm, 2015. Photo by Anders Sune Berg. © Olafur Eliasson. Courtesy of the artist, neugerriemschneider, Berlin; Tanya Bonakdar Gallery, New York / Los Angeles.

03

04

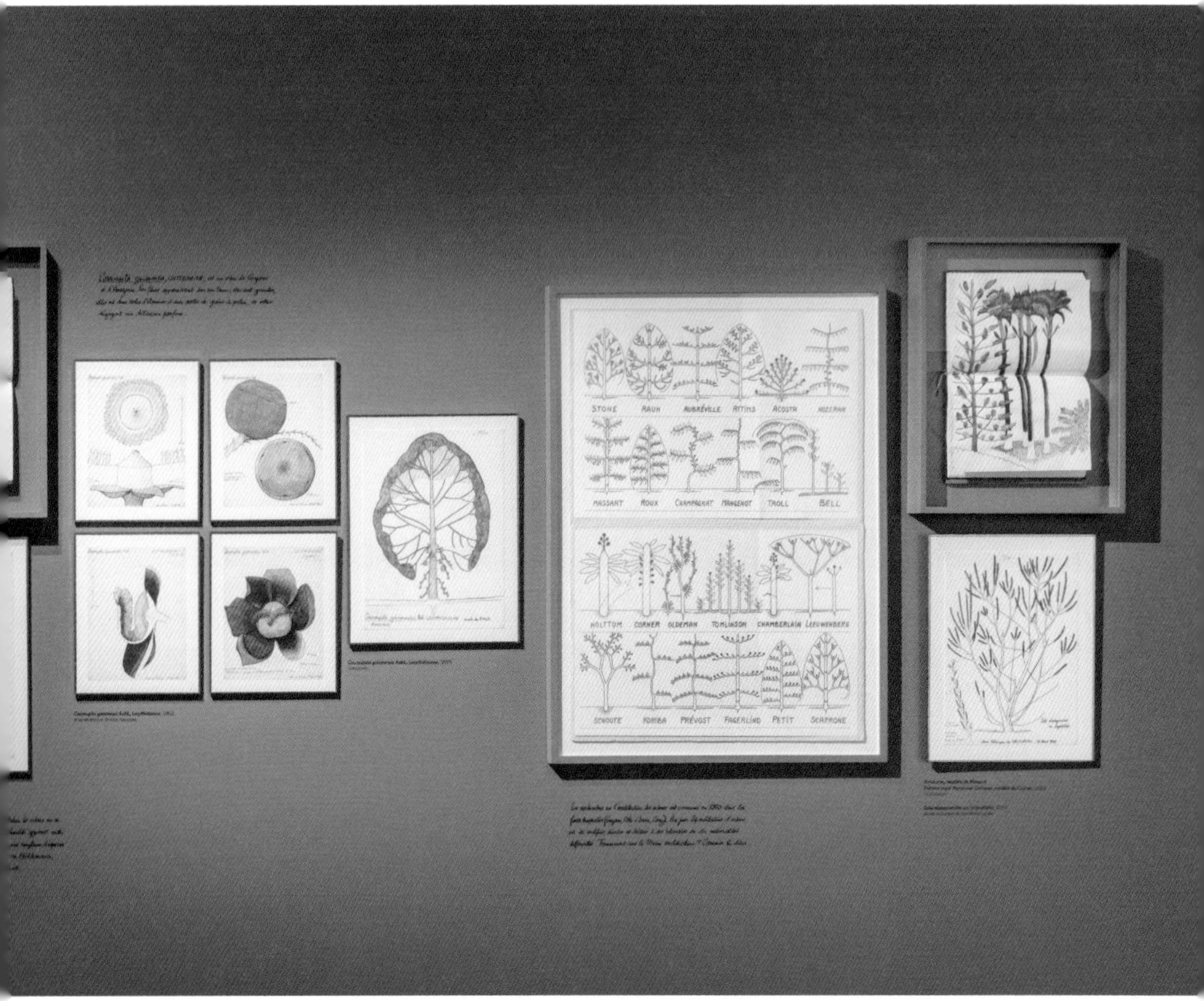
STONE RAUH AUBRÉVILLE ATTIMS ACOSTA
MASSART ROUX CHAMPAGNAT MANGENOT TROLL BELL
HOLTTUM CORNER OLDEMAN TOMLINSON CHAMBERLAIN LEEUWENBERG
SCHOUTE KORIBA PRÉVOST FAGERLIND PETIT SCARRONE

05

THE SEASTEADERS

06

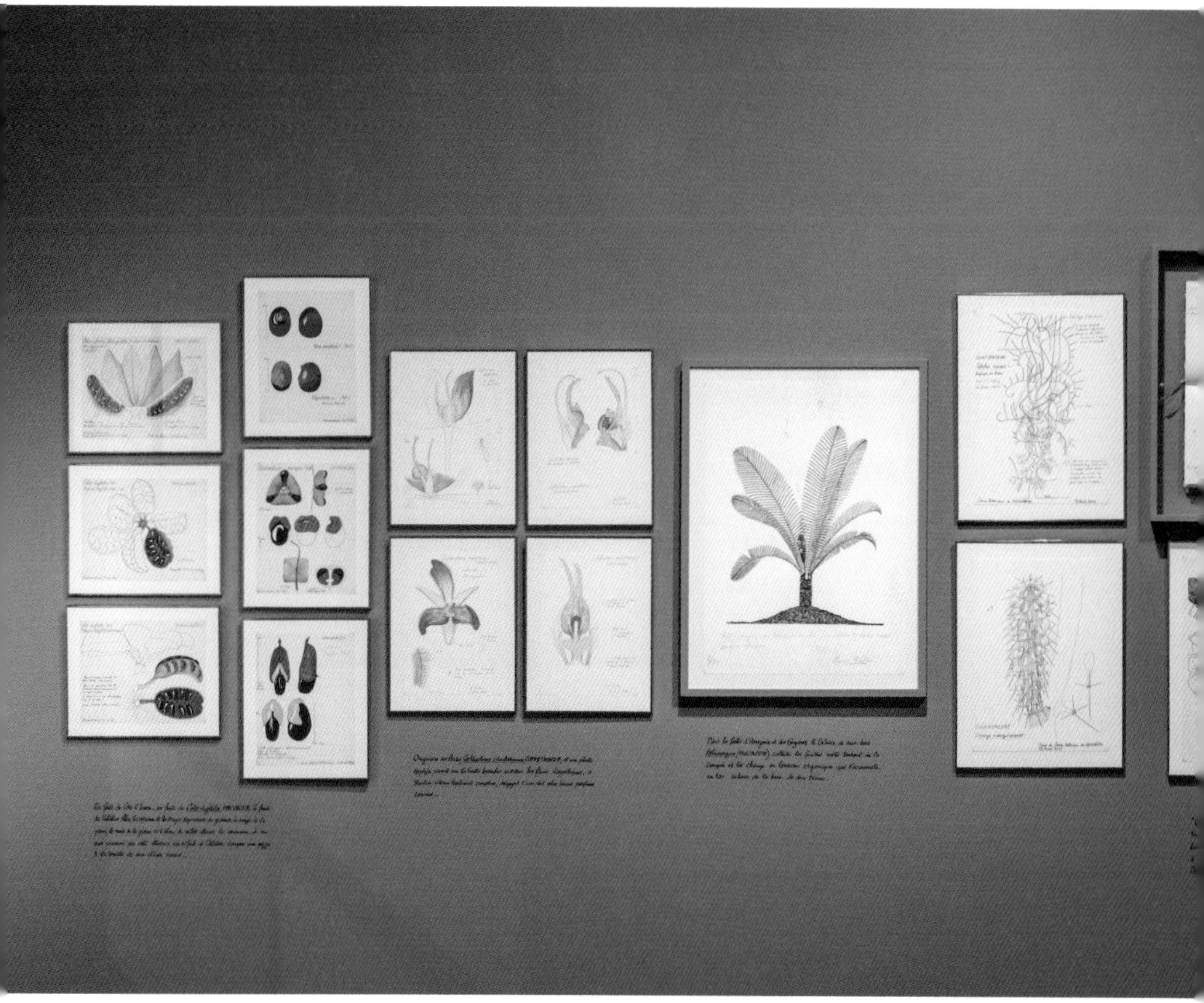

05　View of the exhibition *Trees*, Fondation Cartier pour l'art contemporain, Paris, 2019. Photo by © Luc Boegly. © Francis Hallé.
06・07　"The Seasteaders," by Daniel Keller and Jacob Hurwitz-Goodman on dis.art ©DIS.
08　"A Good Crisis," by DIS on dis.art ©DIS.

08

07

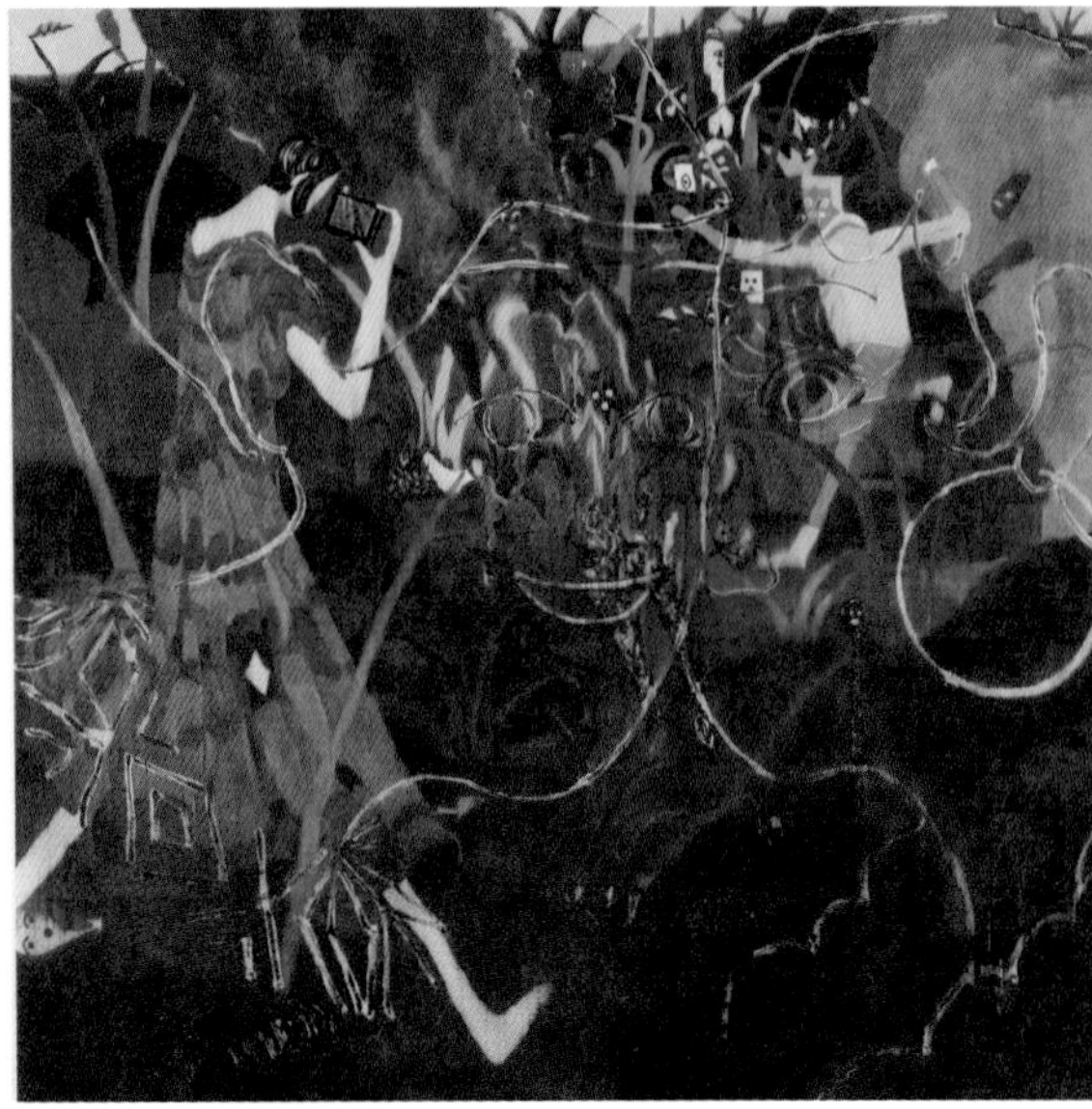

09

10

09　中園孔二、《無題》、2012 年、キャンバスに油絵、194.0 × 194.5 cm、東京都現代美術館所蔵、
画像提供：小山登美夫ギャラリー、photo by Keiji Takahashi.
© Koji Nakazono, Courtesy of Tomio Koyama Gallery.
10　ナイル・ケティング、《Remain Calm》、2019 年、Photo by GRAYSC.

11

12

11 Alexandra Arènes & Soheil Hajmirbaba, studio SOC. Physical exhibition, 'CZO Space.' Installation view "Critical Zones: Observatories for Earthly Politics," 2020-22. © the artists, Photo © ZKM | Center for Art and Media Karlsruhe, photo: Elias Siebert.

12 Barbara Marcel, *Ciné-Cipó – Cine Liana at ATTO Amazon Tall Tower Observatory*, 2020. Film still from video installation. © the artist.

13

15

14

13　長坂有希《われらここに在り、漂う森をおもう》、2020 年制作、
3 チャンネル・ビデオプロジェクション作品、秋田県立近代美術館での展示。撮影：草彅裕
14　是恒さくら《鮭川の鮭皮で服を縫う》2020 年、撮影：根岸功
15　多田恋一朗、《「君」に会うための微細な毒》、2019 年、撮影：山崎裕貴

新しいエコロジーとアート　目　次

新しいエコロジーとアート

——「まごつき期」としての人新世

序文

長谷川祐子

「新しいエコロジーとアート――「まごつき期」としての人新世」と題された本書は、人新世、資本新世とよばれる新しい環境下で生じてきた自然、政治、社会、情報、精神面での変化に対する現代芸術の応答と変容、そしてこれらを伝えるキュラトリアル実践について書かれた、複数の論者によるアンソロジーである。

フェリックス・ガタリの『三つのエコロジー』をはじめとして、エコロジー概念は現代思想や哲学を通して、拡張してきた。現代芸術は作品やプロジェクト、キュラトリアル実践において、科学や哲学、人類学、社会学など他の学問分野を横断し、これらの領域をつなぐ媒介の役割を積極的に果たしてきている。本書に参加したキュレーターやアーティストはもとより、哲学者、人類学者、社会歴史学者などの専門家は、いずれも現代芸術や展覧会に関心をもち、キュラトリアル実践にも関わっている。人文学という人間についての考察が近代の試みの破綻と同時に大きな修正を迫られている現在において、彼らが理論／テキストだけでなく、現代芸術や展覧会を通して検証し、伝えようとしていることは何か、それが本書の構成の一つの軸となっているといえるだろう。

1　エコロジー概念を更新する媒介としての現代芸術とキュラトリアル実践

筆者は、キュレーター及び近現代美術の専門家であり、東京芸術大学国際芸術創造研究科キュレーション専攻において、キュラトリアル行為を通じて理論と実践を行う大学院プログラムをコンダクトしている。本書は二〇一五年以降研究科で招聘したゲスト講師を主とした研究者、現役及び修了生による、本テーマに関わる講義録及び論考をまとめた。現代美術のキュラトリアル実践は理論として体系化されにくく、我が国ではアカデミックな研究対象としての認知は遅れている。変化しやすく、先のみえない不確かで複雑なVUCAの時代において、生物、非生物も含め「これらをとりまくあらゆる環境」との関係を生態学的アプローチで捉えようとするエコロジーは、どのように検証、形成されるのだろうか。そのためには、観察、分析と理論構築だけでなく、試行錯誤の実験や、領域横断的な議論や協働が必要となるだろう。アートやキュラトリアル実践はここに寄与する。キュラトリアル実践は、調査、作品、コンテンツ制作《プロダクション》、展示、パフォーマンス、ディスカッション、ワークショップ、学習普及プロジェクト、プラットフォームづくり、出版、などを含む。これらは、身体感覚を巻き込む視聴触覚媒体を通して、共感と知的生産を促し、多様な行為《エンゲイジメント》を含むパブリックコモンズを出現させる。

曖昧さ不確かさの感覚は言語化できない。分節や分析になじまない現在の状況に対して、感情や感性を通じて曖昧な感覚の共有と止揚を可能にする芸術は、対象世界の中に入り込み、これに近づいて感じることで、世界に対する感度を上げていくことを助ける。本書は芸術がキュラトリアル実践と合わさることで、アクターとして機能することを示す。

本書の特徴は既述したように実践と理論の創造的でアクチュアルな絡まり、複合性にある。第5章、フランスの哲学者エマヌエーレ・コッチャのインタビュー「植物の生の哲学と芸術」において、コッチャが語る「イメージ」の話から、植物の生の哲学、「変態」に至るまでの新鮮な思考と視点の流れは、本書が指し示すヴィジョンを最も的確に表しているといえるだろう。コッチャはイメージを主体と対象（客体）の間にある空気のようなもの、と捉える。それは対象を認識し理解するために必要なものだというのである。そしてアートや展覧会空間は、この、イメージと同様の媒介の機能を果たす。若い頃文字を読むことに障害があった彼は、文字ではなく、イメージにより多くの思考や想像力を養った。コッチャはアーティストたちを羨望する。彼らは自らの表現にあたり複数のメディウムをもっている、しかし自分にはテキストしかない。彼は二〇一九年パリのカルチエ財団で開催された「木々(Trees)」展の展覧会アドバイザーとして関わった時間を、異なった専門分野や作品や資料、知識が領域横断的に集合し、再構成されて展示された得難い体験と語る。

動かないことによって環境と何よりも深く結びつき、これに自らを適応させ、周囲をも変えていく植物の知を清明な言葉で語った「植物の生の哲学」。我々は既に何百万年も前から継続している生のハイブリッドであるとして、ポストヒューマンの議論とは異なる立場をとる。一人の人間（生物の）生が始まったことを唯一の在点として、人種、性別、出身地などによるアイデンティティ論などを変化の流れの中の一つの通過点とみる視点は、人種やジェンダーポリティクスを看過、軽視しているようにみえて、実はより精妙で生産的な現実との交渉の可能性を内包している。世界をどう語るのか——コッチャの哲学は、現実問題に対して具体的な解決法を示さないとされてきた哲学や芸術の立場を、異なった立ち位置に転換させる可能性をもちえている。

2　ラトゥールとの出会い――現場のキュレーター同志として

これらの哲学者や思想家との出会いは、学会や論文によるものではなく、常にアーティストや展覧会とともにあった。ブリュノ・ラトゥールとの出会いも、科学人類学者でパリの政治学院で特別なゼミを主催、アーティストや建築家、研究者を集めて面白い議論している人がいると、キュレーターの友人から聞いてその集まりに参加させてもらったことがきっかけだった。ゼミの後、皆で行ったカフェ・ロケットのオムレツのリベラルで豊かな味は忘れられない。その後、ほどなくしてZKMの館長ピーター・ヴァイベルから、非西洋出身のメディア・アーティストの展覧会を企画してくれるよう依頼を受けた。「グローバーレ（GLOBALE）」と題された、カールスルーエ市制三〇〇周年を記念してグローバル時代の世界のシフトを三〇〇日間に渡って複数の展覧会企画で構成するもので、ラトゥールによる「リセット・モダニティ！（Reset Modernity!）」と筆者の企画した「ニュー・センソリウム（New Sensorium-Exiting Failure of Modernization）」はそのフィナーレに位置付けられた。

「New Sensorium-Exiting Failure of Modernization：近代化の失敗から脱出するための新たな感覚領域」展は、デジタル化の中、情報と物質の融合から生まれる新たなメディアリティや、interaction から intra-action への移行による内部と外部の関係の変容、脱人間中心主義の観点から多様な複数の「身体」を前提とした新たな感覚領域の可能性を、アジアやアラブ、ロシアを含む一六人のアーティストたちの作品で展示した（二〇一五）。同時期に隣のスペースで「リセット・モダニティ！」が開催されていた。フォーラムで彼と意見をかわしたとき、一貫した西洋的知の体系に対する、複数の身体それぞれに内在するセンソリウムの逆襲について語ったことを記憶している。

メガホンをもって溌剌とツアーするラトゥールの「教育的」姿勢と哲学者らしいメタなテーマ構成でつくられ

た展示、観客の自主学習の手引きのためのフィールドブック。近代をリセットするコンパスを修正するための手順を、実験の手ほどきのように伝えようとする彼の熱意に敬意とともに微笑ましささえ感じた。彼はいう。「展覧会というものは、きわめて非現実的なものである。他の場では考えられないような組み合わせで集められる、さまざまな物、インスタレーション、人々、議論の、高度に人工的な集合体。そこは時間や空間、現実性といった普通の決まりごとから解放されている」（本書第8章より）。彼にとって展覧会は実験のための理想的なメディウムとなった。第七章の三つのテキストは、ラトゥールがキュレーションに関わった四つの展覧会についての関連テキストである。ヴァイベルとの共著である「表象の実験」では、「聖像衝突」展と「モノをパブリックにすること」展を振り返りながら「展覧会実験」の意図が語られる。「リセットモダニティ」と最近開催された「クリティカルゾーン」（二〇二〇年）に関しては各展覧会のフィールドブックからコンセプトが凝縮されたテーマセクションの案内文を抄訳掲載する。

クリティカルゾーン展のスタディグループにも参加した鈴木葉二の解題「思考実験としての展覧会」では、ラトゥールの展覧会における「実験」の意味を複数の角度から明快に検証している。科学論者としての精緻な論理性が、作家や観客の感情や複合的なメディウムを内包する有機体としての展覧会をデザインする手つきに反映されて、独自のキュレイトリアルナラティヴを創造した過程。例えば、スタディグループに未知の問題をインストールし、新たな実験のフィールドを設定する手法など。アートと新しいエコロジーの問題を語るとき、ラトゥールが重要な意味をもつのは、気候変動を警告する科学者たちの助っ人としての科学論者、複数のメディウムによってこの問題を表現、説明できる媒介の役割を果たしたことにある。彼は展覧会の来館者が美術館の外に出て、一人ひとり自分の道具や方法論で実験を始めることを促そうとした。

3　多様なキュラトリアルナラティヴ——アーカイヴから庭へそしてオンラインへ

アンゼルム・フランケは文化人類学や社会学を背景とするリサーチに重点を置くキュレーターであり、ベルリン「世界文化の家」の視覚芸術と映画部門のディレクターである。彼のキュレーションは徹底した調査に基づくテキストや映像、写真などアーカイヴ的素材を中心としたものが多い。第9章、東京芸術大学での講演録「錯乱のミュージアム（The Delirious Museum）」において彼は「展覧会がアートとともに、あるいはアートを通して生み出しうる知とは、関係的な知である」と述べている。近代とアニミズムの関係の歴史を異なる仕方で語ってみせるのである。

知の形態が生産されてきた近代の発明である美術館は、混沌から秩序を抽出するために建てられているとフランケは言う。「錯乱のミュージアム」というタイトルはアートが意味の安定性をゆるがし、機能や事物に縛りつけられている記号を解き、不安定な意味の無秩序な過剰を解き放つ、という意味からきている。現在の知の大半は一九世紀後半に形成されたものが基底となっているが、今日の状況の変化の下で、新たな知が必要とされている。それでは、どうすればそれを生産できるのか？　その一つの可能性の場所としてフランケは美術館の試論（エッセイ）的展覧会を挙げる。例えば、前近代として排除されたアニミズムを、アートとともに展示する「アニミズム」展（二〇一〇—二〇一四、八カ所を巡回）は「錯乱の展覧会」として、対象の隠された意味を解き放ち、表象を撹乱し、近代の知の体系の中に挿入し、新たな知の生産に寄与すべく変容させることを目的としている。

このアーカイヴ的な資料とアートの組み合わせはドキュメンタリーやリサーチをベースにしてこれを別のメディウムに翻訳するアーティストたちの増加によって、バランスのよいオーガニズムを形成しつつある。

歴史アーカイヴと現代美術を交えた展覧会による近代的な知の超克（乗り越え）は、新しい知への探求の方法ではあるが、人間の自問自答的な側面を逃れられない。高木遊による第7章「庭のエコロジーとキュレーション」は庭師であるジル・クレマンが美術館で行った展覧会のキュレーションと、放棄地を利用した彼独自の庭のプロジェクトについての論考である。クレマンは著書『動いている庭』の中で植物の生成移動によってミクロランドスケープが変化していく様を鮮やかに記述している。植物の生をともに生きている庭師と、植物学者やアートキュレーターがつくる展覧会との違い、及び独自の生態系の摂理で存在する植物をキュレーションの対象とすることの意味、それが高木の問題設定だった。それは植物との関係で新たな知を生産することの可能性への問いでもある。設問の位相は異なるが、高木自身が京都市立植物園で企画した展覧会「生きられた庭」（二〇一九）についてもふれられている。これは、美術館以外の場所で、植物／庭を媒介として美術館の観客（Museum attendance）でない一般の観客への接続を試みるものであり、植物の生と死の循環、生態系の中にアートの存在の場を探るものであった。

アーティストコレクティブであるDISの一員であるローレン・ボイルの講演録「タイプやスワイプする親指」（第10章）は、ポスト・インターネットの世代にむけてのクラウドスペースやオンライン環境での制作やキュレーションの可能性について語っている。ポスト・インターネットにおいてアーティストもキュレーターもコンテンツ制作者でありそれを供給するという意味で役割は重層している。ポストリーディング、文字を読まない「親指族」は「認知能力を複数のデバイスに分散させ、いくつものハイパーリンクにまたがって広がる知識の水平なネットワークに依存してい」る（本書第10章より）。彼女は「教育」ではなく、バラバラの情報をつなげ組み立てるための「学習」が大切であり、そのための多彩な方法を我々は手にしており、エンターテインメントはそれを理解して活用していると指摘する。主流となっている物語の枠外で物事を生み出すこと、そのために世界を理解することの後押しをすること、それがアートやキュレーションの役割だとする。この考えはラトゥールの目的と同様といえよう。

4　瓦礫のあと、世界の終わりのヴィジョン──思想と表現

日本人は昔から多くの自然災害に晒されてきた。加えて最初の核爆弾の都市被曝を経験している。瓦礫のあと、リセットしまた再生を行うサイクルに対して強靭な耐性をもっているといえる。環境哲学の篠原雅武と文化人類学者の石倉敏明の書き下ろしの論考は、いずれも日本の女性アーティストの作品をテーマとしている。

環境哲学者ティモシー・モートンのエコロジー思想の紹介者であり、自身も独自の環境哲学を探求してきた篠原は建築にも関心を寄せている。二〇一六年のヴェネチア・ビエンナーレ国際建築展に日本館の制作委員の一人として参加し、空き地、廃墟について独特の考察をかさねていた。第2章の篠原の論考「日常の亀裂／亀裂の未来──瓦礫化以後の世界をめぐる表現と思考」は震災後の風景やコロナによるロックダウン下の日常の一瞬をきりとったアーティスト川内倫子の写真を中心に、世界の崩壊にどのようにふれ、表現しているかという感覚のあり方を正鵠に既述する。そしてモートンのいう事物の脆さ、それらが起こる「美的領域」にふれ、定まらなさを通して、既存の世界像では捉えられないリアルにふれることができるという点で川内とモートンをつなげるのである。篠原の川内作品の読み方、解釈は、一つのエコロジカルな「領域」についての語りを感じさせる、それはアンビエントで不確かでありながら、いつでも具体的なリアルを召喚できる緊張感と感度を維持している。

モートンのダークエコロジーや、アンビエント詩学に影響を受けたキュレーター、映像作家の黒沢聖覇は、第6章「ヒト、モノ、幽霊たちとの調停──中園孔二とナイル・ケティングの芸術実践」において、二五歳で夭折した日本人アーティスト中園孔二の作品を、ポストインターネット世代が抱える不安の闇に住むゴーストたちとの交歓の物語としてみる。「現代の不安をあえて自身の身体に憑依させ遊んでいるかのような、周辺を「とりまくもの」

との多方向的な交歓に似た奔放の感覚」(本書第6章より)。情報技術との接触とイメージの受容がほとんど身体化しているこの世代特有の感覚や、スワイプする親指が画面のストロークとなり、とりまくネットワークが錯乱するようなメッシュ表現になること等が的確に分析記述されている。同世代の作家ナイル・ケティング作品にもふれており、この二人の共通点は、変容する環境世界における無意識の不安を緩和し、防衛するために、憑依可能な媒質としてのアンビエンスを創出し、外部とのおりあいをつけようとしている点にあるとする。

文化人類学の石倉敏明は、第3章「「地表空間」をめぐる旅と創造——生の軌道としての民族誌的芸術」において、パンデミックの移動制限による移動の危機の時代の中で、場所を移動しつつ、その場所の歴史や文化、生活などを調査反映してこれをメタテキストとして異なるメディウムに書き記していく三人の女性作家について論じている。長坂有希、バーシア・イルランド、是恒さくらのプロジェクトや作品について、石倉はそれらの作品世界の空間を旅するように論じる。第五八回ヴェネチア・ビエンナーレ国際美術展(二〇一九)の日本館展示で津波石のプロジェクトに関わった石倉は人類学者らしいエスノグラファーの記述の力を物語の創出に変奏させた。それはおそらく世界が瓦礫となってもその終わりがきたとしても継続される記述であり、歌なのである。

5　歴史的概観と現在、未来へ

第4章「エコロジーの美術史」において現代美術を専門とする山本浩貴は一八世紀からの欧米のエコロジーと芸術の関係に始まり、現代までを概観している。ある意味で自然と人間の対応関係で展開してきた歴史が、近年になるにつれて、現代美術とエコロジー思想の関係が、拡張的に、緊急性をもってエコロジカルな問題として問い直され、両者の協働関係が密接さを増してきたことを本論は示している。

第1章の筆者の論考「まごつき期の芸術とキュレーションの役割」は山本の論考を受け継いで、二〇〇〇年以降の現代アートの変遷を追いつつ、新しいエコロジー下で複数の思想、哲学に啓発されながら、アーティストたちが作品やプロジェクトを通して、世界との新しい関係性やシステムをつくる可能性について論じている。そのために彼らの感覚や視点の変容、情報の収集や解釈のありようを、「共感」、「翻訳」などの特筆すべき複数の観点に分け、作例を紹介した。キュレーターにとって、作品とこれを展示する空間は一体のものである。キュレーションの実践は、事物によるリアルな空間の創造であり、観客が自分の中に関係価値を形成するためのトリガーである。すべての要素を包括しながら、理論的にこれを言説化することはきわめて複雑な作業であり、本論考は、テキストの外部で展開している事物の世界を語りきれないことへのジレンマが滲み出たキュレーターの文章である。キュレーションの役割と題しながら、実際の展覧会論に言及していないのは、そのためである。これにかえて、「まごつき期」のアートについて、その概念に受肉するような作品を選び、テキストによるキュラトリアル実践に替えた。そのような不自由さ、特殊な立場がかえって読者の想像力を刺激することを期待している。

「人新世」概念に対する批判も、その影響や機能を評価する意見も、一つの正解はない。そして皆が、解決法がみつからず、困惑しているこの「まごつき期」は、今まで曖昧で多義的で、つかみどころがなく、時折神秘的ですらあったアートや、領域横断ゆえにカテゴライズされず、看過されてきた視点が、キュラトリアル実践によって場所や形を与えられ、パブリックに共有される好機でもある。

多くの異なる要素を関係づけ、それらを編んだり、組み合わせたり、置き直したりすることで新たな関係図、世界観がみえてくる。新しいエコロジー下におけるアートとキュレーションの実践が、新たな循環とシステムをつくる触媒となり、堆肥となりうること、本書を通して読者が新たな可能性として見出されることを願っている。そして本書が提起した問題点が、哲学、社会学、人類学、芸術学、科学などの異なるジャンルの専門家が、新しいエコロジーとアートというテーマのもと、議論や展覧会を通じて、協働するきっかけとなることを期待してやまない。構想から三年余、変わりつづける現状に対してまごつきの極みに陥ってしまった筆者を忍耐づよく支えていただいた、以文社編集部の大野真氏には心からの感謝を申し上げたい。大野氏を紹介いただき、本書について貴重なコメントをいただいた篠原雅武氏、ほか執筆者の方々、講義記録、テキストなどの掲載を快諾いただいた、ラトゥール氏、フランケ氏、ボイル氏に、そしてインタビューにお答えくださったコッチャ氏に、心からお礼を申し上げる。図版掲載に協力いただいたアーティストたち、東京芸術大学国際創造研究科関係者、コンテンツ制作に助成いただいた芸大の「I LOVE YOU」基金のバックアップにも感謝の意を表したい。

第１章　まごつき期の芸術とキュレーションの役割

長谷川祐子

「わたしたちはわたしたちが理解しようとする自然の部分である」（ニールス・ボーア）[*1]

「展示を企画すること、哲学論文を書くこと、民族学的方法論に基づいてフィールドワークを行うこと、戯曲を書くことは本質的に同じことである」（ブリュノ・ラトゥール）[*2]

1　はじめに

近代以降、私たちの認識や表象の概念は、人間主体の自己完結した世界の中で存在してきた。だが近年人間社会において生じているさまざまな不都合（気候変動、移民問題、経済格差、随所にみられる分断）は、我々の認識——経験則を超えてはるかに大きくなった。人新世は、資本主義が招いた一つの結果としてグローバルに世界を覆っているデフォルトである。人間と自然は分割不可能であり、共存や関係性を示す「エコロジー」の中から、もはや「自然」だけを取り出すことはできない。資本主義というもう一つのデフォルト、力と富の極端な不平等の下で、個々の意思や小さなエコ・アクションはほとんど無力にみえる。キム・ロビンソン曰く今の時代の「気分を構成しているもの（structure of feeling）」（レイモンド・ウィリアムズ）は、「知っていても行動しなかった（This knowing- but-not-acting）」のである。[*3] しかし今回のパンデミックによっていよいよ変化を余儀なくされることになった。

現在の「時代の気分（structure of feeling）」を変える方法がわからず、おろおろしながら模索する時代に芸術はどのように変わっていくのか、これを人々に媒介するキュラトリアル実践はどのような可能性をもっているのだろうか。

近代芸術は個人的、主観的な営みである。芸術作品は、世界の事象に対する批評的な視点、解釈、想像力を通してフォームを与えられた、顕在化させられた事物（メディウム）である。音であれ、視覚的なイメージであれ、立体であれ、香りであれ、表記されたテキストであれ、それは基本的に空間の中に附置できて他者と共有できる。キュレーターは、芸術作品や資料、さまざまなモノを、展覧会というフレームを通じて、空間の中に多分野にまたがり（inter-disciplinary）関係づけ構成することで、一つの世界観を示すフォームを与える。複合的な知覚体験の共有、言説化や交換、感覚を通じた学習（sensory learning）を通して、個々人における「新たな知の生産」「世界を知る」機会をつくり出すのがキュラトリアル実践である。キュレーションは、つながることによって新しいものが生まれるという「関係価値」を生み出す。感覚を通じた学びは、分節化を本性とする情報やロゴスが優越する近現代が限界を迎えた現在（従来有効とされていた共通概念や常識が通用しなくなった変化の時期）に、これを超える可能性を秘めている。

芸術は、映像、音、インスタレーション、状況への介入などの芸術の表現手段や形式の多様化、それに呼応する観客の体験の変容に沿って変化してきた。カメラやPC、インターネットなどによって情報収集力－発信力をもち、一方デジタル化への反動による身体的関与への欲求を高めた人々は、能動的な関与を求めるようになった。キュレーションは、作品や展示物と、観客や社会の関係を多様に取り結び、価値を生産することで、モダニズムが依拠してきた「表象主義」を脱構築してきた。表象という概念は観察主体と観察対象を分離することを前提としている。主体と対象を分離することで「実践」から独立した「個人」から形成される世界観をもつことを表象主義と呼ぶ。芸術体験における主体と対象の相互作用（interaction）は、近年、主体と対象は分離しておらず、前者は後者の一部であるという考えに移行しつつある。例えば、カレン・バラッドはボーアの理論に影響を受け、世界の動的かつトポロジカルな再構成／もつれ／関係性、再文節の中で応答する責任を果たす試みとして「イントラ・アクション」(intra action) という言葉を用い、「もつれあうエージェンシーたちの相互構成」の存在論的次元を示す、分離した個体的要素の先立つ存在を前提とする相互作用 (interaction) とは異なり、そこから諸々のエージェンシーが現出するというイメージである。[*4] このイントラ・アクションは、特に新しいエコロジーにまつわるキュラトリアル実践に深く関わっている。

2 ロゴスの限界の突破口としての「緊急のアート」と「緊急のキュレーション」
――変化の背景にあるいくつかの事

一九九〇年台から加速する、身体と情報や歴史との分断、他者との分断によって生じる人々のフラストレーションと喪失感は、マッピングや連結に対する欲求を生んだ。芸術を通して知の生産や感性を養うことは、創造的主観性を養い、結果、個々人の変化が、「環境」に変化をもたらす。この創造的主観性は、創造的なトライブや小集団(マフェゾリ)[*5] を形成し、それらが相互にネットワーク化し、点から面となる

精神医学者であり哲学者のフェリックス・ガタリは、「精神のエコロジー」という概念に言及する中で、「主観性(subjectivity) の生産」における、芸術知覚の重要性を語る。「芸術的知覚というものは、現実の断片を既成の文脈から引きはがして脱領土化し、それに部分的言表行為をつくり出す役割を演じさせるのです。芸術は知覚された世界の部分集合に意味と他 (者) 性の機能を付与します。こうした芸術作品のほとんどアニミズム的な言葉の獲得の仕方は、芸術家ならびにその「消費者」の主観性をつくりなおすという結果をもたらすのです[*6]」。

そして美的なパラダイムは「他の価値宇宙に対して横断的である」[*7] ゆえに重要であるとし、「個体化によらない

主体の生産とインターフェースを倍化させる機械性の生産様式」[*8]によって異質性を発生させることができるとする。主観性の変異形、新たな特異化が環境を変えるという明確な考えは、現実的な社会とのつながりや作用の有効性への疑念を超えて、新しいエコロジー下における芸術の役割をそのプロセス性において明示する。ガタリはさらに「創造」と「芸術」の違いは「変幻する座標系を発明する能力、いまだ聞かれたこともみられたことも、考えられたことさえないという質を生み出していく能力を、きわみにまで高める」[*9]点にあるとし、芸術の位置付けをより明確にしている。

「芸術」の一つの特徴はモノあるいは伝達可能な記号にされることで、恒久性をもち、時間に帰属しないという点である。時を超えて継承される外在化された遺伝子のあり方の一つである。そしてそれらは時間の経過の中で、芸術作品として維持されるべきかどうか、精神のエコロジーによって決定されていく。一部の物質ベースの芸術作品についてはこれらを括弧（一定の空間）にいれて観客（同時代の人々）の共感を促すことで保存を手助けしているのが美術館、博物館である。コレクションによる時を超える通時性と、企画展による現在と関わる共時性、情報とモノが一元化する現在、この二つの関係はより密度を高めている。

芸術を通して、創造的主観性をもった「強い人々」をつくるために、芸術と出会い、これを共有できる公共の空間として重要な役割を果たすのが展覧会であり、美術館である。デジタル化が進む新しいエコロジー下において、アーティスト、キュレーター、美術館の役割は変化しつつある。ポストデジタル時代、オフライン、オンライン二つの環境を前提とした状況における、芸術的価値についてのボリス・グロイスの考えは示唆的である。

彼は、ポスト・デジタル・ターンにおいて、翻訳者、編集者、コンテンツ提供者として、アーティストとキュレーターの役割がオーバラップしつつあると以下のように言う。[*10] アーティストはオンラインを通して、今までになかったトリビアルな（焦点をあてられることのなかった）問題やテーマをコンテンツとして発信する、特に調査に基づくアート（research based art）とよばれるものがそれに該当する。コンテンツ供与者である彼らは科学者や人類学者、哲学者と協働することで、専門的な情報コンテンツを視覚的なパワー（visual power）を通してわかりやすいものに変換することができる。一方キュレーターは、アート作品を選択してテキストとともに編集することでオンライン展というコンテンツ提供者となる。

これがオフラインになると、キュレーターの役割は、空間の中に作品などを展示構成することでフォーム（かたち）を与えるものになる。観客はそのフォームを認識し、記憶し、思考の対象とするのだ。アート作品はフォームをつくるためのコンテンツの一つとなる。オンライン上での作品のかたちと内容の関係は、オフラインの展覧会において明らかにされる。アーティスト・ユニットでキュレーションも行うＤＩＳはオンライン、オフラインを、このロジックで巧みに使い分けている例の一つだ。

グロイスが強調するのは、インターネット世界は普遍で開かれた公共空間でなく、断片的で、点と点でつながるトライバルなもので、自分の好む情報のみが連結されていくナルシスティックな世界である。よってこれに抵抗するかたちで、オフラインのキュレーションが、開かれた批評的な関係性をフォームとして構築するものとして重要になるという点である。美術館のホワイトキューブは作品が属していた元のローカルなコンテクストから作品を切り離し、「展覧会という出来事、その歴史の中で再コンテクスト化され、新たな「今、ここ」を与えられる」（グロイス）[*11]ことで新たな視点を作品に付与する装置である。

オフラインにおけるオブジェクトと身体の対峙を前提とする実空間体験は、歴史的にはランドアートのサイト／ノンサイト、体験を想像力の中で喚起するコンセプチュアル・アートの手法などによって相対化されている。特にポストコロナにおいては、オンラインの増加に従い、プログラマーと協働し、オンライン固有の豊かな体験コンテンツをつくり出す技術や美学が発達してきている。二〇二〇〜二一年の二年間で私たちのオンラインコンテンツへのリテラシーは飛躍的に増大したといえる。では知覚や感覚、思考への回路は、どの程度変化したのか。アートに出会う場や体験について、私たちが最適な選択を迫られたとき、自立共生的（Convivial）で祝祭的な空間や共感の場を目指すときはオフラインとし、それ以外の場合をオンラインで使い分けるといったかたちで収束していくのだろうか。

新しいエコロジーは哲学をはじめとする諸学問に影響を与えている。科学人類学者のブリュノ・ラトゥールは芸術とキュレーションの機能に早くから着目した一人である。「その緊急性ゆえに、今こそ政治、科学、芸術は一体となってこの情況に対応しなくてはならない」（ラトゥール[*12]）、科学者、人類学者、哲学者などの専門家がその思想や研究内容を伝えるために、一九九〇年台から現代芸術やキュレーションに関わり始めた。日常からマクロなレベルの外界の変化に対して的確に反応するために、事物に対する感覚を研ぎ澄ますことが求められ、有機体論的な自然観から、事物の相互連関的な絡まり合いとして捉える「包括的な」（ティモシー・モートン[*13]）認知の変換が迫られている。諸専門家たち（thinkers）は、感覚の研磨と包括的な認知にむけて、芸術がもつ（視覚的な解釈 visual interpretation）の力を必要としている。芸術家は非物質的なものにかたちを与える——みえないものをみえるようにする——メガデータやハイパーオブジェクトを含め、複雑に絡まるモノや事象に満ちた曖昧な世界を翻訳し、彼らの視点や美学を通して共有できるかたちにするからだ。そして新しいエコロジーに関心のある現代アーティストたちは、いち早くこれらの Thinkers の声に耳を欹《そばだ》て、影響を受けている。例えば、環境に「浸る」（エマヌエーレ・コッチャ[*14]）、アンビエントに周辺をとりまくものと「ともにいる、これを気遣う」（モートン）。多文化主義に替わる多自然主義（エドゥアルド・ヴィヴェイロス・デ・カストロ[*15]）や、身体と経済と技術の均一的なネットワークを指すエコテクネー（ジャン＝リュック・ナンシー[*16]）、アクターネットワーク理論（ラトゥール[*17]）など枚挙にいとまがない。彼らに共通するのはその思想や哲学が、いきいきとイメージとして共有できるような、オリジナルの言語で語られているという点だ。そのまま実在する事物のイメージに置換できるようなアクチュアリティをもつ言葉がアーティストの感性に直に共鳴する。

では、かつてないほどに、不可視の「もの」やシステム、複雑で曖昧で未知の事象を扱わなければならなくなった芸術家たちはどうしているのだろう。

3 「まごつき期」の芸術

ダナ・ハラウェイは、今の時代を、「まごつき期」(dithering time、キム・スタンリー・ロビンソンのSF『2312太陽系動乱』から流用)と呼ぶほうが、人新世や資本新世よりふさわしいのかもしれないという。SF『2312太陽系動乱』において、二〇〇六—二〇六〇年は混乱期であり、ある種の「決断ができずオロオロするに任せた状態」としてこのように呼ばれている。ハラウェイは、「森羅万象と共振する者たちは、まごつくことなく、組成し分解するという、どちらも危険でありながらも見込みのある」実践を行うのであり、人間が覇権をにぎってしまっている(人新世的)状況は、森羅万象と共振的であるとはいえないと述べている。地面とつながり、何かをつくり、事物にまつわる生成変化を行いつつ、森羅万象と共振する方法をさぐろうと試みる者たち—芸術家はこれに属している。[*18]『2312太陽系動乱』の主人公のスワンがその例だろう。彼女は惑星にあわせた環境デザインをする。

その惑星を構成要素すべてを環境学、生物学、地勢学、建築エンジニアリング、デザイン美学、を通じて調査、分析し、人類および生物の生存に適するように環境をデザインする彼女の創造は、多岐に亘るディシプリンと方法論に基づいている。[*19]そこには各惑星に特有の、予期できない、多くの偶然的な出来事がまちかまえている。

現代芸術の領域もまた、多くの偶然性(contingency)の要素を抱えている。それは起こるかもしれないことに備えた予備費という意味ももつ。既成概念を超えた多様な要素を受け入れ、それらを邂逅させ科学反応を起こさせる寛容かつ実験的な領域であるがゆえに「偶然」で「予期せぬこと」が多発する。テキストーロゴスを超え、五感を通して生成されるメタファーやアレゴリーや抽象化、新しいナラティヴは、視点の変容、対象（世界）との新たな共振をうながす。「共振」や「つながり」、「相互連関的な絡まり合い」、「関係価値」といったキーワードはすべて、自己と「他者」の対立によるのではなく、それらと連続する方法を探ることによって自らを知ろうとする点において、新しい人文学の方向と同調している。クィアやフェミニズムなど、人間のさまざまな形態を知識の目的にするのではなく、多くの生物の中の一つ、多くの中の一つの力とするためにはどのような知的革命が必要とされるのだろうか。芸術はその知的革命を促進する担い手となれるのだろうか。連続する、相関性をたどる、寄り添い、気にかける（ケア）ための方法として、芸術のもつ「翻訳」行為と「共感」の生成の二つの要素は重要な役割を果たすといえる。

　芸術家は一般に世界でおこるさまざまな事象を視覚的な（時に聴覚、触覚などほかの感覚も含む）言語に翻訳する。モダン、ポストモダンを経て、芸術が惑星的な規模で、グローバルな関係のもとにつくられみられるようになった時代、そこでは異文化からきたエージェントの交渉や議論が生まれてきた。

　評論家でありキュレーターであるニコラ・ブリオーは、この時代をアルターモダニティ（Altermodernty）とよび、そういった時代は特に「翻訳」によって特徴づけられると説明する。Altermodern art はハイパーテキストとして読まれる。アーティストは地理的空間、そして歴史時間的空間に分け入りながら、情報をあるフォーマットから別のフォーマットに翻訳する、あるいはコードを変換しつつ複数の文化間の「翻訳」を行うのである。[*20] そしてその後、人新世以後の世界における人間と非人間の関係、その間の「翻訳」がアーティストのテーマとなってくる。

　ブリオーは異種間の翻訳を語り、さらに異種交配の可能性にまで言及している。[*21] しかしながら、その前に人間間でも容易ではない「翻訳」の、異種間での可能性を検証せねばならないだろう。「まごつき期」の芸術家は、例えば、脱人間中心主義をめざして、人間以外の生物や機械の世界を想像、体験することを試みる。情報学によれば、情報は、シグナル（生命情報）、シンボル（社会情報）、機械情報（計算機プログラム）にわけられる。人間社会に関わるのはシンボルのみであり、では、人は生命情報や機械情報をどのように知覚できるのかが問題となる。例えば、情報科学者の西垣通が、観察行為＝パターン生成により「生命情報」に近づくことができるとするとき、その観察行為はどのようなかたちで実施され、共有されるものになるのだろうか。[*22] あるいは エコロジー教育学で論じられる「認知的プラクティス」の発達はこれにどう貢献するのだろうか。

二つめの「共感」の場の生成は、芸術論においては新しいトピックではない。ただ、今の複雑な事物の有りざまを受け、現象学的な身体論を超えて、事物によって共感の場を生成することが、芸術家たちに問われている。ゆえに感覚横断的（trans-sensory）で没入的な（immersive）な体験を伴う共感の場の生成は、新しい素材やテクノロジーを取り入れながら多様なかたちで試みられている。

角度を変えて、二〇一〇年以降に現れたアートの動向と、その背景から「連続、接近」への契機をみてみよう。一つは、ポストインターネット世代の作家がつくる、流動的で不定形に組み合わせられた、情報と感情とが複合体として絡まったオブジェや平面、映像である。その背景には、生物、無生物、物質、非物質をとわず、あらゆる要素、存在を平等化するobjectに関する新たな概念である物質《オブジェクト》指向存在論（object oriented ontology）がある。[*23] 彼らの世代においては情報に触れることと、外界のイメージに触れることは、ほぼ同時におこっている。素材とフォームを方法とする多くの芸術家に対して、このOOOはさまざまな角度から揺さぶりをかけたといえる。

ふたつめは、調査に基づき、調査内容を思弁的解釈を通して作品化するアート（research based art）である。これは、今までになかった観察、対象に対する実験的でよりふみこんだ知覚の実践の試みを伴う。まず、直感的なエスノグラフィーの手法と、発達したセンサーなどのテクノロジーを組み合わせ、これを情報科学的に洗練させ、リサーチ結果を得る。アーティストはそれらをデータとして美学的にデザインし、高精細なディスプレイで表示したり、批判的検証を通して、美のもつ真実らしさ（truthfeel of beauty）[*24]に基づき、多層的な解釈をもつナラティヴとして視覚化する。

とりまく新たな環境を反映したこれらの表現方法を通して、エコロジカルな領域に対する具体的な観察や知覚、翻訳、繊細な気遣いや共感的な態度が具現化され、芸術表現はより広く、多岐に亘る領域におよぶことになる。例えば、事物の起源への考古学的探求、ＡＩや衛星、ドローンによる非人間的視界の取り込み、データを視覚化し全体を俯瞰することで生まれる新しいナラティヴの創出、状況に対するオンライン、オフラインを併用したアクティビスト的な介入、持続可能性のためのシステムやプロトコルの創出、その結果としての構造物、プロダクトのデザインの考案などである。

「共感」、「翻訳」、「ＯＯＯ」、「リサーチに基づく」、以下、これらのキーワードにそってまごつき期の芸術をより具体的にみてみよう。

まごつき期の芸術１：empathy, sympathy, compassion の狭間で／ＯＯＯの浸透圧

最初に一八世紀以降の「美術とエコロジーの歴史」の文脈に抵抗しつつ、個人的な原風景への思いから、はからずも「環境芸術家」の代表の一人となったアーティストを取り上げる。一九六五年生まれのデンマーク人、オラファー・エリアソンである。彼は共感（empathy）をもたらす現象学的で没入型の空間作品をつくることで知られている。光や水、霧などの流動的で非物質的な媒体を用い、自然現象を、空間の中にフレームして設置することで、観客を包括的な体験に巻き込んできた。その彼が、二〇〇〇年以降、芸術作品との出会いという主観的現象学的な内省作用を、事物性を通して共有する術として模索しはじめた。現象学から新唯物論への関心の移行である。周りをとりまくものをアンビエントとして媒質―物質として捉えるモートンのＯＯＯに触発されながら、エリアソンは「事物性」を探究した。最初音楽から芸術にアプローチを始めたモートンは、「アーティストは、物事がどうなっていくのかへと感度をあわせていき、未来を聴く[*25]」として彼らが現実をより深く徹底的に感覚するからこそ、未来について考えられると言う。ＯＯＯは、感覚論を超えることを強調する立場であり、エフェメラルな現象を物質化させて目にみえる、触れられるかたちに変容させるエリアソンは、思弁的な過程を経ており、ＯＯＯ的存在論と関連づけられる。

　私が対象に対して感じていること、が他者に共有され、共鳴したとき、それは共感（empathy）となる。それは繋がっている（connectiveness）という意識を強化する（エリアソン）。[*26]

彼は共存の条件を、共通の価値観といった内面的な領域ではなく、環境の共有にみていこうとする。環境の共有は、社会学政治学では「ともにある」というかたちで論じられている。そしてこれはエリアソンの目指す、作品を通して生まれる共感に浸された空間―ミクロな環境の共有につながる。

エリアソンの場合、光や霧は何かを「出現」させるために使われる。これらの「出現」はあなたとの関わりを引きおこし、手の届くところでおこる出来事、身体的な出会いとなる。彼はこれを「脱権威化」と呼ぶ。そこでは出現させられる有形のものたちは、それらが何かを表象することを目的としていない。彼は人々の視線（gaze）とって馴染みのあるもの、ないがゆえにそれが不確かさや驚きをはらんでいるもの、を混合させて作品をつくる。つまり、過去の経験から認識できるものを入り口として、できるだけ遠くまで人々の想像力をつれていこうとするのである。それが「物事を徹底的に感じる」ということであり、そこから意味を生産することのレッスンをエリアソンはさまざまなかたちで提案する。

人間中心主義を脱中心化、脱権威化していく動向はエリアソンを惹きつけた。ラトゥールをはじめとして物理的空間を生きているものと捉えた文化地理学者のドリーン・マッシー、[*27] 物の政治的エコロジーについて論じた政治学者のジェーン・ベネット[*28]など政治社会につながる新物質主義の展開がそこにはあった。「それは現象学の内向性に対する批判としての新物質主義への関心の移行というよりは、その中間にあるような立ち位置というべきだろう」(エリアソン)[*29]。つまり彼は他者の感覚を感じ取り、その場にある存在を受け入れること――共感を「物質」として捉え、自分の作品に属する「物質」の動きとそれとの間に作用性をみとめた。その場にいるものをホスピタリティをもって受け入れる、最初の原初的な共感(empathy)と、sympathyやcompassionとの差異についてエリソンは存在論的思考を継続している。例えば霧雨の水の粒に光を当て、光が波長によって屈折率が異なることで現れる七色の虹のインスタレーション《美(beauty)》(口絵参照)。観客はその前に立ち、まず日常的風景の延長として「虹」をみとめる。まわりが暗く、虹に対面している自分の周辺だけが明るいため、全感覚が七色の輝きに集中していく。そして手をさしのべて虹をつかもうとする、さらにその霧雨の中をくぐって、向こう側に行こうとする、その瞬間自分の視覚の周りが完璧な虹のアーチで囲まれることを体験するのだ。彼らは小さな声で「あっ」と叫ぶ。その体験はそれぞれの中にしかおこり得ない。しかし皆でそれを確かに共有するのだ。

観客のためにエリアソンがつくったビデオ《あなたの展覧会ガイド》は、鑑賞の過程で次に起こることを示しながら人々の内的作用を周囲に向けて押し出していく。まずはじっと集中してみる、そして周囲を感じるパノラミックな意識をもつ、周囲の人が感じていることを自分のものとして共感するために彼らをみる、……共振して感じる。共振を司る要因の一つはゆらぎである。降りしきる霧雨は人の動きに左右されゆらぐ。別の作品、水盤への光のリ

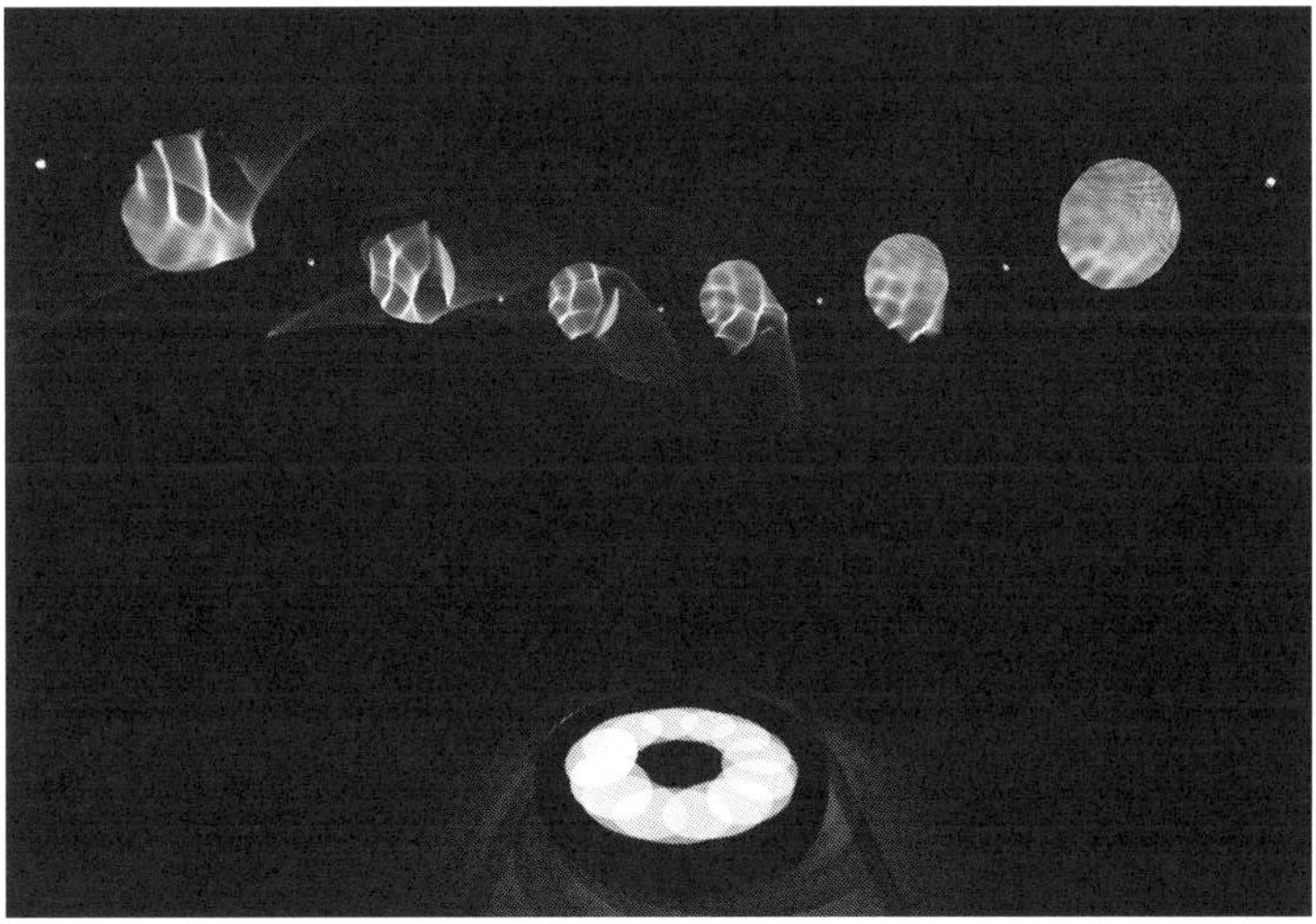

図 1　Olafur Eliasson, *Sometimes the river is the bridge*, 2019. Installation view at The Museum of Contemporary Art Tokyo, 2020. Photo by Kazuo Fukunaga. © Olafur Eliasson. Courtesy of the artist, neugerriemschneider, Berlin; Tanya Bonakdar Gallery, New York / Los Angeles.

フレクションでつくった波のインスタレーション《ときに川は橋となる》においては、水盤がゆっくりと傾くたびに波紋がゆらりと変わる。その瞬間、瞬間の「現れ」が時間を形成していく。時間を「ともに」みられる様にする。体験を共有する者たちは、事物を通して時間を感じ、共振する。

現象と事物の中間にありつづけることで、エリアソンは一見クラシックな現代芸術家の外観をとどめながら、内的なロジックを更新することで、作品や展覧会全体の「アクター」的なふるまいを拡張している。それはとてもゆっくりとしたしかし確実な理念の浸透であり実践である。「展覧会」そのものがアクターとして機能する。物質が主観性に作用する。例えば、東京現代美術館の個展で一三万人の来館者がこの環境を共有したことは、次なるアクションにどうつながるのだろうか。

エリアソンの先達として、一九七〇年代から、光を「絵の具」代わりに使って没入的な体験空間をつくる作家としてジェームズ・タレルが挙げられる。彼は知覚心理学や航空宇宙学などの科学を学び、光を現象ではなく、積極的な作用をもたらす媒質と捉えている。アリゾナの大自然での観察の体験や、パイロットとして飛行した時間の気象現象の体験が、媒質としての光の理解や検証を高めていった。ライフワークであるアリゾナの「ローデンクレーター」プロジェクトは他のアースワークとは異なり、巨大な観測所である。通常の観測所では望遠鏡で確認する超新星の光に、火口のトンネルの中の部屋で全身でふれる（観測する）ことを試みる場なのである。光を生物と捉えるタレルはOOO的思考を先取りしていたといえる。

まごつき期の芸術2：知覚のプラクティス、憑依するまなざし

わたしたちには媒介役、つまり私たちが達しえない境地で世界をみ、また生きることのできるまなざしが必要となる（コッチャ[*30]）。

アーティストにとって、テクノロジーは、自らの知覚、感覚器官の拡張機能として、世界に接する媒介役となる。アマゾンの森に入ると、周囲を鬱蒼とした熱帯植物に囲まれ、自分の位置がわからなくなる。年に一度、世界からアマゾンに集まった作家たちが、リサーチや制作を行うプロジェクト、ラボヴェルデ（Labverde）[*31]の参加作家たちが所持していたのは、スケッチのための鉛筆のほか、デジタルカメラ、ハイドロマイクロフォン、赤外線センサーのついたスキャナーなど高性能のセンサリング機器だった。バロック的混淆そのものの森の形状を捉えることはきわめて困難である。ヘルヴィック・シェラボンは、一本の木を中心として赤外線センサーを使い周辺を3Dスキャンし、そのデータをもとに進化した植物のモルフォロジーを3Dデジタル動画化した。現場の彼のリサーチ姿は科学者のそれとあまり違いがない。二〇一九年、アマゾンの熱帯雨林で政府によって奨励された無謀な焼畑をきっか

けにシェラボンは、現地撮影した植物の根、木、花の3Dスキャンを基にした作品《The Earth Will Spin Yet We Won't Be Here》をつくった（口絵参照）。三つの画面が併置され、向かって左の画面1では広大な黒い空間に小さなオーガニックな物体がうかぶ、それはデジタルホログラフであり、精巧な細部はモノというより幽霊のようにみえる。画面2で物体は黒い石油に覆われていき、画面3では黒煙を排出しながら崩れてゆく。そしてもとのかたちに再生する。フォトグラメトリーによって一つのキノコを六〇のカットでスキャンし、部分を特殊なソフトウェアで細部のテクスチャーまで再現された3Dモデル画像の「幽霊」である。シェラボンは言う。「二〇一九年に撮影された同じキノコが、まだ存在するかどうかわからない世界で、ある仮想のエンジンの化石燃料になっているような深い未来の物語がそこにある。正規の空間と時間の定義を離れると、すべての物体に内在するエージェンシーがみえてくる。炭素ベースの生命体は、化石燃料に移行したり、炭素を大気中に放出して燃え尽きたりする。キノコはキノコであると同時に、地球温暖化であり、サンパウロの黒い雨でもある」[*32]。三つの画面は焼畑による森林破壊の過去、現在、未来であり、みるものに「植物をみているのではなく、すべての生命の中に潜む闇をみて」[*33]いるような感覚をもたらす。テクノロジーによる情報の階層やデータ量の高精細化によって出現させられる強い存在感をもった「幽霊」は、我々に逃げ場やいいわけのきかない切迫した警告を発している。

主体を人間から非人間に移行することで生まれる映像のメタストーリーは、怠惰な私たちの知覚と認識をしばしば衝撃をもって覚醒させる。芸術は人間の知覚体験と想像力の限界を超えることはできない。ただそれを拡張器官と精緻なシミュレーションを通して、できるかぎり「あいての視点に近づく」ことを可能にする。人間ならざるものの視点を共有することで、自分自身が対象世界の一部であることを強く意識すること、私たちの変化がとりまく世界の変化に連動している感覚の中に置かれる。

小野寛志の《明日の津波》は内閣府の南海トラフ地震津波予測データをもとに、ドローンで未来の津波の高さ・

図 2　小野寛志、《明日の津波》、2020 年、映像、©KANJI ONO

座標・速度に合わせて空撮した映像である。小野は青森県から鹿児島まで四カ月間、二万キロメートルに及ぶ移動の中で、太平洋側沿岸各県の津波予測高最高地点を記録した。つまりドローンの映像は、津波の最高点の視点からみえるものを映し出している。海底のプレートテクトニクスがずれて放出されたエネルギーが圧倒的な水量となって移動する物理現象……。「到来者」の目は次第に迫ってくる陸の姿をみている。それが早いのか遅いのか、その目的や意思ははかりしれないがゆえに、静かな不気味さがある。この視点は誰のものなのか。小野は津波への信仰とあわせて、これを人間社会を外からみる神の目線であるとする。同時に私たちはこの「外部者」の視点にふれることで、津波を自分の内部に引き寄せることができたということも事実なのである。

デジタルの過剰な解像度は、人間の知覚のレベルを突き抜けたとき、暴力的な光景（sight）となって、こちらにむかってくる。私たちはしばしば、自然や森、木が我々をみつめているという感覚に陥ることがある。コウケンリョウは、場で蓄積された情報を圧縮・変換する装置として写真を拡張的に用いる。独自の手法で異なる時間、場所を接続し再構成することによって、空間の周縁に潜在するコンテクストへと視線を誘導し、風景の中にあるみえない情報的地層の断面を立ち上げる。奈良の春日山原始林で撮影した森の写真のシリーズは四億画素という超高解像度で撮影されている。木々の葉の些細な動きがあるだけで画面はバグる、静止している部分だけが超高解像度のままということになる。作家はこの断絶をできるかぎり修正する。この写真は森の一部をトリミングしているが、可視・不可視にかかわらず、そこに集積偏在する多くの要素が洪水のようにおしよせてき、ミクロの細部はみるものの生理現象や細胞とシンクロする。デジタルは「気配」を物質的な媒質として触知可能なものにしている。

複数の事実を集めて一つのナラティヴをつくり出すのも「媒介」の役目である。フォレンシック・アーキテクトのメンバーとしても活動するアーティスト、スーザン・シップリのビデオ作品《トレース・エヴィデンス（わずかな証拠）》（二〇一六）は、法廷において最も重要な証拠となる物証を追跡する旅である。この映像の中の主役はセシウム一三七であり、それらは福島第一原子力発電所から五年をかけて太平洋水域を渡りバンクーバー島の西海岸まで七六〇〇キロメートルを旅した。映像は海に押し出されてから漂流し、海岸に到り着くまでのモノ（セシウム）の視点から捉えられている。この作品は、ガボンのウラン鉱山現場での古代の原子炉の発掘、スウェーデンの発電所で、感知器が作動して鳴り始めた警報による、チェルノブイリからの放射性物質による空中汚染の発見という、二つの出来事とあわせてオムニバス形式で構成されることにより、放射性物質というハイパーオブジェクトの強いナラティヴとなりえ、共感されうるものになっている。証拠は、正鵠なセンサーリングと心理的因果関係というナラティヴの総合により、強固にデザインされる。

拡張機能に自らを接合すること、人間ならざるものに憑依するメタストーリーやナラティヴは世界とより深く共振するための媒介となる。

図3　Susan Schuppli, *Forsmark Nuclear Power Plant, Trace Evidence*, 2016, HD video, color with four-channel sound, 53 minutes.

図4　Susan Schuppli, *Ucluelet coast, British Columbia, Canada, Trace Evidence*, 2016, HD video, color with four-channel sound.

まごつき期の芸術3：異種間（interspecies）のつながり

異種間のつながりはさまざまな視点で語られる。例えば、コッチャは、異種間のつながりを次のように語る。

遺伝子のコードを使用する場合、遺伝子コードの九九パーセントは人間に固有のものでなく、細菌、魚、そのほか全てに由来している。すべての種は異なる種のパッチワークであるため、そのように考えていくとポストヒューマニストやトランスヒューマニストになる必要はない。[*34]

「メタモルフォースィス」は次々に変化していく分散的で水平的な思考を表現している。「すべての生物は、それ自体、同時に存在し、かつ連続する複数の形態である。しかし、これらの形態のそれぞれは、真に自律的で独立したかたちでは存在しない。なぜなら、それは、その前後にある無限の他のものと即座に連続して定義されるからである。メタモルフォースィスは、すべての生物が複数の形態の上に同時かつ連続的に広がっていくことを可能にする力であると同時に、形態が互いにつながり、一方が他方に移っていくことを可能にする息吹でもある」[*35]。このようにコッチャによって風が吹き渡るような透明感をもって翻訳される世界は、鮮烈な視覚的ヴィジョンをもたらす。イメージと媒質の関係についても同様で、空気や光といった媒質によってはじめて客体が感じられるようになり、知覚できるようになったものを「イメージ」と彼はよぶ。この、イメージを伝達する媒質を含んだ空間は「中間に介在する空間」とされる。芸術家によっては光に対する感覚を倍化させ、周囲をとりまく空気を媒介と感じ直すことで、世界は新たな関係性の様相をもって現れる可能性をもつことになる。これはヴァーチャル空間でも適用できる。

ヴィヴェイロス・デ・カストロは、身体（body）を存在の基盤とする「多自然主義」（パースペクティブ主義）によって異種間のつながりをみる。これは、自分自身を敵や他者の視点からみることを指し、ジャングルの動物たちは人間のように、それぞれのパースペクティブをもつとする考えである。[*36] ジャガーが狩猟で仕留めた獲物を持ち帰る前にその血を飲むことは、仕事帰りのビジネスマンがビアスタンドで一杯やるのと同じ、とヴィヴェイロス・デ・カストロが語るとき、そこには鮮やかに複数のパースペクティブのヴィジョンがみえてくる。精神（文化）が複数、身体が一つではなく、精神（文化）は一つ、身体は複数という多自然主義は、「文化」と我々が考えている領域を脱人間的領域に拡張する。種と種のあいだ、複数の視点の間を移っていくという考えは、他の種が自分の視点や主体性をもっているということに基づいている。この、精神（文化）が一つのものとして共有されているという考えは、種を超えた宇宙観の共有となる。アニミズムや対称性人類学が漠然と示していた方向性を明確にし、「人間のパースペクティブ」にとらわれていた芸術をそこから解放するものとして芸術家に影響を与えている。

つながり、交信するためには、まず相手がみている世界を想像することから始まる。ヤーコプ・フォン・ユクスキュルは、「環世界」という概念を用いて、各々の生物の主体性を「みている環境の違い」にみる。すべての生物は自分自身が持つ知覚によってのみ世界を理解しているので、「客観的な環境」というものはなく、環境とは生物各々が「主体的に構築する独自の世界」である。[*37] 本当の「環世界」とは異なる、「環世界モドキ」を実現したのがデヴィッド・オライリーによるシミュレーションゲーム《エヴリシング》（二〇〇七）である。これはダニから銀河まで何にでもなれるゲームであり、そのモノになった視点で世界をみる体験をさせる。生物に限らずタバコの吸い殻などのモノ、つまり存在から存在へと次々に憑依していく体験は、異なる「環境」への想像力の訓練と、「連続性」の感覚を味わえる。これは視点シミュレーションであるが同時に人間の知覚の限界も表している。主体−視点は常に変わっていく、ゆえに「重要なことはあなたが何であるかということではなく、何を「するか」による」[*38] とオライリーはいう。つまり自然とは個体や出来事ではなくモノが動いたり活動したりするダイナミクス、関係性を表現する動詞から成り立っている。この世界観は誰も皆迷いながら動く、動きながらつながりをみいだすというダンスを元にできている。

既に述べたように人文学は「他者」「差異」研究から「つながり」「連続性」の探求へと視点を移行している。そのための、人間と他種の関係を再考することは、人間と「他の編集された集団」との関係を再考することと不可分である。動物学がフェミニズムを必要とし、フェミニズムが動物学を必要とするのはそれゆえである。ポストヒューマニストのジェンダー研究や、マテリアル・フェミニズム、フェミニストのエコクリティシズム、クィアのエコロジーなど、いずれも動物やアニマリティに関する視点に限らず、人間以外のものや人間以外の物質的身体的なエージェンシーに焦点をあてている。表現における混交やハイブリッドの手法は、これらの探求の過程を、たえず変化する「現在形」の生命現象としてみせるのに適している。興味深いことに、この手法でつくられた優れた作品は、女性作家によるものが多い。

医師兼作家のナタリア・バゾウスカは、動物と植物のハイブリッド彫刻をつくる。彼女の視点は、森の中で群れからはぐれた野生の狼ルナと過ごす時間によって育まれている。ルナはバゾウスカだけを受け入れ、二人は苔や草の上に寝そべり、互いに体をゆだねる。彫刻は、森とルナの匂いが「ごっちゃになった」圧縮され、発酵したアッサンブラージュである。生き物と時間を伴にし、相手の生態を注意深く観察し、作品制作するAKI INOMATAの真珠貝やヤドカリ、ビーバーなどとの協働もこれに該当する。作品《やどかりに「やど」をわたしてみる》は、都市のランドスケープを模った透明な殻をヤドカリに与え、成長するに従って、大きな殻に引っ越しを繰り返していくさまをみせる生態展示である。「宿」から「宿」へヤドカリはゆっくりと移っていく。同じような大きさでも「ニューヨーク」はあまりヤドカリの好みではないようで、ほとんど無名の都市「アイット・ベン・ハドウ」に快

図 5　Natalia Bażowska, *Luna*, Video performance, 2014.

図 6　Natalia Bażowska, *The Fare runic*, sculpture, 2016.

図 7　Lee Bul, *Sorry for suffering–You think I'm a puppy on a picnic?*, 1990, 12-day performance, Gimpo Airport, Korea; Narita Airport, Japan; various public locations in Tokyo; Tokiwaza Theater, Tokyo, Courtesy of the artist.

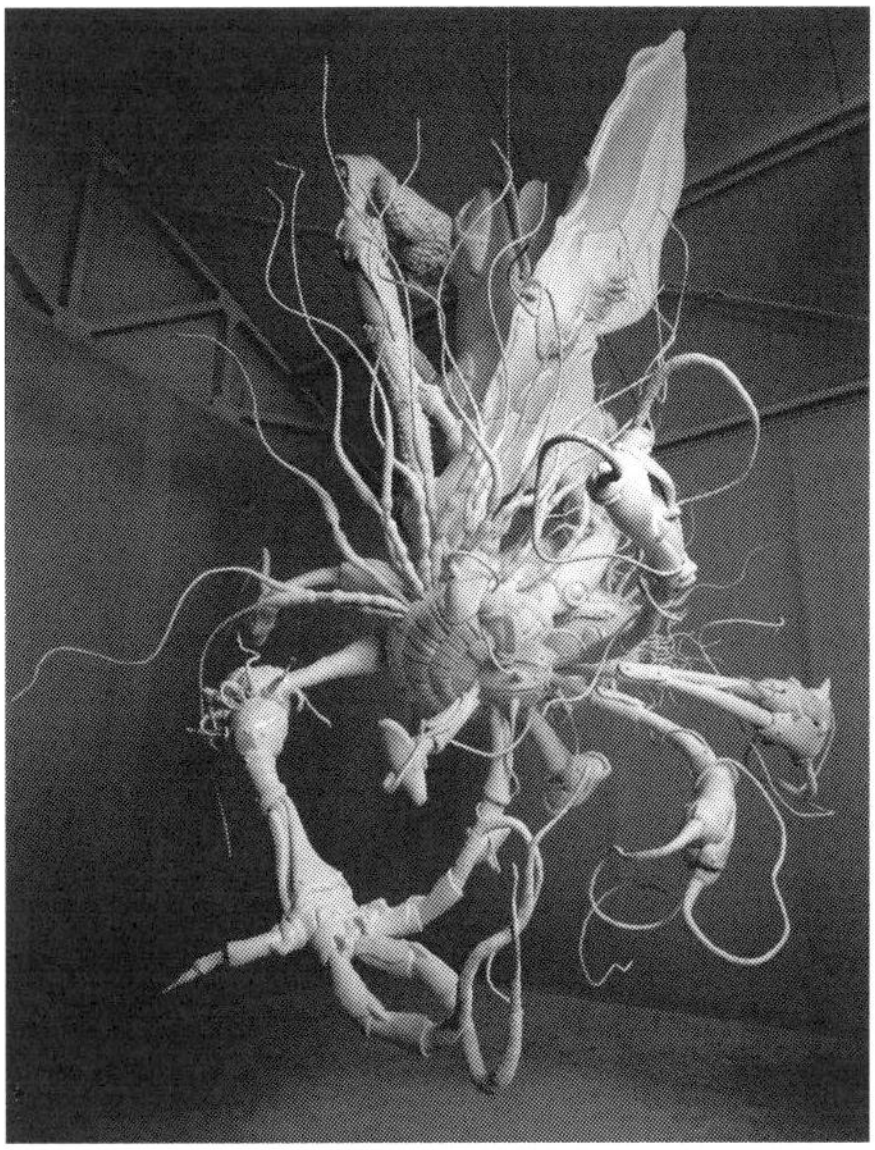

図 8　Lee Bul, *Amaryllis*, 1999, Hand-cut EVA panels on aluminum armature, enamel coating, 210 x 120 x 180 cm, Courtesy of the artist, Photo by Rhee Jae-yong.

くおさまったヤドカリの姿は、彼らにとっての最適の生存空間との合体を表している。これらの作品は、種のアッサンブラージュや、人間と人間でない生き物がともに暮らす場「コンタクトゾーン」（ハラウェイ）について語るものである。「コンタクトゾーンこそ、作用／活動の場なのであり、現在進行中の相互作用が、次の相互作用を変容させるのである」。コンタクトゾーンがすべての主体を変容させるとハラウェイは言う。[*39]

これらのコンタクトゾーン的生態表現の一方で、異種間のつながりをメタフォリカルに表すものとして、シンボリックなポストヒューマンの表現がある。例えば、アジアにおける女性差別への抵抗として、イー・ブルはソフトスカルプチャーを自身の身に纏い、怪物化することから始め、機械、サイバネティックスとの合体によるサイモンスターをつくりあげる。押井守によるアニメーション『攻殻機動隊』（英語タイトルは Ghost in the shell）に触発されたそれらの作品は、サイボーグフェミニズムの延長線上にある異種の存在のハイブリッドの可能性であり、人間という種の永続性への批評的な問いにもなっている。

同じポストヒューマンの寓話でありながら、フィジカルに他と混交するブルの力技と対照的なのが、仮想空間で展開される変異、ハイブリッドである。仮想空間における流動性、透明性や、力を抜いた、認識できないほどのゆっくりとした時間の移行表現は、異種間の交換や交流の表現に不思議なリアリティを付与する。三人の女性作家によるユニット、ケイケン（Keiken）のＣＧＩ映画《Feel My Metaverse（私のメタバースを感じて）》は、共同で構築したネットワークを利用できる空間「メタバース」をつくり、参加者がアバターを通してさまざまな経験をするものである（口絵参照）。そこでは資本主義の加速主義を批判するかのように恐ろしくゆっくりと時間がながれる。事物は変化しつづけ、決して固定した結果にたどりつくことがない。流動的で透過性のある境界によって、諸要素が無限に広がるネットワークと継続的につながりつづける、相互に再帰的なプロセスで構成されたメタバースである。プログラミングの訓練を受けていない彼女たちは、試行錯誤しながらツールをＤＩＹ的に用いる。結果、ＣＧ

の視覚的文法を超えたパンクで破壊的なインパクトをもったイメージをつくり出す。現実空間で踊ることのできなくなったダンサーが、サイバー空間で生命の饗宴さながら森の中で踊り狂う場面や、さまざまな年齢やジェンダーのおびただしい数の人々が海上に立つ場面。彼らは透明なふくらんだ腹部——子宮の中に、それぞれの未来のきたるべき「何か」を宿している。マジカルリアリズムの手法を用いた強い象徴性と場面展開は、自分の身体の部分を、新たな現実（メタバースと生物圏の二つが共存する現実）に対して一つ一つ挿入する——入れ子状になっていくような視覚心理的作用をもつ。ケイケンは「メタバース」を進化させながら、インターネットの閉鎖性を突破する民主的な開かれの場を形成する。進化バージョンの「Wisdoms for Love 3.0（愛の知恵袋三・〇）」は、変化や、より平等で分散化された未来を求める気持ちを集団意識としてゲームのかたちで共有しようとしたものである。ゲームの中でプレイヤーは「知恵のトークン」を集めるように誘《いざな》われ、意思決定の瞬間瞬間には現代の意識にあるさまざまな概念や信念が象徴的なイメージで現れる。「通貨」として提案された「知恵」は成長と変化のためのツールであると考えられている。「知恵」を「富」とするこの通貨はブロックチェーンに適用され、将来のweb 3.0テクノロジーに統合されることによって、富の定義を変えることになる。これは二つの世界にハイブリッド的に存在することで、集団的な意思存在になり、知恵を通貨に変えるという、めくるめくつながりと変容の連鎖を表現している。

まごつき期の芸術4　システムに関する芸術と「新しい美学」

ネットワークは新しい環境の一つである。そこから生まれる「新しい美学」についてジェームズ・ブライドルは、次のように語る。「新しい美学」は、ネットワーク自体の構造や性質を、批評のかたちで再現する。それは従来のメディアアートが対象としていたものとは異なる。その中では「すべては進行中のプロセスの瞬間的な表現であり断片であり、それぞれの画像は、ハードコードされたものであれ、想像上のものであれ、はるかに大きなシステムの他の側面へのリンクであり、つながっている」のであると。*40

ネットワークというエコシステムに関わって、制作するクリエイティブ集団がライゾマティクスである（以下ライゾマと呼ぶ）。「すべての事象はつながっている、これを手に触れるように可視化したい」、メンバーの一人、アーティストであり、プログラマーでもある真鍋大度は言う。データは一つの媒介となる。デジタルデータにマテリアリティとフォームを与えることで、単なる「情報伝達」を超えた情動の喚起と世界に働きかける「作用性」をもつ。ライゾマは人々の、遊び、エンターテインメントとしての時間の消費、情報やコミュニケーションへの欲望や動機を媒介に、デジタルと感情‐身体をつなげようとする。この二つを連結しつづける行為によってはじめて、デジタル環境とイントラ・アクティブな関係を継続できる、つまりその環境の中にある一つの生命体としてシンクロできる、と考えるのである。

ミュージックビデオや、データの流出を暴露するソフトウェア作品などを通して、彼らは資本主義による情報の偽装、パッケージを引き剥がし、自分のコントロール下におくことを示唆する。東京都現代美術館での大型個展（二〇二一）において、彼らは最後の部屋に約二〇台のモニターをおき、各展示室のバックグラウンド、ソフトウエア、コーディングなどをすべて観客に暴露した。自分を監視していたCCTVカメラ映像、それはピクセル化されているために認識できないようになっている――プライバシーを暴くシステムが逆にこれを守るシステムに転換されている。テクノロジーシステムの多層性、複雑さを身体的な意識にループバックする。ライゾマは活動の総体において、資本主義の内部構造に入り込み、イントラ・アクティブに関わろうとする。資本主義とともに発展してきたテクノロジーとシステム――ライゾマが翻訳、変容、増強、暴露、脱構築しようとしているのは、このシステム全体なのである。

大きな変化をもたらしたエコシステムの一つに、ブロックチェーンによるビットコイン取引システムがある。誰

図9　Daito Manabe + Yusuke Tomoto + 2bit Ishii, *chain*, 2016, Exhibition view: "GLOBALE: New Sensorium - Exiting from Failures of Modernization" Curated by Yuko Hasegawa, Courtesy of ZKM ¦ Karlsruhe, Photo by Tobias Wootton and Jonas Zilius

でもノンヒエラルキーに参加でき、中央コントロールや搾取のない状況で取引ができるブロックチェーンは、取引の記録の透明性を利用しており、取引されるのは暗号通貨、ビットコインである。以下、価値と、プロトコル、流通のシステムの変化をもたらしている質量のない不可視の暗号通貨のシステムを扱った三つの作品を比較してみよう。

ライゾマは、「ハッキング」をメタ化するかのように壮大なイメージ空間をつくる。彼らはビットコインの取引をライブで実感できるように作品をデザインした。《chain（チェイン）》は、信用（ブロック状に重なる取引の情報）とそれにもとづく取引のシステムと駆動エンジンをライブで視覚化したインスタレーションである。グローバルな漆黒空間に浮かぶデータ情報を内包したブロック群、その間をビームのように送金されるビッドコイン。SFや宇宙開発をテーマにしたハリウッド映画でお馴染みの、コントロールルームに広がるマルチスクリーンのレトロな視覚デザイン。インフォグラフィックの情動的で、生命的な視覚効果が取引の現場に立ち会う臨場感を醸し出している。

劉窗《リウ・チュアン》は、マルチチャンネルの映像を通して、ビットコイン・マイナーにひもづく輻輳するナラティヴをつくりだす。《ビットコイン採掘および民族的マイノリティのフィールド・レコーディング》（四〇分）では三つの画面で、ビットコイン・マイナーとマイニングの環境から、数千年にわたる中国の歴史を遡り、物資、非物質的な力、征服と変容、生み出された利益の流れが辿られる。紀元前五世紀に巨大な青銅の鐘をつくるためにコインの銅の量を減らした皇帝の話など。ビットコインの採掘は冷却のため大量の電気を消費する。ゆえにゾミアとよばれる事実上国家による支配の届かない山岳僻地でマイナーたちは活動している。エネルギー供給のためのダム建設、そして少数民族の生活圏への影響が映し出される。安価なエネルギーをもとめて移動するマイナーたち、過酷な生存環境の下で分散移動しつつ生活する少数民族。そこで若者たちは、マイニングの工場から供給されるさまざまのネットサービスやデジタルエンターテインメントによってネットワークの中に入っていく。配信される音や光はマイニングのためフル稼働するコンピュータの作動に同期している。思弁的なナラティヴは明確なストーリーラインをもたず、撮影したフッテージと学際的な引用や映画や音楽などのモンタージュであるため、「シャギードッグストーリー（話しの展開に山がなくだらだらと続く）と学術論文を」[*41]読まされているような印象をうける。エスノグラフィ的な調査データや現場撮影のイメージが、断片的なアレゴリーやサウンドによって次々に化学反応を起こすことによって、知覚と思考を接続させ、みるものの解釈や価値判断を他方向に拡散させる。その先のリサーチを彼らに委ねるために。

魚住剛は、プログラマブルマネーや機械学習などの「文明における自動化の動向」をコンセプチュアルアートの語法で作品化する。彼は人間がアルゴリズムに信頼を委託することを trustless trust（管理者が存在しない委託）と呼び、暗号通貨の構造、歴史、思念などを可視化、暗号通貨が単なるコンピュータの計算量の競争とインセンティブ設計によって貨幣としてのシステムを確立させていることを明示する。人間の社会を支配しているプロトコルに批判の目を向けつつ、観客が参加できるゲーム的な仕掛けを作品に交えることで、システムに介入し、主体的にこれに関わることのできる可能性を暗示する。

ここでアーティストたちが用いるメディウムや方法論は、データの演算とデザイン、調査と論文形式、インターフェイスやルールを含んだ新しいゲーム等であり、それらは新たに出現した環境（システム）を「翻訳し」その中に立ち入らせるための導入ツールともいえる。

まごつき期の芸術5：孤立と連結

最後に、コロナ禍が私たち人間にもたらした、状況の変化‐孤立、社会的関係のリモート化と芸術の関係をみてみたい。

ユニークな創造性と孤立の関係は、生態系における環境の中での棲み分け、孤立（隔離）が種の固有性を維持し、生物学的多様性を保持することと相似している。国立アマゾン研究所（INPA）の鳥類研究者の報告によれば、迷路のような小さな川に囲まれた（隔離された）一定の地域に生息する鳥は、その場で充足しており移動する必要がないため、わずか数メートルの幅の川を決して渡ることがないという。ためにそのメゾコスモの中で種の固有性は維持される。驚異的な生物学的多様性のマップが現れるのだ。

アートの生態系マップについて、ミュージシャンのブライアン・イーノは、一九七六年に、“Generating and Organizing Variety in the Arts”（芸術における多様性の生成と組織化）と題されたエッセイで、アートにおける多様性（variety）という言葉をサイバネティクスから検証している。「環境」は多様性を減じるもの（variety-reducer）であり、そこに住み再生することのできる適応対象を限定する。結果的にその特定の「環境」にあるものは、有機体として精度を高め、創造的多様性が生まれる（generate variety）とするのだ。[*42]

そこに留まること、孤立によって、有機体としての精度が高められ、創造性が醸成される。創造的主体たちは、分散しつつ、芸術という表現活動を通じてつながる。これは二〇二一年においては、創造的主体たちが、分散型

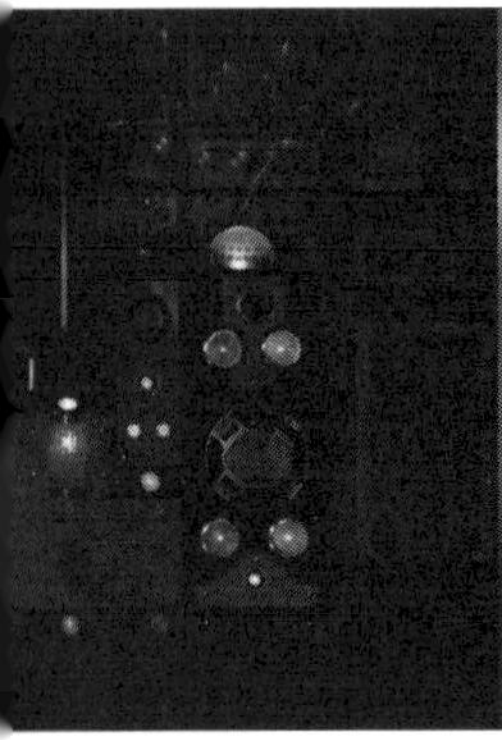
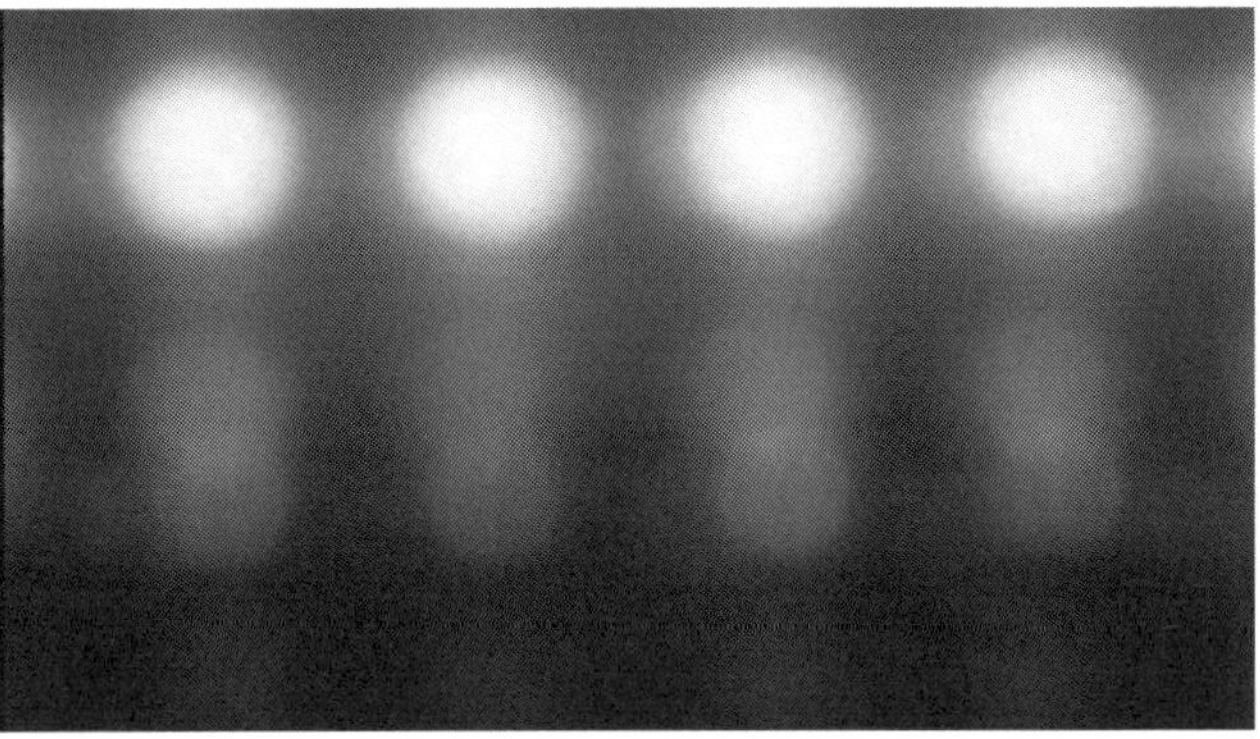

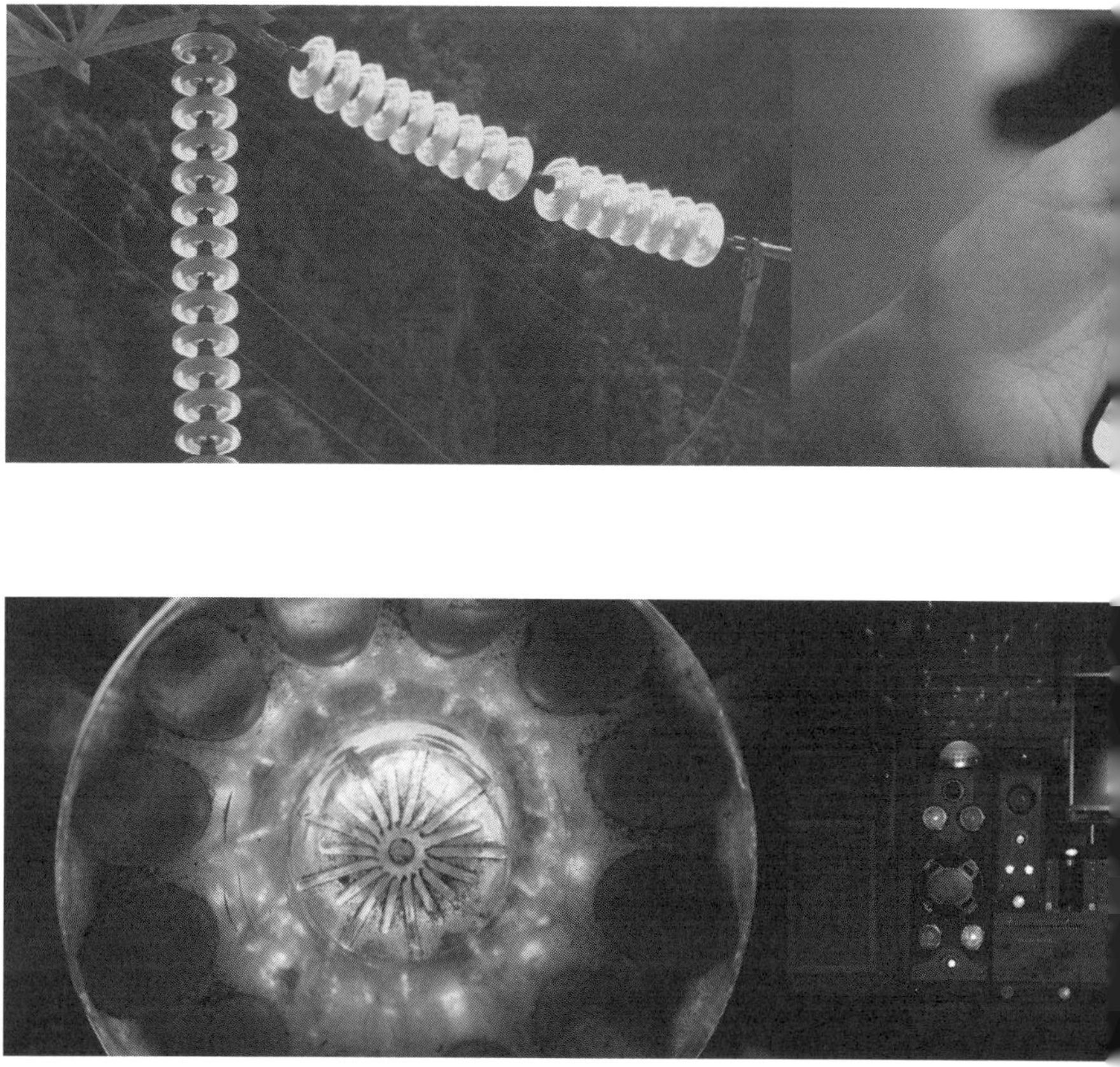

図 10　Liu Chuang, *Bitcoin Mining and Field Recordings of Ethnic Minorities*, 2018, video, Commissioned for Cosmopolis #1.5 : Enlarged Intelligence with the support of the Mao Jihong Arts Foundation, Courtesy of the artist and Antenna Space.

ネットワークの中に銘記（register）されていくイメージとなるのだろう。

身体的な接触、移動が制限されている環境で、ネットワークでつながる方法やプロトコルが発達し我々の心身はそれに適合しようとしている。自己回帰的、閉鎖系として批判されるインターネットのフィルターバブルも、そのシステムを理解しつつ、これをハックしたり、予期せぬ漂流物にであうために自らネットの中をドリフトすることで、新たな孤立と連結の関係を形成しようとするものは多い。

アレクサンダー・R・ギャロウェイは、これを促進する要素としての「プロトコル」について述べる。基本的にネットワークは世界を俯瞰している。これらを配信するインターネットに関わるプロトコルは、すべてのものを受け入れるため、そこから意図せぬ普遍性が導かれる。「物質的なシステムがもつ自己決定主義がプロトコルの前提条件」であるからだ。プロトコルは動作を管理＝制御する規則または、外交儀礼、礼儀作法という意味をもつ。「プロトコルは、流れ《フロー》を調整し、ネット上の空間に方向を与え諸関係をコード化しそして生命体同士をつなげ合わせるそうした言語のひとつである。プロトコルは、自律的な行為主のための作法なのである」[*43]。

孤立と連結、プロトコルの作法をメタフォリカルに表現する作家の一人がナイル・ケティングである。ケティングが属するポストインターネット世代は、プロジェクト＝投機をしない代わりに何かが自分の感性（あるいは嗜好）の領域にアクセスしてくるのを待つ、という傾向をもつ。インターネットの中で彼らの振る舞いの作法は、この待ちの姿勢を前提につくられる。ハックもドリフトもそのフロウに身を委ねる受動性、リズムの中で行われる。

ケティングは、モノ、情報、生物を等しく扱いながらそれらを自動的に振る舞わせる。《Hard in organics》では、「感覚するモノ」としての人とモノとのイントラ・アクションをみせた。《Sustainable hours》ではプロトコルの作法性が空間構成に、より反映される。自分の嗜好をAmazonのＡＩが読み取り形成したアルゴリズム（my algorism）によって選択、購入したモノたちを自在にプログラムでつないで、演じさせた。創造的なハッキングである。《Remain calm》(じっとしていなさい)においてプロトコルはさらに冴え渡る。これは小学校のときの避難訓練から発想した、災害から避難し、ともに空間を共有する状態を避難のピクニック(evacuation picnic)と捉えた作品である。展示室のパフォーマーたちには、嵐をおこすガラスの仮設空間や、ロボット、変化する光や霧の空間の中で、沈静のために立花、額絵をかざったり(床の間作法)、被災から身を守るため体表面積の露出を最小限にする「うずくまりの姿勢」などを行う。災害の情報、水分摂取などの作法、機械的な動作、パンクなダンスプログラムが、アプリで同期されている。《Remain calm》はモノたちと人間がネットワークと連動しながら展開する「緊急事」の作法なのである。最新作《Reset Moments》のコンセプトは空港の待合室であり、パンデミックの中、何度もキャンセルされ、決して飛び立つことのないフライトをまちつづけるためのモノとヒトの作法がインストールされている。

ポストコロナを語るまでもなく、彼らの世代では孤立と連結は、生の作法であり、感性と美学を共有する状態として深く浸透しているのかもしれない。

4　まごつき期を攪拌するキュラトリアル実践

コッチャは「木々(Trees)」展(カルティエ現代美術財団、二〇一九)科学アドヴァイザーとして加わった。植物の知と環境との連続性が視覚的造形を通して存分に展覧された。彼が選んだアマゾニアのヤノマミ族のジョセカのドローイングは、世界の中にそのことだけが存在するかのように描かれた森とその上を覆う雲と雷雨の循環である。見事なまでにシンプルで、雨と森が互いを養い、祝福するかのような清々しい画面はエコロジーに関するいかなる言説よりも、エコロジカルマインドをみるものに伝える。ヤノマミのシャーマン、コペナワの「白人は自分たちの夢しかみない、私たちは世界の夢をみるのだ」という言葉のままに。

モートンは『*all art is ecological*（すべての芸術はエコロジカルである）』の中で、多くの哲学者が芸術鑑賞に関して起こる「奇妙なこと」への気づきについて語っている。*44 それは芸術に関する経験が、他の存在を「他者」とみなす谷間を維持することを困難にし、時に不可能にしてしまうということである。それは芸術を鑑賞する（appreciate）という言葉からも明確になる。Tolerate は自分の概念的な参照枠の中で、自分の枠が本当には許していないのに、何かが存在することを許すこと。これに対して appreciate は自分の参照枠がどうであれ、ただ賞賛するということなのである。曖昧さを曖昧なまま受け入れる、曖昧さを理解することがエコの基本、とモートンはいう。つまりなぜあの作品が気になるのか、なぜ私の心はこのように震えるのか。芸術体験とエコロジカルな感覚はそこで結びつく。予期しないものに向かう、それがエコロジカルな気付きである、と。キュレーションの目的も、予期しないものとの出会いをつくることに向けられていく。思考実験的な記述や記録、記録映像のフッテージを展示要素に加えながら、キュラトリアル実践は、「まごつき」という糠床をさらに発酵させ、曖昧さや多層的な読み取りにつきまとう「いがらっぽさや不純さ」を香り高い味わいに変容させていく。

キュラトリアル実践は新たなエコロジーの時代において、多くの可能性を孕んでいる。キュレーターにとって、作品と展示空間は一体のものである。展覧会キュレーションの実践は事物による空間の創造であり、関係価値と、観客との関係の生成でもある。これらの要素を包括しながら理論的にこれを言説化することは複雑であり矛盾をはらんでいる。テキストの外部で展開している事物の世界の語りきれなさを最も自覚しているのはキュレーター自身なのだから。言葉で表現できないゆえに作家は、アートをつくる。言説化しきれないゆえにキュレーターは展覧会をつくる。特にそれが曖昧で未知の概念や事象である場合は、展覧会としての具現化の意義はより強まる。

例えば「新しいエコロジー」とは何か、というとき、これが新しいエコロジーであるとして、本稿に挙げた作品

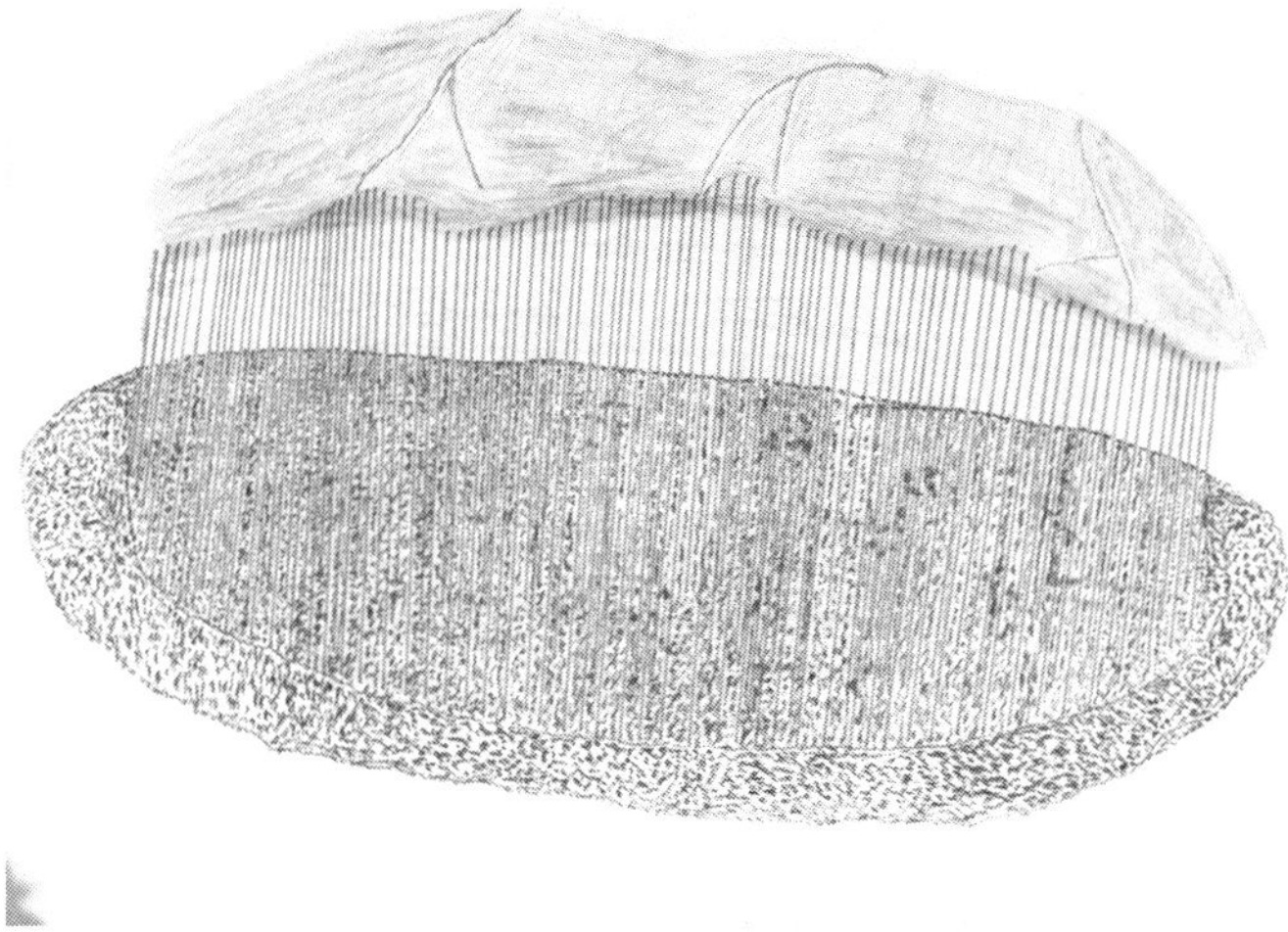

図 11　Joseca (Yanomami), *Sans titre*, *Storm on the forest*, 2004-2019, drawing, 32 x 40 cm, collection Fondation Cartier pour l'art contemporain, Paris © Joseca / © Bruce Albert.

を小テーマ別に一つの空間に展示する。目前に展開された事物をみて、人々はこれが「新しいエコロジー」であるという認識をもつ。つまり概念のプロトタイプをつくってみせることに似ている。

言説と作品とどちらが先かという問題ではなく、本来ならばそれぞれは自立している。それを関係価値の形成のために創発的な媒介となるように、相互作用をはじめるように、キュレーターは、言説とイメージと事物を見出し、それらに場所を与える（placement）。センシブルな調停を行うのである。

作品と展示空間は一体であるがゆえに、展覧会のサイト（場所）は、重要な要素である。ラトゥールが語るように、新しいエコロジーに関わる者はすべて「実践者」たるべきである。新しいエコロジーにおけるキュラトリアル実践のサイトの領域は、オンラインを含め、従来展示されていた美術館やギャラリースペースを超えて、あらゆる場所に拡散、拡張すべきである。植物園や動物園、ジャングル、海底や北極圏、放射能汚染地域などにそれはすでに及んでいる。世界が予期されないものに満たされていることを知り合うために、科学者が、庭師が、人類学者が、ほかのさまざまな人々が（非人間も含め）、キュレーション行為に関わりうる。*45

私たちは、今、現実の事物の世界以外にイメージや情報を含む複雑化した新たな環境で生活している。そこで、視覚（聴覚言語など他の感覚を通した）言語と文字言語を融合した複合言語は、世界をより深く理解するためにその有効性を増してきている。

事物の世界と感覚、感情、情報すべてに関わるのが芸術であり、これらを包括的に空間に展示（exhibit）するのがキュレーションである。「まごつき期」における芸術の役割は、まず世界の諸要素がつながり、関係していることを人々に理解してもらうことにある。そのために、「翻訳」と「共感の場の生成」は主たる方法であり、これらは芸術制作、キュラトリアル実践のいずれにも関わってくる。私たちは世界を、諸要素が置かれている場所や文脈によって理解している。これを置き換え、異なる星座に配置することで、新たな関係性や価値や意味が生まれる。この、芸術に出会う体験を他者と共有し、考えを交換することは、個々の「創造的主観性」を強化し、洗練させアップデートする。ロゴス的文字的思考をイメージや事物に置き換えること、流動する感性の海で自由に泳がせること、これはデトックスでありエクササイズでもある。事物や技術、思想や情報の貢献のもとに、アーティストやキュレーターは頭と身体を働かせる。

まごつき期は、芸術を求心力の一つとして、向かうべき方向を皆が探している時期である。現在をみる力を、未来につなげる力に変えられる最も確かなトークンが芸術であり、キュレーターは未知の概念のプロトタイプを提示しながら、そのトークンの価値を支える。美のもつ truthfeel という価値を。

この有機的で生態的な関係、現在進行形で変化しつづけるエコシステムは、多くの分野の人々、その知や経験を取り込み始めている。本論がこの現象やさらなるアクションを活性化する触媒となることを願う。

【注】

＊1　ボーア、ニールス　一九九九、『ニールス・ボーア論文集〈1〉因果性と相補性』、山本義隆 編訳、岩波書店 など参照。引用文は、Karen Barad 2007. *Meeting the Universe Halfway*, Duke University Press, p.247. より。

＊2　ブリュノ・ラトゥールがキュレーションした展示に、"Iconoclash" (2002)、"Making Things Public"(2005)、"Reset Modernity!"(2016)、"Critical Zones" (2020) などがある。引用は、東京大学総合研究博物館主催で二〇一六年に、「近代性（モダニティ）の再構築——ブルーノ・ラトゥールの博物館学」と題されたディスカッション・イベントより抜粋。https://www.u-tokyo.ac.jp/focus/ja/events/e_z0301_00034.html（二〇二一年二月二八日アクセス）

＊3　Robinson, Kim Stanley 2020. "The Coronavirus is Rewriting Our Imaginations," *The New Yorker*, Duke Unibersity Press. https://www.newyorker.com/culture/annals-of-inquiry/the-coronavirus-and-our-future（二〇二一年二月二九日アクセス）

＊4　Barad, Karen 2007. *Meeting the Universe Halfway: Quantum Physics And the Entanglement of Matter And Meaning*, Duke University Press.

＊5　フランスの社会学者ミシェル・マフェゾリは二〇世紀後半に登場した同じライフスタイルや関心事を共有した新しいコミュニティを「小集団（Urban Tribes）」として分類した邦訳されている書籍として、『政治的なものの変貌　部族化・小集団化する世界』（二〇〇〇、吉田幸男訳、法政大学出版局）や『小集団の時代　大衆社会における個人主義の衰退』（一九九七、吉田幸男訳、法政大学出版局）があげられる。

＊6　ガタリ、フェリックス　二〇〇八、『三つのエコロジー』杉村昌昭訳、大村書店、一六三頁。

＊7　ガタリ、フェリックス　二〇一七、『カオスモーズ』宮林寛・小沢秋広訳、河出書房新社、一六九頁。

＊8　同書、一七二頁。

＊9　同書、一六九頁。

＊10　Groys, Boris 2019. *Museums at the Post-digital Turn*, Mousse Publishing. など参照。

＊11　Groys, Boris 2018. "Curating in the Post-Internet Age," *e-flux Journal*, Issue 94. https://www.e-flux.com/journal/94/219462/curating-in-the-post-internet-age/（二〇二二年三月一日アクセス）

＊12　ブリュノ・ラトゥールの主な著書に、『地球の降り立つ　新気候体制を生き抜くための政治』（二〇一九、新評論）や、ラトゥール自身による解説書『社会的なものを組み直す　アクターネットワーク理論入門』（二〇一九、法政大学出版局）がある。引用は、鈴木葉二によるインタビュー内でのラトゥール自身の発言に基づく。Latour, Bruno 2018. "Booting up the Critical Zone," text by Yohji Suzuki. http://ga.geidai.ac.jp/en/indepth/bruno2018en/（二〇二二年三月一日アクセス）

＊13　ティモシー・モートンの主な著書に、2013. *Hyper Objects : Philosophy and Ecology After the End of the World*, Univ of Minnesota Press; 2012. *The Ecological Thought*, Harvard University Press；二〇一八、『自然なきエコロジー』篠原雅武訳、以文社がある。

＊14　コッチャ、エマヌエーレ　二〇一九、『植物の生の哲学　混合の形而上学』嶋崎正樹訳、勁草書房

＊15　ヴィヴェイロス・デ・カストロ、エドゥアルド　二〇一五、『食人の形而上学』檜垣立哉・山崎吾郎訳、洛北出版、四四頁

＊16　ナンシーは身体と経済と技術の均一的なネットワークを指す「エコテクニー」という言葉を作りながら、身体のテクネーについて次のように述べる。「エコテクニーは様々な技術的装置とともに機能し、到る所から私たちをそうした装置へと接合する。だがそれが作り出すものは私たちの身体であるが、エコテクニーは、私たちの身体を世界へともたらしこの体系へと接合する。それが創造する私たちの身体はこのようにして、かってなかったほど可視的で、増殖的であり、より多形的で圧力を蒙り、一層「塊」状をなし「帯域」状をなす」（ナンシー、ジャン＝リュック　一九九六、『共同‐体（コルプス）』大西雅一郎、松籟社、六四頁）

＊17　ラトゥール『社会的なものを組み直す』などを参照。

＊18　「まごつき期」という言葉は、ダナ・ハラウェイの論考の高橋さきのによる訳から引用した。「我々人間は、どこで暮らしていようとも、我々の系全体が瀕している重大危機に取り組むべきだろう。これまでのところ、キム・スタンリー・ロビンソンが『2312〔邦題、2312太陽系動乱〕』に書いているように、我々は、「まごつき期」（このSFでは、二〇〇五年から二〇六〇年までつづくことになっているが、楽観的にすぎるのではなかろうか）、つまりある種の「決断ができずオロオロするに任せた状態」に生きている。ひょっとすると、このまごつき期という名称の方が、

人新世や資本新世よりふさわしいのかもしれない」（ハラウェイ、ダナ　二〇一七、「人新世、資本新世、植民新世、クトゥルー新世――類縁関係をつくる」『現代思想』二〇一七年一二月号、高橋さきの訳、青土社、一〇三頁）。

＊19　ロビンスン、キム・スタンリー　二〇一四、『2312　太陽系動乱』上下、金子浩訳、東京創元社。

＊20　ニコラ・ブリオーは「Altermodern」展（テートモダン、2009）でアーティストの翻訳家としての役割について述べている。Bourriaud, Nicolas 2009. "Altermodern explained: manifesto," TATE Modern. https://www.tate.org.uk/whats-on/tate-britain/exhibition/altermodern/altermodern-explain-altermodern/altermodern-explained を参照（二〇二二年三月一日アクセス）。また、東京藝術大学で行われたニコラ・ブリオーによる公演（「二一世紀の関係性のランドスケープ：人間的そして非人間的領域の狭間におけるアート」二〇一八年一月八日）では、「Altermodern」展からさらに拡張した翻訳家としてのアーティストのあり方について述べた。

＊21　翻訳家としてのアーティストは、人間と非人間の関係を多様に媒介するだけでなく、異種交配的な未来の可能性にむけて異質なものとの出会いを促し、新しいアイデンティティの形成を示唆するとブリオーは述べている。これは繰り返されてきた、リミックス、流用、折衷といった芸術における一つの生態論との関係で精査されるべき点である。

＊22　西垣通　二〇二一、『新基礎情報学　機械をこえる生命』NTT出版。

＊23　飯盛元章　はOOOにたいして、オブジェクトそのものを究極の存在とみなし、構成素材やその用途に還元せず自立性のある対象として扱う存在論として解説している。以下のnote記事を参照「〈オブジェクト指向存在論〉最速入門01：対象とは？」https://note.com/motoaki_iimori/n/nd70723860a7a（二〇二二年三月一日アクセス）。グレアム・ハーマンによるOOOの解説書として、ハーマン、グレアム　二〇一七、『四方対象　オブジェクト指向存在論入門』岡嶋隆佑監訳、山下智弘・鈴木優花・石井雅巳訳、人文書院　がある。

＊24　Morton, Timothy 2021. *All Art is Ecological*, Penguin Classics, p.14.

＊25　Bjork, s letters with Timothy Morton, 04/24, DAZED. https://www.dazeddigital.com/music/gallery/20196/0/bjork-s-letters-with-timothy-morton（二〇二二年三月七日アクセス）

＊26　Kuo, Michelle 2018. "More Than a Feeling," *Olafur Eliasson: Experience*, Phaidon Press, p.16.

＊27　マッシー、ドリーン　二〇一四、『空間のために』森正人・伊澤高志訳、月曜社。

＊28　Bennet, Jane 2010. *Vibrant Matter: A Political Ecology of Thing*, Duke University Press Books.

＊29　筆者による電話インタビュー。ベルリン―東京間、二〇二〇年三月一八日実施。

＊30　コッチャ『植物の生の哲学』、二九頁。
＊31　ラボヴェルデ（Labverde：Art Immersion Program in the Amazon）は Manifesta Art and Culture と国立アマゾン研究所（INPA）によるプログラムである。参加者は、一〇日間アマゾンに滞在し、専門家たちと共同しリサーチや制作を行う。
＊32　Herwig Scherabon のHPより。https://scherabon.com/（二〇二二年三月一日アクセス）
＊33　同HPより。
＊34　筆者によるエマヌエーレ・コッチャへのインタビューより。パリにて、二〇一九年一〇二五日実施。また、Coccia, Emanuele 2021. *Metamorphoses*, Polity Press, p.4. でも同様の内容について述べられている。
＊35　同インタビューによる。
＊36　ヴィヴェイロス・デ・カストロ『食人の形而上学』。
＊37　ユクスキュル／クリサート　二〇〇五、『生物から見た世界』日高敏隆・羽田節子訳、岩波書店を参照。また、ジョルジョ・アガンベンはダニを例に詳述している。「ダニには目がない。彼らの環世界は次の三つに還元される。一、すべての哺乳類の汗に含まれている酪酸の匂い、二、哺乳類の血液と同じ三七度の温度、三、総じて体毛を具え毛細血管に覆われている哺乳類に特有の体皮の類型」（アガンベン、ジョルジョ　二〇一一、『開かれ　人間と動物』岡田温司・多賀健太郎訳、平凡社、七二頁）。
＊38　Automaton JP 掲載のインタビュー「自分のゲームを笑われたって構わない。『Everything』『Mountain』にこめられたアートとは何か?‐鬼才の開発者 David O、Reilly 氏ロングインタビュー」（二〇二〇年一〇月一一日）より。https://automaton-media.com/articles/interviewsjp/20201010-139596/（二〇二二年三月七日アクセス）
＊39　ハラウェイ、ダナ　二〇一三、『犬と人が出会うとき　異種協同のポリティクス』高橋さきの訳、青土社、三三一－三三二頁。
＊40　ブライドルの「新しい美学」については、Bridle, James 2013. “The New Aesthetic Politics,” booktwo.org. https://booktwo.org/notebook/new-aesthetic-politics/（二〇二二年三月三〇日アクセス）
＊41　Mark Rappolt, Mark 2019. “Cannibalised cultures and colonised territories,” ArtReview. https://artreview.com/ara-summer-2019-feature-liu-chuang-bitcoin-film-art/（二〇二二年三月七日アクセス）
＊42　Eno, Brian 1976. *Generating and Organizing Variety in the Arts*, Studio International, p.227.

＊43　ギャロウェイ、アレクサンダー　二〇一七、『プロトコル　脱中心化以後のコントロールはいかに作動するのか』北野圭介訳、人文書院、四〇〇頁。
＊44　Morton, *All Art is Ecological*, p.94-95.
＊45　園や庭をサイトとする展覧会は多くあるが、植物／環境とのエコロジカルで包括的関係の形成を試みたキュラトリアル実践として、庭師のジル・クレマンによる「惑星という庭」（パリ、一九九九―二〇〇〇）、「マニフェスタ12」（パレルモ、二〇一八）、髙木遊による「生きられた庭」（京都府立植物園、二〇一九）などがある。

第2章　日常の亀裂／亀裂の未来

――瓦礫化以後の世界をめぐる表現と思考

篠原雅武

1　世界の二重性

近代の導入の後、人間は、二つの世界に住み着くようになった。一つが、科学技術で構築された世界、作為の世界であり、もう一つが、自然世界である。二つの世界は区分され、隔てられるようになった。そして、世界の人為性は、自然からの疎外、調和の破綻の観点から問題化され、その再統合はいかにして可能かが問われた。

だが、現在の気候変動、温暖化は、二つを隔てる区分がはたして維持しうるのかどうかという問いを、私たちに投げかけている。温暖化、災害、コロナウイルスの蔓延が常態化するなかで、私たちは、自分たちが生きているところが人間中心的なものとしては自己完結し得ず、「惑星的なもの」にとりまかれ、浸透されていくことを、不安とともに感じている。エコロジカルな危機における人文学の嚆矢ともいえる論文を多数書いていることで知られるディペッシュ・チャクラバルティは二〇一九年の論文「惑星——現れつつある人文学的カテゴリー」で、次のように述べる。

自然と人間の区別が最終的には維持できなくなり、世界規模の人間活動が、地震と津波と他の「自然」災害のいっそうの頻繁化をもたらしているのかもしれないことの証拠が集められるのにつれて、惑星そのものが、私が歴史の惑星的ないしは人新世的体制と呼ぶものに即して歴史を書いているものにとって、実存的な関心をもつところとして現れることになった。[*1]

チャクラバルティが人間と自然の区分が維持し難くなるというとき、それはかならずしも、人間世界と自然世界のシームレスな連関を意味しない。文化（人間）と自然（非人間）を連続的なものと捉え、一つのもの "natureculture" として捉えるといった立場とは異なる。私たちが出会うのは、人間世界と連関するのではなく、人間世界をも一部分とする広大な広がりとしての自然世界であり、畏怖すべきものとしての自然世界、他なるもの（otherness）としての自然世界である。

実際、チャクラバルティは、「広大な非人間的次元の過程」に関わる概念としての「惑星」を予示したものとしてメイヤスーの哲学を評価する。カンタン・メイヤスーが述べているように、惑星は、「思考、ひいては生命の出現に先立つものとして、すなわち世界へのあらゆる形での人間的関係に先立つものとして、存在する」[*2]。つまり人間は、二つの世界に住み着いている。一つは、人間が自らの生存のために構築した、人工的な世界である。そしてもう一つが、人間がいてもいなくても存在するものとしての惑星的な自然世界である。

このような知的理解は、何らかの感覚、つまりは自然への新たな感覚をともなうことになるだろう。自然から切り離された人工環境の構築。この作為の論理のもとにおいて自然は、コントロールされ、退けられるべき対象とされた。だが、今や私たちが出会いつつあるのは、人間の生存をおびやかす、畏怖すべき存在としての自然であり、他なるものとしての自然である。

今日の思想、広い意味での哲学的思考は、私たちの共同的な生の条件の崩壊の感覚から始めなくてはならない。崩壊の感覚とは、人間世界と自然世界を隔てた境界が崩壊しつつあるという感覚である。ここで、世界が変わりつつあるという感覚である。そしてそれは、自由の問題と関係がある。思考の自由、想像の自由、表現の自由。これらはすべて、崩壊を経て明らかになろうとしているリアルなものに立ち向かい、そこに触れていくことへの自由である。そして、これは、広い意味での芸術における表現論の問題にもかかわる。

2　ラディカルな切断の先にある未来の予兆

人間世界を超えたところに広がっている惑星的なものとしての世界に触れていく。そこで可能となりうる新しい思考と創造を自由に行使するための条件の構築が、現在求められている。そのためにも、これを阻む旧来型の世界像の檻から徹底的に離れ、そこから逃れる必要があるのだろうが、そこで手がかりとなりうる表現の一つとして、川内倫子の写真にまずは着目したい。それは、二〇二〇年五月一〇日の『ガーディアン』誌に掲載された写真（図1）である。世界各地で活動している一一人の写真家がコロナウイルスの蔓延において世界化したロックダウンで感じたことを主題に写した写真のうちの一枚としての写真は、裏庭で虫を探している彼女の三才の娘さんと川内の友人の息子さんが斜め上から降り注ぐ太陽の透明で淡い光に包み込まれている様子を映している。日本で緊急事態宣言が出されたのは四月一六日だったが、写真はその一七日前に撮影されたものである。川内倫子は、自作に関して、次のように書く。「子どもたちは、私たちの未来のメタファーで、私は未来が明るさと光に包み込まれることを願う[*3]」。川内は、未来を視覚化した。木々と太陽の光。それらは、もちろんただの日常を素朴に視覚化したものではない。写真は、非日常において織り成された一つの領域が日常の隙間において開かれたまさにその一瞬を捉えている。隙間の向こうに、現在とは違う次元としての未来があるのかもしれないが、子どもたちは、木々が発する空気と陽光に包まれつつ、そこで遊ぶことで、私たちの硬直化した日常世界に未来の世界の一端を招き入れているのかもしれない。

川内は、写真雑誌の『IMA』の特集号のインタヴューで、自作が「日常」という言葉で評されることに対する違和感を率直に表明している。

図 1　川内倫子、《無題》

日常にある、身近な被写体が多いから、そう言われるんでしょうけど。自分としては何を撮ったかはそんなに重要ではないんですよね。一枚の写真の意味よりも、構成から見えてくるもののほうが大事というか。そういう意味で、抽象を撮っているという認識です。*4

川内が構成を重視するのは、自分をとりまくものとしての世界における隙間、穴、亀裂を顕わすことに賭けているからではないかと思う。つまり、彼女のいう構成は、表現行為に先立ち存在する作者の意図（意味付与の作用）に現実を従えていくという作為的な行為ではない。内的自我、自己表現のための作為的構築としての操作ではない。むしろそれは、自我に由来する作為の意志そのものを離れ、撮影という一回的で偶然的な行為において、自然から与えられた空間としての世界そのものを、「日常」としての人間世界の亀裂をつうじて現れさせることとしての構成ではないか。日常の人間世界はつねに自然の畏怖する力と接していて、それに浸透されていて、ともすれば壊れてしまう状態において成り立つものであることのリアルを写真作品において丁寧にとどめる。

新型コロナウイルスによるロックダウンの状況は、日常世界の停止そのものが日常化するという、きわめて逆説的なものである。『ガーディアン』の特集に掲載されていた写真のなかにはたとえば空のショッピングカートが誰もいないなか放置されているのを撮影した作品もあったが、これは、停止した日常を具象的に捉えた作品といえるだろう。これに対し、川内の作品は、停止した日常がさらに進展しうるものであり、しかもこの進展は、新型コロナウイルスの蔓延以前に保たれていた日常において成り立っていた人間世界とはまったく違う世界に通じていくことを想像させる作品になっている。といっても、これはかならずしも、楽観的な未来像として提示されているのではない。それは、ラディカルな切断の先にありうる未来のことで、だからこそ、私たちがあまり経験したことのない、巨大な変化を経ながら生きることになるはずの未来のことである。

3　日常世界の根底にある静寂の世界のリアリティ

川内は、次のように書いている。

コロナウイルスの危機で私は九年前の福島の原発事故を思い出した。それが起きたとき私は東京に住んでいたのだが、そのとき外に出られなかった。今の状況は異なるが、私が住んでいる世界が大きく変化してしまったと感じた。[*5]

福島の事故は、東日本大震災によって引き起こされたのだが、これもまた、世界に亀裂を走らせた。ただ原子力発電所という物理的実在が破裂したというだけではないし、放射能が撒き散らされたというだけでもない。それは、人間的な作為の産物の成立に先立つ、世界成立の条件を揺さぶり、崩壊させる出来事であった。これまで見ずにすませることのできていた自然世界の存在を感じる。人間世界と自然世界を隔てる境界の脆さが明らかになる。世界の変化とは、世界そのものの変化というより、人間世界を成立させる根本的設定そのものの変化であり、崩壊である。しかもそれは、人間の作為の意志を超えたところで、おのずと起きてしまった。一つには、畏怖すべきもの、人間には何もできないところとして、世界を考えざるをえない。人間が住みつくところとしての世界が、人間の意志、願い、予見といったものから徹底的に離れてしまう。そこで、人間をも含めた万物が、もろく、儚い状態で存在するよりほかなくなる。そのようなところとしての世界である。福島の事故は、世界崩壊の始まりであって、そ

図2　川内倫子、《無題》（写真集『光と影』より）

こからの進展として、コロナウイルスの状況がある。

二〇一四年に刊行された写真集『光と影』は、まさにこの東日本大震災以後に進行した世界崩壊の予兆を捉えた作品といえるだろう。二〇一一年四月、石巻、女川、気仙沼、陸前高田で撮影された写真で構成されている（図2）。三月一一日の震災と津波により、そのときまでは成り立っていた人間生活の領域が壊れた後に、それでも残された事物が散乱している様子が映し出されている。写真においては、震災の悲惨といった過剰な意味は希薄である。壊れた事物が散らばるなか、軽やかさ、透明感、清浄な空気感、静けさの漂いが感じられる。どことなく、そのときまでに成り立っていた人間世界の足かせから解放されたかのような、自由な空気感すらある。

あとがきで川内は、次のように述べている。

> 音がなく、ただかつて機能していた人の営みのかけらが地面に積み重なっていて、空がとても広く感じました。その場所でしばし佇んでいると自分が風に飛ばされてしまいそうなほどに小さな存在だと思えてきましたが、しかし確かに肉体を持っていまここに立っているという実感もありました。

ただそこに存在する、ということを実感するには静けさが必要なのだと思いました。そしてそれはある種の恐怖を伴います。[*6]

震災を経た私たちは、人間的な社会空間を構成する、円滑に作動する機械装置や建造物といった堅牢な事物の壊れやすさにあらためて思いを馳せていたはずである。かつて機能した事物、人の営みでできた生活の場が瓦礫になった後に漂う、穏やかでありつつ静かな空気感。ただ透明で、心地よさすら感じてしまう。

人為の産物が壊された後に漂うものは、人の妄想の産物ではなく、現実に事物として存在している。人為的なものが壊されても、それでも自然の世界そのものは、不思議なことに続いている。人為の世界が壊された後にも存続しているものが何であるかを意識化し、忘れないでいるためには、ないことにしないためには、ここに漂うものに形を与え、言葉を与えていくことが求められる。現状が回復し、日常が再開されるとき、人は災厄において起きたこと、見えてしまったことを忘れるだろう。なかったことにするだろう。忘れないためには、作品にするか、あるいは言葉にすることで、残すしかない。とはいえ、表現し、言葉にしていくためには、災厄においては本当のところ何が起きていたのかを感知し、思考するという営みが欠かせない。

崩壊後に漂う透明な空気感はおそらく、事物そのものの崩壊よりも深いところで生じつつある崩壊ゆえに生じている。だから一種の恐怖をともなう。なぜ怖いのか。川内の写真にある透明感は、人間世界をも成り立たせている自然世界とのかかわりにおける、思想的・感性的な設定そのものが壊れてしまったことゆえに生じているのではないか。

それでも、このなかに身を浸す川内は、自分が自分の肉体を持って立ち、たしかに生きていることを感じとることができている。恐怖、つまりは自分たちの生きている世界の脆さに気づいてしまったがゆえの恐怖を抱えつつ、それでも生きている。そしてこの脆さは、震災後の東北という、ローカルなところに固有のものではない。脆さは、地球規模のもの、惑星的なものである。

4　開かれた相互連関の領域の不安定性と軽さ

川内は、二〇一八年のインタヴューで、次のように述べている。

私は、多くの要素が連なって一緒になり一つの雰囲気を作り出すことを大切にしています。それはただポートレイトだけでなく、風景や小さな細部、さらには雰囲気、空、空気といったことです。それは神秘の創造に関わりますが、それだけでなく、時間が過ぎていくこと、生命の脆さといったことへの私の気持ちを表現することにも関わります。それらは暗喩的なイメージで、つまり、いかに私たちの世界が脆いかをめぐるものなのです。[*7]

つまり、ものが確かにあるというよりはむしろ、儚さあるいは脆さとともにあるということ、その不思議さ、奇妙さへの探究が、彼女の作品実践の基本にある。そしてこの儚さあるいは脆さの感覚は、私たちが住み着く世界そのものの広大さ、私たちの存在を超えたところにおける広がりへの畏怖のようなものと連動している。そこで私たちは、私たちではないものと出会い、相互に連関していく。

自らの方法論に関して、川内は次のように述べている。

撮影しているとき、私は考えず、直観に従います。考えすぎると退屈になるので、あまりよくないです。それは驚きがもたらされるのを阻害します。写真を撮ることができたとき、私はただ「ありがとう」といい、そして続けていきます。あとになってから私は編集し、作品に意味を付与します。[*8]

川内が触れるのは、様々なものが発生し、出会うところとしての場所である。開かれた相互連関の場所である。それも、考えすぎると捉えられない、感覚的な領域としての場所である。川内の直観は、開かれた相互連関的の領域が人間の思考を超えたところにあることを示唆するのだが、これはティモシー・モートンの次の一文と響き合う。モートンは述べる。「人は自分が、人間によって作られたものよりもはるかに大きな諸々の場所の内側に存在しているのを見出す」。[*9] この領域のなかに入るとき、私たちは、世界の現実の時間的な定まらなさを感じる。私たち自身の定まらなさを、その条件としての世界の定まらなさにおいて感じる。

重要なのは、川内もモートンも、世界崩壊を、世界の脆さと捉え、そこに触れつつ生き、表現している、ということである。「時間が過ぎていくことへの感覚」に言及するとき川内が想起させるのは、相互連関的な領域の儚さである。すべてはたえず移りゆき、停止することがない。開かれた相互連関の領域は、不安定的である。同じくモートンは、事物が相互連関していくところとしての領域の儚さと脆さに触れている。彼は、「事物が存在するためには、それらは脆くなければならない」と主張する。[*10] モートンによると、事物が脆いのは、それらが起こる領域そのものが不気味で神秘的だからである。それを彼は「美的領域」と呼び、「死の起こるところ」と言い表す。「事物はいつも私たちの周りで死んでいることが判明する。たとえそれらが別の事物に生を授けるのであっても、そうなのである」[*11]。脆いのは、エコロジカルな場所そのものだけではない。そこで発生し、集まってくる様々な要素もまた、脆く、不完全である。この場所では、多くの要素が単一の全体に統合されずに共存している。そして、川内の現実感覚は、モートンのいう「美的な次元」と響き合う。モートンの考えでは、それは空である。空は仏教的な概念であるが、彼は仏教的な考えから多くの示唆を得て自らの思想を展開している。彼の理解では、空は「事物の開放性と幻想性の軽やかな感覚」を意味している。[*12]これが意味するのは、エコロジカルな領域は固定的な実体ではなく、開放性の領域の儚さと定まらなさを特質とする、ということである。

概念的な把握を超えた感覚的な領域である。定まらなさ。そこで私たちは、世界の変化を感じ取る。ただしそれは、ただ既存の世界がバラバラになるというのではない。既存の世界に対応した世界像にとらわれるかぎり感じられることのない世界のリアルが感じられるようになる、ということを意味している。壊れたものはもとに戻らない。壊れた状態で、誤作動しつつ、世界はそれでも作動する。壊れ、誤作動するなかで、壊れる以前には感じられなかった世界にかかわる別のリアルに私たちは出会うことになるだろう。モートンは述べる。

エコロジカルな目覚めのおかげであなたはあなたの世界を誤作動していて壊れているものとして経験するが、それはまさに、ありとあらゆる類の事物が、私たちが自分たちの世界として考えていてしばしば徹底的に人間中心主義的にスケール化され規範化された背景からはみ出すかぎりにおいてである。融解する多冬極氷からあらゆる類の予期しえぬ事物が現れつつある。メタンガス、冷戦期の基地。深いところに埋め込まれた事物だけでなく、私たちの無意識の心の奥深くに埋め込まれた思考と想定もまた現れつつある。

だがこの誤作動をつうじて人は何か深いことに気づきつつある。（円滑で完全な）世界そのものという観念もまた壊れている。それを元へと戻す方法はないが、なぜならはみ出してくるものもなく円滑に作動しただ起こるという概念そのものが人間中心主義的な尺度のものであるからだ。諸々の世界はそのようではない。これは私たちが世界についての考え方を変えてしまったことを意味している。世界はまさにこのボロボロで穴だらけのパッチワークキルトで、定まった範囲内で始まり終わることがない――じつはそれは、穴だらけで曖昧な、空間的かつ時間的な地平である。[*13]

5 穴・間・物質

モートンは、エコロジカルな目覚めにおいて、穴だらけで曖昧な、空間的かつ時間的な地平が見いだされるという。この地平は、日常世界に開いた亀裂において見いだされることになるだろう。

モートンは、「ブッダフォビア」という論考で、「私の世界には、奇妙な穴が存在する」と述べている。「おそらくは、ただ一つの穴が空いている。すなわち、主体と主体ならざるものあいだにおける穴である」[*14]。これはかならずしも、空気や光、熱の循環という現象レベルで経験される穴を意味しない。壁や天井に開けられた、実体としての穴を意味しない。穴はかならずしも、実際に事物として、つまりは建物や堤防において、窓や亀裂といった具合に存在するのではない。むしろ、穴は世界そのものにおいて、人間世界として定まった状態そのものの入った亀裂のことで、つまり、事物が存在することに先立つ美的領域において生じる。人間世界に入った亀裂は、その深み、つまりは人間世界から遠のく世界、惑星的な世界のリアルを顕わす。

つまり、モートンのいう「穴」は、日常世界の論理との相関において閉ざされ、その檻に閉じ込められた人間の思考と感性を離れたところに存在するものといえるだろう。ゆえに、モートンがその存在を示唆する時空の地平は、日常世界の論理崩壊を自らの心身においても経験できている人にのみ開かれるといって過言ではない。

磯崎新も、日常世界に開いた穴の存在に敏感である。実際、磯崎は、その基本コンセプトの一つとしての「間」について、それは「サンスクリットの教典にあるギャップ、つまり事物に内在している根源的な差異ではないのか」と問いかける。[15] つまり、「間」は、何かと何かの「あいだ」にあり、それらを隔てつつつなぐ媒介的な共的空間のごときものを意味するのでない。磯崎のいう「間」について、こう考えることができるだろう。すなわち、それは事物が人間世界の構成物として構築されていくことに先立つ、一種の原初的な無のようなものを指し示しているのではないか、と。

そしてこの原初的無は、廃墟において、瓦礫という物質において顕になる。

いっぽう瓦礫は物質そのもの、建築物や都市的構築物として、さらにはその表相の装飾として意味づけられていた存在の様式が、一挙に破産する。そして露呈されたのが内側に隠されていた物質そのものだった。廃棄される寸前の最終形態である。その光景、「枯れかじけ」ているではないか。瓦礫はこうして〈間〉へと送りこまれる。[16]

エリック・カズデンは、磯崎のいう未来の廃墟は、「私たちの現在の諸可能性を越えた何ものかとして到来する」と述べている。[17] 磯崎の考えでは、廃墟には何か未来的で非人間的なものがある。これが私たちの現在の日常的な都市空間につねにとりつく。現在の都市空間は、壊れうるところとして、未来の廃墟として現存する。そこは、潜在的には「枯れかじけた」風景である。磯崎は、現実の都市を廃墟と二重写しで感じているといえるのではないか。この感覚は、戦後の都市が廃墟化をあたかもなかったことにしただけでなく二度と起こらぬ事態とみなして発展してきたことに対する無意識の違和感ともいえる。一種のトラウマなのだろう。

この違和感を哲学的な思考の根底において保持した思想の言葉を語りうるかどうかが今もなお問われるのだろうが、西田幾多郎の弟子である西谷啓治は、その先駆者の一人である。一九六一年（太平洋戦争終結の一六年後であり、東京オリンピックの三年前である）に刊行された『宗教とは何か』所収の論文「宗教における人格性と非人格性」で西谷は次のように述べている。

もとより銀座通りも何時かはすすき原に化す時もあるであろう。「弟子の一人いう、師よ、見給え、これらの石、これらの建物、いかに盛んならずや。イエス言い給う。なんじ此等の大いなる建物を見るか、一つの石も崩されずしては石の上に残らじ」である。併し薄原にならなくてもよい。銀座は現在の美しい銀座のままで薄原と観ることが出来る。いわば写真の二重写しのようにして見ることが出来る。むしろ実は、そういう二重写しが、真実の写しである。真実は二重である。百年たてば今日歩いている老若男女は一人も生きていない。しかし一念万年、万年一念というように、百年後の現在は今日すでに現在である。それ故、元気に歩いている生者そのままを、死者として二重写しに見ることが出来る。「稲妻や顔のところが薄の穂」は、銀座通りの句でもある。*18

重要なのは、生者の空間を死者の空間と二重写しに見るということである。つまり、生と死は、矛盾しながら同一の空間において共存している。たまたまの生は、その裏面にある常なる死を一時的に覆っているだけのことで、その亀裂に過敏なのが西谷であり、磯崎である。磯崎が構築された都市形態のすべての起源に瓦礫という物質を見ているとしたら、彼は都市の廃墟化を、未来的な事態として考えているはずである。未来都市は、定められた目標に向けて進展する、何ものかとして存在するのではない。それはむしろ、現在の構造の一部として潜在する、未来の廃墟として存在する。

だからこそ、自然の威力のもとで起こる人間世界の崩壊は、すでにある崩壊の予兆の現実化でしかない。にもかかわらず、それは、外部からやってきたように感じられてしまう。磯崎の見るところ、人間世界を越えた何ものかとの突然の出会いにおいて明らかになるのは、「物質そのものである」。磯崎が抱く、未来の廃墟の感覚は、人間世界がその一部分として一時的に構築される非人間的現実が、ただわびしくて、壊れてどうしようもなくなった事物の「枯れかじけた」状態における集積でしかないという直観に裏打ちされている。

そして私たちは、崩壊の瞬間において瓦礫と出会うが、それは表相の装飾として意味づけられていた都市的現実の内部に思考と感覚が囚われているかぎり、ありえないこととして処理されてしまう。つまり、現在の諸可能性を徹底的に越えているのだが、そのかぎりにおいて、瓦礫的物質は、絶対的に他なるものとして、経験されることになるだろう。そしてこの廃墟の他性は、人間世界の構築に先立って存在する、時空の未分化状態に関係する。磯崎は、それを「間」と概念化する。谷崎潤一郎の『陰翳礼讃』を参照しつつ、磯崎は述べる。

ここでは日本建築に固有な空間の特質が説得力をもって描かれていた。闇には空間だけでなく、当然時間が含まれている。未分化の状態へと送りかえされる。それが電気的情報が組みたてはじめた「見えない」網目状空間とどこかで接続しているという予感があったとしても、「よくわからない」まんまであった。既に私は迂回を開始していたのだ。「あめ」と「つち」の未分化状態から『古事記』の記述がはじまるように、時間と空間の未分化状態へ立ち帰らねばならない。時間と空間が造語されたときに、はからずも両方に用いられていた〈間〉、そこに手がかりを求めることにした。[*19]

磯崎の考えでは、谷崎のいう「闇」は、私たちが未分化の状態の物質性を感じることのできる領域である。未分化の状態は、人間世界が定まった時空のグリッドに従い構築されるのに先立つところにあるものを意味している。だが、ときとして私たちは、マスメディアの公共圏にとらわれた意識には現れることのない闇としかいいようのないものを感じ、それに触れる。闇は、私たちが生きているところとしての世界の、存在論的な深みにかかわる。それは、時間と空間が未分化の状態にある領域であり、人間の生活世界の成立に先立つだけでなく、私たちの存在をも越えた、他なるものとしての領域である。

そして磯崎はそれを「間」と呼ぶ。日本語では、間は時間と空間という言葉に含まれた「間」に対応する言葉であるが、ときとしてそれは、「あいだ」として解釈される。この場合、「間」は様々な人や事物をつなぎ関わらせ一つの共同体へと統合していく原理と考えられることになる。こう考えることに磯崎は批判的で、彼の場合、「間」を、ギャップと捉え、事物に内在する根源的差異として考える。それがギャップ、溝、亀裂であるかぎり、「間」は事物を繋げない。むしろ、人間世界において既に成り立つ調和的な秩序そのものの壊れやすさ、儚さを暴露する。人間世界は永遠に定まっていて安定的な状況として存在するのではなく、すべてが時空の未分化の状態へ送り戻されることになるところとしての未来の廃墟との関わりにおいて存在する。

これが、私たちをとりまく自然世界の現実である。自然は、畏怖すべきもの、人間はただ圧倒されるよりほかない自然である。その間に、コミュニケーションは成り立たない。そこには、ただ直感的感応しかない。磯崎も述べているように、近代において自然は、作為の対象として考えられ、新しい技術でその威力を克服し、人間世界の一部分として組み入れるべき対象とみなされてきたのであったが、現在の世界の変化において私たちは、自然そのものがあらためて畏怖すべきもの、他なるものとして顕になろうとしていることに当面している。磯崎が提示する、浜口隆一が抽出した対比[*20]——西欧の建築に特有な「物質的・構築的」と日本の建築に特有な「空間的・行為的」——の意味を、ここであらためて考えるのも大切だろう。

自然を克服しようとする能動性、つまりは構築的な姿勢の限界に、私たちは行き着きつつある。そして、この限界において、畏怖すべき自然と出会いつつある。

6　畏怖すべき自然とまっさらな世界

畏怖すべき自然。それは、生きることの条件、支えとなりうる怖さのことで、つまり、人間世界のしがらみから離れ、一人になって、なにもないまっさらなところに自身を放ってみるところにおいてはじめて感じられ、発見されるような、世界の空無のことを意味していると私は考える。それは川内の最初の作品集である『うたたね』から一貫したテーマだと思うが、たとえば、お粥らしき白い粒でみたされたスプーンの向こうや、シャボン玉を吹く女の子の向こうに広がる屋上などに感じられる、不明瞭な広がりをみたす曖昧な空間性で、そこにある怖さは、定まった安寧状態に身をおくのでは触れられない、世界の謎につうじるものであると私は思う。実際、『うたたね』から二〇二〇年の『As it is』に一貫するのも、畏怖すべき自然の空間性であって、そこに起こる様々な出来事の細やかさそのものより、それらを統合せずにバラバラにしつつ漂わせ、出会わせていくかたちでの作品化過程で、そのこと自体が、川内の写真実践の空間性・行為性において展開していく。

ところで、川内の『うたたね』は二〇〇一年の作品である。それからおよそ二〇年を経て、『as it is』に至った。その一連の写真実践は、一九九〇年代なかばよりはじまる世界の瓦礫化のなかでの出来事であったと考えることもできるだろう。人間世界の瓦礫化は、人為の限界への自覚を私たちに迫るとともに、自然世界との接点で生きていること、畏怖すべき領域の小さな一部として人間世界が成り立つことへの自覚を迫るものでもあった。これもまた、ブリュノ・ラトゥールのいう「地球の回帰」[*21]を受けとめていく時間をかけた経験で、この二〇年をどう振り返り、考えるかが、今後の二〇年を想像するうえで、必須の作業になるのではないかと思う。ヴェネチア・ビエンナーレ国際建築展で「亀裂」が開いたのは一九九六年であったが、その後はたしかに瓦礫化のさらなる進展であったと思う。でも、私たちは、この瓦礫化そのものをどことなく所与のこととして受けとめ、そのうえで瓦礫化の先にありうることを考えつつ、この二〇年を生きていたはずだ。二〇二〇年の川内の写真で私たちが感じた未来。それを私は、瓦礫化以後の世界の予兆を捉えたものとして、受けとめていきたいと思うし、そこに開かれた「まっさらな世界」が、新しさの条件になりうると信じたい。

【注】

＊1　Chakrabarty, Dipesh 2019（Autumn）. "The Planet: An Emergent Humanist Category," *Critical Inquiry* 46, 5.

＊2　*Ibid.*, 25.

＊3　https://www.theguardian.com/artanddesign/2020/may/10/through-my-lockdown-lens-11-leading-photographers-capture-their-confinement（二〇二〇年一二月九日アクセス）

＊4　川内倫子　二〇一九、「いのちの行方と来し方を訪ねて：『うたたね』から『Halo』へと続く思惟」『ＩＭＡ』二九号、アマナ、五三頁。

＊5　https://www.theguardian.com/artanddesign/2020/may/10/through-my-lockdown-lens-11-leading-photographers-capture-their-confinement（二〇二〇年一二月九日アクセス）

＊6　川内倫子　二〇一四、『光と影』スーパーラボ。

＊7　O'Hagan, Sean 2018 "Sympathy with small things: the luminous fragility of Rinko Kawauchi." in *The Guardian*, October 26, 2018. https://www.theguardian.com/artanddesign/2018/oct/26/rinko-kawauchi-taylor-wessing-photographic-portrait-prize-national-portrait-gallery（二〇二〇年一二月九日アクセス）

＊8　*Ibid.*

＊9　Morton, Timothy 2016. *Dark Ecology: For a Logic of Future Coexistence*, New York: Columbia University Press, p.11.

＊10　Morton, Timothy 2013. *Realist Magic: Objects, Ontology, Causality*, Ann Arbor: Open Humanities Press, p.188.

＊11　*Ibid.*, 188.

＊12　*Ibid.*, 223.

＊13　Morton, Timothy 2017. *Humankind*, Verso, 92-93.

＊14　Morton, Timothy 2015. “Buddhaphobia: Nothingness and the Fear of Things,” in Marcus Boon, Eric Cazdyn and Timothy Morton, *Nothing: Three Inquiries in Buddhism*, University of Chicago Press, 204.

＊15　磯崎新　二〇〇三、『建築における日本的なもの』新潮社、九八頁。

＊16　同書、一〇四頁。

＊17　Cazdyn, Eric 2015. “Enlightenment, Revolution, Cure,” In *Nothing: The Problem of Praxis and the Radical Nothingness of the Future*, The University of Chicago Press, 168.

＊18　西谷啓治、一九六一、「宗教における人格性と非人格性」『宗教とは何か』創文社、五八－五九頁。

＊19　磯崎『建築における日本的なもの』、九四頁。

＊20　同書、五二頁。

＊21　Latour, Bruno 2018. *Down to Earth: Politics in the New Climate Regime*, Medford, MA, Polity Press, p.17.

第3章　「地表空間」をめぐる旅と創造
——生の軌道としての民族誌的芸術

石倉敏明

本稿はＮＰＯ法人アーツセンターあきたのウェブサイトに発表したレビュー《イメージの再創造から「動く森」へ：長坂有希による二つのプロジェクトの間に》を元に、大幅に加筆し文章を再構成したものです。

1 「移動の危機」の到来

人はなぜ移動するのだろうか。旅は、衣食住という私たちの生活要件を揺るがし、慣れない気候や風習に感覚をさらす。旅は日常の営みを撹乱し、歴史や文化についての常識に鋭い亀裂を走らせる。疲労や混乱、時間の浪費、経済的出費が生じることがわかっていても、私たちは好奇心や欲望や生活の必要に駆られて、旅をする。もちろん難民や移民のように、生存のために移動を続けなければならない事情も多い。旅や移動への欲望は、未知の現実への憧れ、抑圧からの解放、自由の希求と深く結びついている。

どのような集団も、そのルーツに移動の記憶を秘めている。私たち人類の共通祖先は、アフリカ大陸を旅立って以来、常に何らかの理由で断続的な移動を続けてきたし、その中で特定の土地との歴史的関係を築いてきた。思考し、想像する脳と、直立二足歩行という移動に適した身体を手に入れた人類は、共通の故郷であるアフリカの大地からユーラシア大陸全域を経て世界の島々へ、極東からさらにベーリング海峡を超えて、南北アメリカ大陸にまで拡散していったと考えられている。

他方、人類にとっての移動の歴史は、先住民社会の植民地化や資本主義による自然の資源化の歴史にも重なる。動物を使役する運搬や移動にはじまり、船・自動車・鉄道・飛行機・宇宙ロケット・人工衛星といった移動機械の発達によって、人類は際限のない伝達と移動を目指す欲望を追求してきた。移住者たちは、世界中の各地に暮らす先住民の生活に干渉し、経済活動の資源として鉱物や生物を濫用してきた。やがて世界中の工場が流通網で連結され、インターネットやジェット機でヒト・モノ・情報がめまぐるしく行き来する時代を、私たちの祖先は予測できただろうか。人類はいま、大気や水、地形、鉱物、動植物の遺伝子をも人工的に改変し、自らを中心とする経済活動の閉域を宇宙空間にまで持ち込もうとしている。

二一世紀の科学者たちは、人新世という新たな地質年代によって、人類が何世紀にもわたって地球生命圏を改造し、膨大な生物種を絶滅に追い込んできたという不名誉な事態の帰結を歴史化しようとしている。このような状況の中、二〇二〇年に生じた新型コロナウイルス感染症によるパンデミックは、病原ウイルスを媒介する「移動に憑かれた人類」の矛盾を浮き彫りにすることで、これまでに移動や交換を貪欲に追い求めてきたグローバル資本主義の趨勢に大きな楔を打ち込むことになった。この新しいウイルスは、まさにさまざまなスケールで展開する生身の人間の移動と集合の網目をとおして、瞬く間に世界中に拡散していったのである。

いまやグローバルな移動には、進行する気候変動やウイルス感染症によるパンデミック、国境を超えたテロリズムへの備えといった配慮が欠かせなくなった。地球上のどこに生まれようとも、同時代を包み込む「移動の危機」から逃れることは難しい。しかもそれらの危機は、今後到来する膨大な危機のリストの中の、ごく一部のものでしかない。私たちの身体は、人工知能と結託したグローバルな情報・金融・物流のネットワークに深く結節されているが、ウイルス感染や気候変動、地震や火山噴火といった新たな変異に対して、驚くほど脆弱になっている。このような時代においてこそ、私たちは地球上の市場を一つに結ぼうとする放埒な欲望や、危機を不可視化しつつ拡散するさまざまな抑圧を乗り越えて、新たな旅と創造の方法を再発見しなければならない。

2 「写す行為」としてのドローイング

ユーラシア大陸の最果てに位置する日本列島においても、これまでに多様な集団が絶えざる移動や交易・交換を続け、長い時間をかけて混淆を続けていった。そうして積層化した各地の歴史は、しばしばその土地の外から訪れた旅人によって発見され、記録される。たとえば江戸時代後期に北日本を旅した菅江真澄は、滞在先のさまざまな風物や出来事を日記や地誌に記し、描き出している。

菅江真澄は、故郷の三河（現在の愛知県）を出発して中部・北陸地方へ、そして北東北に北上し、そこからさらに蝦夷地（北海道）に向けて移動生活を続けつつ、最後は北東北の各地に滞在し、秋田で生涯を遂げた。江戸後期という時代にあって、彼は当時の知識や物流の集約地であった京や江戸には長居することがなく、後半生の生涯をもっぱら「北」への旅と観察に費やしたのである。[*1] それまでほとんど歴史的記録が残されてこなかった東北日本や北海道アイヌの文化を、真澄は現地に赴いて直接的に観察している。まだカメラも録音機もない時代に、彼は筆と紙だけをつかって現地のダイナミックな景観や、その土地に根ざす信仰や祭事、芸能伝承の数々を描き出し、農村や漁村に暮らす人びとの暮らしぶりについても膨大な記録を残している。また、当時の東北各地で発掘された縄文土器を筆写し、その細部を記録してもいる。

菅江真澄が旅した北東北の地誌的・民族誌的現実を、後世の人びとは彼が書いた散文のテキスト、そして図絵や和歌といった「表現」の成果から、間接的に知ることができた。そして、菅江真澄の生誕から約百年後、柳田國男・澁澤敬三・宮本常一といった彼の後継者たちは、それらの「表現」を知識化することによって「日本民俗学」という感性豊かな学問を創造していった。家郷から離れた辺境の土地を訪ね歩き、各地に潜在する濃密な現実に光を当てる観察眼の豊かさや記録的表現の細やかさ、経験的考証の確かさ、記録の透明性において、真澄はまさに民俗学をはじめとする人文諸科学の先駆者であったと言えるだろう。

しかし、菅江真澄が残した膨大な図絵や和歌について、後世の人々は必ずしも正当な評価をしてこなかったかもしれない。かつて柳田國男が『菅江真澄遊覧記』を評して、「旅行がひとつの大なる芸術なることが立証せられた」[*2] と述べているとおり、菅江真澄の表現には、確かに芸術的な価値が含まれていた。しかしながら、真澄の表現は旅という経験の形式や彼自身の生の軌道に深く結びついているため、散文、和歌、図絵といった個別の要素に還元することが難しい。この曖昧さゆえ、真澄の表現はもっぱらテキストや表象分析を軸とする学術制度の中で参照され、芸術表現としては十分に研究し尽くされてこなかった。[*3] このことは、真澄の図絵の研究や展示が美術館ではなく、博物館を中心とした施設で進められてきたこととも深く関係している。たとえば秋田県における行政管理の分類法では、菅江真澄の図絵は県立博物館に、そして同じく江戸時代に描かれた秋田蘭画は美術館に収蔵され、基本的には前者は歴史学・民俗学的資料として、後者は美術作品として研究されている。[*4]

アーティストの長坂有希が、二〇一九年の秋から秋田に滞在して行ってきた追調査や再制作の方法は、こうした曖昧さゆえに美術的な評価から取り残されてきた菅江真澄の図絵を、絵画表現として再発見する試みからはじまった。長坂はまず、現在では多くの人がそれを菅江真澄本人のものと錯覚しがちな写本類の図絵表現を比較しつつ、あくまでも彼の自筆図絵という媒体に立ち返ることによって、そこに描かれた現実をとらえ直そうとした（図1）。彼女はさらに、異邦からの訪問者であった真澄の軌跡をなぞるかのように、図絵に描かれた土地に潜在する歴史や人びとの記憶の痕跡をたどり、とりわけ真澄によって描かれた「木」のイメージを「写し直す」という試みに挑戦している。

二〇一九年から二〇二〇年にかけて、秋田市内で行われた長坂有希の展示（「木：これから起こるはずのことに出会うために／Trees: Audition for a Drama still to Happen」秋田公立美術大学ギャラリー BIYONG POINT、二〇一九年一一月一六日〜二〇二〇年一月一二日）では、菅江真澄がかつて描いた七点の木の図絵を原画として、改めて抽象化された線によって描かれた木のドローイングが展示された（図2、3）。しかし、長坂の作品は単に原作を真似た複製イメージではなく、習作的な模写にもなっていない。長坂は、真澄のものとは異なる描線を保ちつつ、彼が描いた「木」のラインを意識的に描き直すことで、オリジナルの図絵やその複製写本に対するラディカルな距離を表現する。その姿勢

図1 長坂は菅江真澄が描いた「木」と向き合い、「写す」行為を通して真澄の意識を取り入れていった。秋田公立美術大学におけるレクチャーより。

は、展示会場内で配布された、あえてテキストのみを掲載したステイトメントによって、簡潔に言い表されている。

約二百年前にこの土地を歩きまわり、多くの物事を書き残してくれた菅江真澄へ、そして、個として存在しながらも他者や他の生きものたちとつながる勇気を持つ私たちへ[*5]。

長坂はこの冊子で、真澄が書き残した記録を手掛かりとして、記録された時代の現実を想像しつつ、膨大な時間の層の中に埋れた出来事の膨大さに思いをめぐらせている。彼女はそこで、定住者でも旅行客でもなく、いつまでそこにいるかも定かでない一時的な居住者として佇みながら、一人の複合的な表現者としての菅江真澄に対峙している。また、会場に展示された木々のイメージは、菅江真澄自身によるものとは敢えて異なる筆致を施すことで、時間によって大きく隔たれた現実を異化しているようにも見えた。真澄の眼差しの先にある「他者や他の生きものたち」に着目し、「写し」によって真澄の表現の純粋さを異化することによって、長坂はアカデミックな記録からもアーティスティックな表現からも零れ落ちてしまう、生命と非生命がせめぎ合う現実の渦中に身を晒そうとする。

重要なことは、そのような現実の裂け目は、もともと真澄の表現自体に含まれていたものであるということだろう。長坂はただそれを、自らの足で歩き、目で見直し、手で描き直すことで、シンプルに増幅しようとする。つまり、真澄の視点に個人として向き合い、理解を深めようとする中で、彼女は実在する特定の場所と再会し、表現上の新たな様式化へと、自然に導かれている。たとえば「星山清水のねずこの木」は、美郷町の本堂城回・星山家の敷地にある樹齢四〇〇年の老木を描いた作品で、真澄が「月の出羽路・仙北郡二」（一八二八年）に描いた時代を思いつつ、この木の来歴やその後の出来事を思わせるイメージである。真澄の図絵を見ると、彼が訪れたときこの木の前に大きな池があったことがわかるが、現在のそれはほんの小さな範囲に縮小している。かつて豊富な湧き水を湛えていたこの土地も、老木の根元から湧き出すわずかな清水以外は枯れてしまっていた。長坂はこの土地について、次のように書いている。

人々は昔、水を求めて井戸を掘り、その周りに木を植えて、木の根が水を吸い上げることで地下の水脈が変わり、井戸に水がもたらされることを願ったそうだ。また、すでにある湧き水を守るために、周りに木を植えたそうだ。清水が先立ったのか、木が先だったのかについての答えを私は見つけることができなかったが、二つのものが相互関係を保ちながら共存していることは見て取れた。その関係性は、清水と木を守り、湧き水を使い続けてきた人々によっても支えられてきたはずである。[*6]

井戸を掘り、ねずこの木を植えた現地の居住者は、地下の目に見えない世界を想像することで、たしかに水脈という次元に働きかけようとしたに違いない。そのとき、清水は鉱物や植物の間で、渾々と湧き出していた。そして、

図 2（上）、図 3（下）「木：これから起こるはずのことに出会うために／ Trees: Audition for a Drama still to Happen」（2019 年～ 2020 年、秋田公立美術大学ギャラリー BIYONG POINT、秋田市）で展示された長坂による木のドローイング、撮影：萩原健一

異なるもの同士が、相互関係を保ちながら共存することを、真澄自身もたしかに描いていた。およそ二〇〇年前にこの地を訪れた真澄の足跡を追うように、長坂は同じ場所を訪れ、清水と木の絡まり合う関係を観察する。二〇〇年の時を経て大きく変化を遂げているが、そこには真澄が見たときと同じ木が屹立し、彼女を迎えてくれたことだろう。

観察と「写し」に基づくこのような長坂の方法論は、人類学者ティム・インゴルドが述べる「徒歩旅行」の説明を思い起こさせる。徒歩旅行は、あらかじめ海図上に配置された定点から別の点へと航海を続ける船の旅とも、ある地点から別の地点をつなぐ空中の最短経路を横切る空路の旅とも違っている。これらに対して徒歩旅行は、「以前に通ったことのある道を誰かと一緒に、あるいは誰かの足跡を追ってたどり、進むにつれてその行程を組み立て直す」試みであると、インゴルドはいう。[*7]

菅江真澄が生涯をかけて行った旅もまた、実はこのように絡み合った行程や時間の再編成の連続であった。彼が断続的に行った「徒歩旅行」は、実際に彼が見聞きした自然界の風物、そしてさまざまな先人の言い伝えや断片的な知識を総合し、絵画と文章によってみずからの行程や知覚を表現する行為と一体になっていた。菅江真澄はそのとき、今日のアーティストや人類学者／民俗学者のようにある地域に滞在し、リサーチを通して制作する主体を先駆けている。そして、菅江真澄の旅を辿り直し、彼の描いた樹木を描き写すとき、長坂もまた徒歩旅行者のように先駆者の足取りを見つめ、その方法論を批評的に追体験することで他者との関係を再構築している。彼女はそこで、民族誌的芸術の新たな文法を切り開いているのである。[*8] 長坂は、真澄がそうしたように、歩くことによって、描くことによって、書くことによって自身の生を導き、自己と他者の絡まり合ったラインを広げて見せる。その移動する姿勢は、動物的次元を越え、根を伸張させ、葉脈を広げる植物的な次元にまで伸張してゆく。

3　植物の生に向かって

菅江真澄の記録として現代に伝えられたいくつかのイメージの中には、彼が見たかもしれない、数百年同じ場所で生き続けている木もあれば、すでに失われた木もある。たとえば真澄が「勝地臨毫・雄勝郡六」（一八一四年）に書いた伝承には、朽木に若い木の枝をさして通ると言う「山の神の手向け」または「山の神の花立て」という口碑が記されている。長坂はそれらをたどりながら、想像力をさらに拡張する。「この朽ちた木が土壌になり、手向けられた枝が根付き、大きくなって、いまでもどこかに立っているかもしれないと想いながら森を歩いた。山の神に枝を手向けていった人々の想いや身振りが、いま私の目の前に広がっている森を形作ったのかもしれないと思うと、この朽ちた木と私のいる場所につながりができたような気がした」[*9]。

たとえばある種の木々は、土地の歴史や景観そのものと深く結びつき、世代を超えた伝承に結びつけられている。だから、木にまつわる歴史や記憶を紐解くことは、その土地に暮らす人びとの暮らしの現実を超えて、いまは記憶から消えてしまった先住者や祖先の歴史を、深い次元でとらえ返すことにつながってゆく。故郷を離れ、見慣れない土地を訪れた個人が、その土地に根を張った巨木や老木にまつわる伝承に惹かれるのは、一人の人間の個体性が朽ち果てた後、世代を超えて語り継がれてきた現実に感応するからかもしれない。こうした直観は純粋に想像の次元に括りつけられているのではなく、常に潜在的な歴史の現実性と関連し、未来へと開かれている。

先人・菅江真澄の足跡を追いつつも、それを地図化するのではなく、植物を通して彼の残した図絵の特異性に迫ろうとする長坂のアプローチは、イタリアの哲学者であるエマヌエーレ・コッチャの哲学に通じている。コッチャは人間中心に構築された哲学や思想を振りかえる過程で、動物にはない葉・根・花を持つ植物という存在に着目した。コッチャによれば、植物は土壌と天空、あるいは地中と空中という、根本的に異なった二つの世界を結ぶ媒介者であり、「環境同士、空間同士を結びつける」生物である。[*10] すなわち植物は、太陽光に浸され、他の動植物との可視的な関係を結ぶ「中空の生命」と、地球という惑星の内部に隠退し、真っ暗な地下の領域であらゆる形態の生命と共生を営む「冥界的な生命」という二重の生命構造を持つというのだ。たとえば一本の木は、その根・幹・葉・花・果実を通して地上と地下という二つの異なった環境を相互交流・相互浸透させ、他の生物が生きることのできる空間そのものを作り出す。こうした媒介性は、菅江真澄の図絵だけでなく、長坂が真澄の足跡と筆跡をたどって再創作した木のイメージからも、たしかに感じられる要素である。

菅江真澄という紀行家の足跡をたどる長坂の表現は、単なる視覚的な平面表現でもなければ、社会的なコミュニケーションの中に溶解する脱視覚的表現でもなかった。その展示は少なくとも過去の二〇〇年の間に起こった人間の歴史と非人間の時間を媒介するだけでなく、個人の一生を超えて持続する時間の流れやその間の記憶の蓄積、そこから派生する事物の連鎖や複数種の織りなす生命活動の網目を表出させる。さらに、長坂の作品は木という植物を描くことで定住と移動、過去と未来、生命と非生命を鏡面のように反転させ、これから起こるかもしれない未知の出来事や、生まれてくるかもしれない生命の予感を映し出している。黄色の光とヴェールに包まれた展示空間は、まさにこれから上演される「複数種のドラマ」の先触れであったのだ。

コッチャによれば、世界というシステムは常に「呼吸」を続けていて、そのことによって生物は、異なる存在と相互に支え合うことができるし、相互に浸透しながら新たな世界を更新し続けることもできるという。実際地球上では、動物以前に登場した植物が大気を「呼吸」することによって、ほかの全ての生物が生息することのできる環境が整えられてきた。つまり、大気や大地の循環を恒常的に生み出してきたのは植物であり、木である。ここで言う世界とは、ほかの全ての生物が、これから起こる出来事と対峙することのできるような、最も根本的な物質性の基盤を意味している。こうした基盤を作ってきたのは、もちろん人間ではない。「すべての有機体は、世界を産出する一つの方法の発明にほかならない」[*11]とコッチャは考える。その発想は、たとえばハイデッガーの哲学に見られるような、人間・動物・鉱物の三者とすでに対象化された世界の関係を中心に組み立てられてきた、西洋の形而上学に対する鮮やかな批評として、階層化される以前の「混合する宇宙」のイメージを提示している。

神と人間の下位範疇として、動物と非有機物の階層を設置するとき、ヨーロッパの形而上学はしばしば植物や菌類のことを忘れ、あたかもそれが、人間や動物のための隠れた脇役のような扱いに還元してしまう。しかし、地球の歴史をたどってみれば、これは必ずしも公正な評価とは言えない。なぜなら、コッチャが指摘するように、動物界に先立って世界を空間化し、地球上の大気の環境を準備したのは、植物の活動にほかならないのだから。しかも、大量の植物が微生物や動物とともに朽ち果て、気が遠くなるほどの長い時間をかけて地上に堆積していくことで、次世代の生きものが生息する大地が準備される。さらに、人間が大地から汲み上げ、エネルギー資源として利用する石油や石炭もまた、そうして朽ちていった生物の死骸の堆積物であり、かつて産出された世界の一部でもあるということを、忘れるわけにはいかない。

『植物の生の哲学』によってダイナミックに生成する世界を描写するコッチャのように、菅江真澄は水や土や木を描くことで、遥か昔に産出された世界の奇跡を、そしてその後の歴史を通じて更新されて来た世界の在り方を、驚きをもって描こうとしたのではないか。真澄はその鋭い観察眼によって、江戸時代の東北や蝦夷地を透視して遥か古代へと続く地域の「いにしえぶり」を発見した。そして、その真澄の描く図絵を写し、彼の足跡をたどる長坂の視点もまた、現代と江戸時代後期を結び、さらにその先へ、そして人間の歴史を超えた局地的な生態系のドラマへと、私たちの視点を遡行させる。光と風を受け、地下に根を生やす木々は、個という単位を超えて空間同士を結びつけ、人間の一生という尺度を超えて異種の生命の相互作用に出会わせてくれる。このように、異なる存在の

図4　地上と地下を結ぶ植物と外生菌根菌の菌糸ネットワーク、撮影：Damian P. Donnelly and Jonathan R. Leake（R. バージェット、D. ワードル『地上と地下のつながりの生態学』深澤遊、吉原佑、松本悠訳、東海大学出版部、2016年、40頁）

領域を媒介し、光や気温や湿度といった条件によって場所をつくる木の存在は、人間の集住する空間にとっても、根本的な重要性を持っている。

一本の、あるいは多数の木の中に、私たちにとって重要な他者性を認めるとき、芸術表現は未知の可能性を手に入れるかもしれない。なぜなら木は決して独立した存在ではなく、菌糸や細根を通して大地の皮膚の役割を果たす腐植層へと伸長し、共生する小動物や昆虫類、菌類や粘菌などと共に土中環境を築く有機的なネットワークの一部だからである（図4）。侵食や災害に抗いながら、生物と非生物の安定した関係を保ち、大地が息づいて安定するためには、植物や土壌の媒介によって水と同時に空気も連動して動くことが重要である。水と空気が流れる「通気浸透水脈」は、表土の流亡や崩壊を防いだり、土中の生き物の生活圏を保存したりすることにも役立つ。[*12]このことは、地表における人間的活動を排除するものではない。安定した大地の維持には、適度な干渉によって資材や食料を得ようとする継続的な人間の活動や、植物を生活世界の根拠にしている大小さまざまな動物たちの営みが欠かせないのだ。

一本の、あるいは多数の木がそこに生成していることによって、私たちの前には太陽エネルギーを媒介するさまざまな生物の関係や、土壌や気象といった環境の全体を巻き込んだ、多元的な世界が開かれる。ある場所に生成する植物は、私たちの脳や腸のように開かれた神経細胞のネットワークの中で生成し、土壌や気象現象を通じて、それ自体が深く複数世界そのものと不可分に存在している。ブリュノ・ラトゥールはこのように地球を単一の実体と考えるグローバルな視点にも、狭い地理学的領域に縛りつけられたローカルな生活感覚にも属さない第三の局域として、ローカルとグローバルを一つの軌道上の連続体とする「地表空間（terrestrial）」という概念を創出した。[*13] だが、地球表面の生命圏に生成する境界のない多元的な現実は、決して最近になって発見されたわけではない。菅江真澄がかつて発見し、いくつもの「木」の図絵によって表象した自然のイメージを長坂が継承するとき、歴史的なアーカイヴを超えて私たちの目の前に現れるのは、時を超えて継承される世界の多元性であり、芸術的実践によって新たに生成する非単一的で非近代的な現実なのである。

4　「地表空間」を移動するものたち

秋田での最初の展示が終了した二〇二〇年の初春、長坂はさらにそれまでの制作構想を拡張し、横手市で開催される予定の別の展示「ARTS & ROUTES あわいをたどる旅」（秋田県立近代美術館、二〇二〇年一一月二八日〜二〇二一年三月七日）へと向けた、さらなるリサーチを始動させていた[*14]（図5）。新型コロナウイルスによる感染症被害が世界に広がろうとしていたこの時期、長坂は植物学者・古環境学者・地理学者などへの取材や、出来島海岸の最終氷期埋没林、秋田や岩手の山岳地帯の植生調査を通して、ある重要な知見を探ろうとしていた。それは人間や動物ばかりではなく、植物もまた長期間を通じて地表を移動していくものであり、ある局地的な舞台を通して、生成と消滅を繰り返す存在である、という森林生態学的な知見である。

空間を自由に動くことのできる動物との比較により、植物は長い間ある土地に縛り付けられた不自由な存在だと見なされてきた。ところが、近年の森林生態学は、森林を構成する草木や樹木の個体群が、光・気温・湿度・水分などの条件の変化に伴ってダイナミックに移動し、世代を超えた群衆的活動を展開してきたことを明らかにしつつある。もちろん地表は寒冷化や温暖化を繰り返すだけでなく、火山の噴火や地震・津波の勃発など、大きな不可抗力によって変化する。そのなかで、かつて人為的な活動によって達成された条件が、何らかの理由で遺棄されたことによって変化し、新たな植生や景観をもたらすこともある。

長坂が掲げる「これから起こるはずのこと」とは、そうした人間以上の世界へと想像力をめぐらせる方法であり、過去と未来を結ぶ構想でもある。過去の旅人の足跡を辿り直し、その旅路を未来の出来事へと反転させる作法は、たとえば埋没した最終氷期の森林を掘り起こし、植物群として「漂う森」の行方を占う行為にもつながっている。その試みは、あらゆる科学と想像的な物語をつないで紡がれる、未知のエコロジー実践へと開かれている。私たち鑑賞者は、真澄や長坂がそうしたように、個々のペースで独自の「徒歩旅行」を続けることで、場所に従属するのでも、支配するのでもなく、場所そのものをつくる居住の現実へと、導かれていくかもしれない。レベッカ・ソルニットが述べているように、歩行は時として、最も創造的な危機に対する抵抗手段になるし、瞑想から芸術に至る革命的な表現の基盤にもなり得る。[*15]

長坂が追い続ける「漂う森」をめぐるヴィジョン、そしてそれを伝える多感覚に開かれた物語の作法（図6）は、森林のように膨大な時間をかけて少しずつ地上を移動していく植物の生態と、そうした環境のなかで移動し続けることで自らの習慣を確立する動物の関係を想起させる。その関係性の背後には、さらに川や大気のように速いス

図5　長坂によるフィールド調査。森吉山のブナ原生林にて（秋田県北秋田市）

図6　長坂有希《われらここに在り、漂う森をおもう》、2020年制作、3チャンネル・ビデオプロジェクション作品、秋田県立近代美術館での展示。撮影：草彅裕

ピードで地表を駆けめぐっていくものと、岩や土壌のように一見不動に見えるものといった非生物の次元が隠れている。生物と非生物の関係は、自己の複製や再生産という機械論的なモデルの前に、動くものと動かないもの、生成するものと消滅するものの緊張に満ちた関係を含んでいる。そのため、ある特定の状況の中で制作されたアーティストの作品は、どんなに主観的な視点に限定されていたとしても、人間を超えたいくつもの流れを構成する複数種の絡まりあいの中にあって、地殻変動や植物の遷移、生物進化という地球史的な次元に接続され得るのだ。

位相の異なる存在を結びつけ、異なる時間や空間のあり方に考えを巡らせるには、しばらく歩みを止めて腰をおろし、川から吹きつける冷涼な風を浴びてみるのも良いだろう。世界各地のさまざまな河川流域を旅してきたアメリカ出身のアーティスト、バーシア・イルランドは、水辺の生態系を科学的に観察し、さらに現地で収集した木の枝などで製作した椅子を組み合わせて「思索の駅」と名付けた美しい場所を作り出している。[*16] 例えばオランダ・リンブルフでのプロジェクトにおいて、彼女はアカシア材を用いた木製椅子に採集した木の枝を取り付けて、水辺に設置している（図7、8）。彼女が目指しているのは、単なる椅子の装飾ではないし、植物を用いた奇抜な自己表現でもない。「思索の駅」に腰掛けるときに感じられるのは、もはや描かれることも、文字として書きつけられることもない水流や気流であり、それらとともに移ろう気分や感情、あるいは思考の流れである。その椅子に座るものは、土地に内在する魅惑的な流れに身を委ね、地上の生物と非生物の干渉を実感することができる。

イルランドが世界各地で実行する「水の集会」というプロジェクトは、自然界の流れや移動に寄り添うことが、深い政治性を帯びて世界の構造を書き換える方法に結びついていることを教えてくれる。生命にとって根元的なエレメントの一つである水の流れに寄り添うことによって、アーティストは環境保全という硬直化した思考を揺り動かし、刻々と変化する現象をより深い次元で理解する方法論を提示する存在となるのだ。イルランドは各地の河川周辺から収集した種子や植物をボトルや試験管に入れ、植物の枝や周囲で入手した素材で作成したバックパックを

図7(左)、図8(右) Basia Irland《Contemplation Station Ⅶ.》《Contemplation Station Ⅶ.》Limburg, the Netherlands, 2015. アカシア材、現地の小枝による制作。撮影：Bert Janssen(Museum De Domijnen and Basia Irland, eds.)

作成する。中に収められる資源の中には、その土地の先住民が長く使用してきた薬草も収められる。彼女は「川のレポジトリ」と名づけたこのバックパックを背負って歩くことによって、各地の生態系の中で育まれた先住民の歴史に注意を促し、川岸に集まった詩人とともに詩を読み、科学者とともに生物相を調査し、水の水素濃度を計測する能動的な行為主体となっている。

「氷の本」と呼ばれるプロジェクトでは、イルランドは植物の種子や実などを氷に閉じ込めた本の形の彫刻を作り、川に流している。彼女はこのように、訪問した土地で入手した素材を使用することでローカルな生態系との関係性を生み出しつつ、国境を越えて流れる河川の連続性への関心を喚起する。そして、ある場所で育まれた集合的記憶を、科学的に計測可能な客観的次元と緩やかに結びつけようとする。つまり彼女は、地表空間のバイオフィルム(生命の薄膜)の中でも河川や地下水といった水系の流れに焦点を当てることによって、河川流域の土壌や岩石、そしてさまざまな境界域に辿り着く漂着物などの次元にも、集合的な意識の照明を向けようとするのだ。

イルランドは地球上の各地で彼女のインスピレーション源となる生態学的な知識と歴史的な認識を調停し、さらに河川流域に生きるさまざまな生命体の共存原理を探ることによって、土壌と世界の双方に愛情を注いできた。その表現は、長坂がある地域の歴史的な現実の彼岸にささやかな物語を発見し、そこに個人と世界が向かい合うための具体的な空間を切り開く方法とも通じている。

長坂やイルランドの作品によって、私たちは、地球上を移動している主体は決して人間だけではないという「地球史的常識」に目覚めさせられる。地球上では、ありとあらゆるものが変化の渦中にあり、膨大な非人間の行為主体が、スケールの異なる移動を続けている。それによって、自然界の比類なき多様性が保たれているのである。人間を取り巻くあらゆるものは流動状態にあり、ゆっくりと、あるいは目まぐるしい速さで動いている。それらの移動するものたちは、膨大な資源やエネルギーの浪費と結びついた資本主義の要件には、必ずしも依存していない。

5　変奏される神話／「魂の物語」を編み直す

地球上を移動するものたちの足跡は、世界各地の神話にもはっきりと刻まれている。北アメリカの創世神話には、原初の時代に「宇宙をあまねく動くもの」が存在し、その痕跡が石や木として地上に残された、という伝承が伝えられている。また、こうした神話には頻繁にその土地に住んでいる動物が登場し、人間と同じく地上や水の世界を移動する。これらの神話が私たちに教えてくれるのは、人間と非人間が共存するこの大地の上で複数種の共時的な創造が、地球の誕生から現在まで一瞬の休みもなく続いている、という一貫した思想にほかならない。

神話の中では、他種への変身を通じて、人間と非人間の立場が対称的に交換されることもある。たとえばアラスカの内陸部に位置するカスコクウィム川流域には、あるとき川に落ちた少女が鮭に変身し、海へ下って数年間鮭として時を過ごしたというアサパスカン系語族の物語が伝えられている。やがて鮭の言葉を理解できるようになった少女は、鮭たちが干し魚を作る棚を掃除しない人間や、包丁を研がない人間のもとには戻らないように相談しているのを耳にする。少女はほかの鮭たちと一緒に故郷の川に上がって人間の姿に戻り、鮭たちがどのように扱ってほしいか、人間たちに伝える。この教えを実行するようになってから、この村には必ず鮭が遡上するようになったという。[*17]

人間と鮭の間の「視点の交換」を伝えるこの物語は、アーティストの是恒さくらが、自ら各地で取材した鮭の遡上伝承をもとに制作した冊子『鮭を纏う』[*18]にも収録されている。是恒は、東北を拠点に世界中の捕鯨や漁撈文化の聞き書きを続けているのだが、その成果は冊子や展示の中で、多様な話法や方法論を通して表現されている。長坂やイルランド同様、是恒も地表空間を旅するアーティストであり、その移動は過去の人間の移動や、非人間の行為主体の移動についての共感的な眼差しによって支えられている。是恒はとりわけ、次のような北方先住民の思想に深い共感を寄せる。

北方の先住民の間では、あらゆる生き物は同じ魂を持ち、着ているものだけが違うと考えられている、と聞いた。動物はそれぞれ違う毛皮を纏い、人は動物から得た毛皮や皮から作った衣を纏う。人がアザラシやクジラやトナカイを狩ることも食べることも、ひとつの魂の中のできごとだ。

同じひとつの魂を持って、人が鮭の衣を纏うとしたら。

そのとき人は、鮭になって遠い海へと旅するだろうか。鮭の言葉に耳を傾け、人をおかしく思うこともあるだろうか。

そう考えながら、各地の水辺で紡がれてきた物語をほどいて編みなおす。[*19]

「同じひとつの魂」を持った人と動物が、毛皮や皮など「異なる装い」によって差異化されるという思想。このように、人間と非人間が魂の有無によって差異化されるのではなく、それぞれの身体のあり方によって差異化されるという思想を、人類学者のフィリップ・デスコラは改めて「アニミズム」と定義し直している。[*20] アニミズムといえば、一九世紀の人類学者エドワード・タイラーによる万物に「アニマ（魂）」が宿ると考える自然信仰の定義が有名だが、デスコラによるアニミズム論は、かつて人類の宗教史において原始的な発展段階に置かれたこの思想を素朴な進化階梯から解放し、世界規模の比較思想のマトリックスのなかに改めて位置づけようとするものだ。

デスコラによるアニミズム概念の再検討は、同時代の日本の人類学と響き合うものでもある。中沢新一は、異なる生物種がそれぞれの身体的な条件によって異なる世界を知覚するというアメリカ大陸の先住民に共通する思想を踏まえつつ、特定の生物種と人間の関係を相互の贈与や儀礼、神話に由来する倫理的な責務に基づくものとする一元論的な「エコロジー哲学」が、伝統知による「エコロジー科学」と一体となって広範囲に伝承されてきたことを論じている。[*21] この哲学は、もちろん地理的にアメリカ世界に限定されるものではなく、新石器時代以後、地球上のさまざまな地域に伝承されてきたものであり、北半球ではとりわけ各地に生息する鮭や熊といった動物神話を通じて豊かな変奏を繰り広げてきたことを、中沢は強調している。

是恒が紹介している人間と鮭の間の「視点の交換」は、人間と非人間の行為主体が互いに着物を交換することによって、身体に埋め込まれた「異なる視点」を身につける、という深い意味を孕んでいる。是恒の作品において、鮭皮の衣服を身につけるという北方文化が、単なる装飾性を超えて各地の鮭の伝承や漁法に結びつけられ、作品として編み直されていることはこうした視点から見直すと興味深い。複数の生き物が、交渉の中で異なる視点を交換するという思想は、実はそれらの生き物がどのように季節を生き抜き、地表空間を移動しているかという生態学的な知恵と切り離すことができないからだ。ブラジルの人類学者ヴィヴェイロス・デ・カストロは、こうした複数種の視点の交換に基づくアメリカ大陸の生態宇宙論を「パースペクティヴ主義」と関連づけ、視点が埋め込まれた身体のレベルに存在論的な思想基盤があることを強調する。[*22]

二〇二〇年の秋に盛岡市のCyg art galleryで開催された展示「是恒さくら＋Dylan Thomas ふたつの水が出会うとき／When two waters meet」では、カナダの太平洋沿岸部に住むディラン・トーマス（コースト・セイリッシュ族）のトーテム紋様を現代的に更新するヴィジュアル・デザイン作品とともに、是恒による半人半魚の神話的モチーフを描いたドローイングや、水の流れや鮭皮のドレスをモチーフにした作品が展示された（図9、10、11）。タイトルがしめす通り、これは太平洋を隔てて遠く離れた二つの地域が神話的イメージの交歓を通して響き合い、複数の宇宙論が共振する興味深い試みである。

この展示と深く関係する前述の小冊子作品『鮭を纏う』の中で、是恒は二〇一九年の秋に山形県鮭川村で行った鮭漁についての興味深いテキスト（「山形鮭紀行『鮭川のウライ漁』」）を発表している。[*23] その記録によると、毎年行われている鮭川の「ウライ漁」では梁を用いて川を泳ぐ鮭を捕獲した後、「エビス棒」と呼ばれる特別な木の棒を用いて、鮭を気絶させるという。その後、オス・メスそれぞれ別の木箱に分けられて雌の腹から卵が取り出され、人の手で受精が促される。漁場の近くにある孵化場では、二カ月もすると稚魚が生まれ、春先に川に放流される。川を下った稚魚は日本海からオホーツク海を目指し、さらに北米大陸のアラスカ・カナダに面する北太平洋で四年間

図9 「是恒さくら＋ Dylan Thomas：ふたつの水が出会うとき / When two waters meet（盛岡市・ビクトリア市姉妹都市提携35周年記念事業）」Cyg art gallery（岩手県盛岡市）、2020年

を過ごした後、成魚として鮭川への長い旅路につくという。是恒はこうした長距離の群の移動を組み込んだ鮭漁に敬意を払いつつ、同様の鮭の漁撈文化をもつ地域の伝承を集め、それらの背景に流れる鮭の生命論にも触れようとしている。

その生命論は、人や獣のように母の子宮から生まれたものではなく、鳥や魚のように卵から生まれ、大地を歩くものたちとは異なる仕方で、地表空間を移動するものたちの生き方へと想像力を拡張する。たとえば毎年、鮭の大助と小助が鮭の群を先導して川を上ってくるという東北地方の民間伝承は、地球規模の人間の移動や商品化された食材の物流とは全く異なる仕方で、人間にとって極めて大きな意味を持つ非人間の生物種が、自らの習性に従って川と海と人里とを繋いでいるという重要な現実を伝えている。

北米先住民とアイヌの神話、東北の民間伝承が出会うのは、この地点である。アイヌには魚の頭を叩く際に朽ちた木を用いてはならないという規範が存在するが、興味深いことに北米先住民や日本の東北地方でも「魚叩き

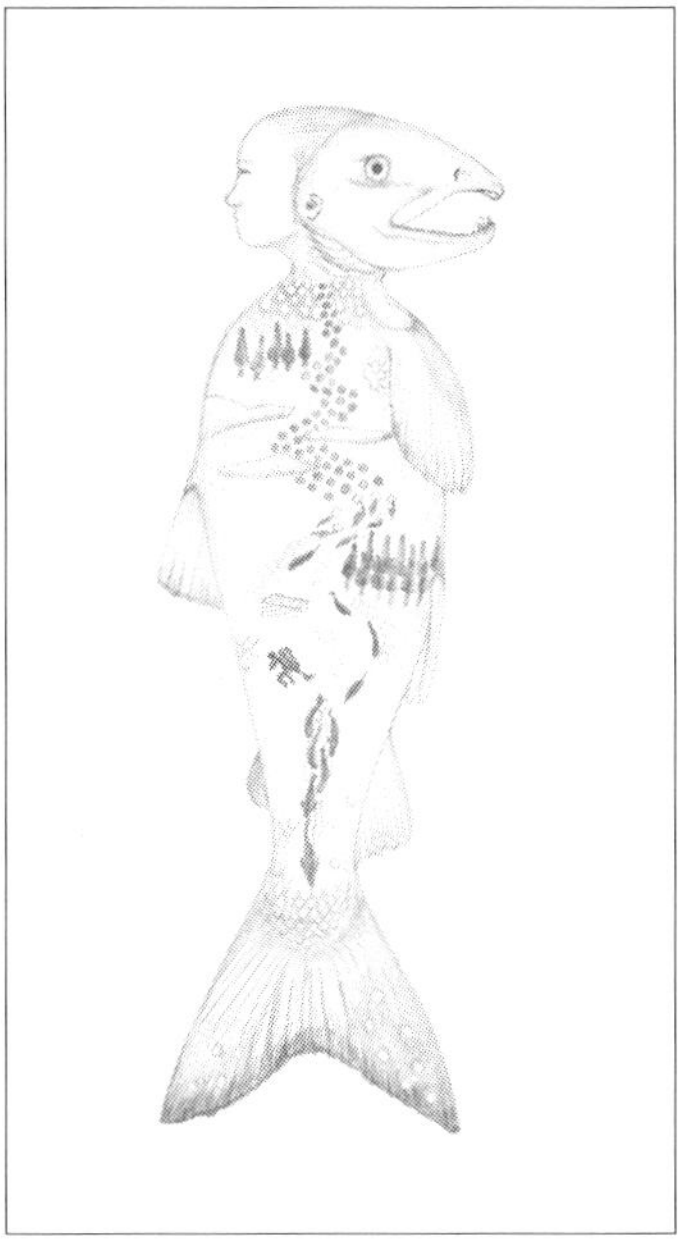

図 10　是恒さくら《鮭人》ドローイング、2020 年

図 11　是恒さくら《鮭川の鮭皮で服を縫う》2020 年、撮影：根岸功

棒」の種類や使用法について、細かい倫理的規定が存在する。これらの地域には、とりわけ海や川を渡って往還する鮭をめぐって、それぞれの地域の生態宇宙論を基盤とした、季節的な水界の移動者である鮭への配慮を根拠づける物語群や、呪具（魚叩き棒）の装飾をめぐる工芸的規範が存在するのだ。[*24] 是恒の作品群は、こうした比較民族誌的な次元で、ローカルな伝承に根ざした審美主義から異種との倫理的関係を含む宇宙論へ、手芸的なクラフトから異なるメディアを繋ぐ「野生の思考」の再構築へと、着実に転回する。

是恒はたしかに、これらの一連の作品世界の中で「各地の水辺で紡がれてきた物語をほどいて編みなおす」作業に没頭しているように見える。しかし、彼女は単に忘れられた民間伝承の断片を拾い集めて、いくつものメディアを複合した作品を制作しているだけではない。是恒はそこで、遠く離れた伝承の背後に流れる、非人間の移動と循環という主題を繋ぎ合せ、触知可能な物質的次元に表出させる。そのことによって動物の皮や毛皮を表現にとっての利用可能な素材とする慣例から、「あらゆる生き物は同じ魂を持ち、着ているものだけが違う」という現代的なアニミズム（多自然主義）の次元へと、表現の文脈を解放しているのだ。フィールド調査を元に、芸術表現の媒体をこのように生命論的に飛躍させる是恒の方法論は、アーティストの主観や文化の特異性に力点を置く多文化主義的な美術の視点から、「エコロジー哲学」を包含するより広範で存在論的な芸術思想の視点へと、視野を解放する。

これまで述べてきた長坂や是恒のような日本のアーティストの活動によって、バーシア・イルランドのようにエコロジーとアートを架橋してきた先駆的なアーティストの仕事と、近年まで芸術表現の対象とみなされてこなかったローカルな伝承知を継承する活動が接合され、旅や移動をめぐる新たな表現領域が現れようとしている。だが、人間の社会的活動を超えた次元で、生物群集の移動や物質循環をとらえる指向性は、決して彼女たちの専売特許ではない。自らの足で地表空間を歩き、対話や観察を通して古い時代から伝承された知恵や非人間の物語を芸術という手段で編み直す民族誌的芸術の試みは、今後もさまざまな新たな実践へと継承されていくだろう。こうした傾向を表現の核として持ちながら、世代を超えた知恵の連鎖を蘇らせていく潮流は、観光・遠征・冒険・放浪といった近代主義的な「移動の物語」を脱中心化し、異なる次元に接続する可能性を孕んでいる。自己の内奥にある深い現実と触知可能な歴史的対象をつなぐ技術としての芸術実践は、旅や移住といった人間の移動を、生物たちの生の軌道や森羅万象の運動の歴史に接続する手がかりとなるに違いない。

【注】

＊1 秋田県立博物館編・発行 二〇一八、『菅江真澄、記憶の形』参照。

＊2 柳田國男 一九八九、「秋風帖（還らざりし人）」『柳田國男全集 2』筑摩書房、二二七頁。

＊3 現在のところ何種類かの菅江真澄による図絵集が出版されているが、博物館展示のほかでは真澄の真筆を見ることは難しい。秋田県立博物館編・発行 二〇一四、『菅江真澄、旅のまなざし』参照。

＊4 美術館と博物館の分業体制による「芸術」と「文化」の囲い込み制度（「芸術‐文化システム」）についてはクリフォード、ジェイムズ 二〇〇三、『文化の窮状——二十世紀の民族誌、文学、芸術』太田好信ほか訳、月曜社を参照。なお、後述の展覧会（「ARTS & ROUTES あわいをたどる旅」秋田県立近代美術館、二〇二〇年一一月二八日～二〇二一年三月七日）では、長坂の問題提起を受けて芸術的観点からの菅江真澄作品の再評価と再解釈が行われている。

＊5 長坂有希 二〇一九、『これから起こるはずのことに出会うために』（会場内配布冊子）、三頁。

＊6 長坂前掲書、六頁。

＊7 インゴルド、ティム 二〇一四、『ラインズ 線の文化史』（工藤晋訳）、左右社、四〇頁。

＊8 一九九〇年代に批評家のハル・フォスターらによって論じられた「民族誌家としてのアーティスト」という議論の後、フィールド調査は創作活動の方法論として多様化するようになった。その後の民族誌と芸術実践の関係については、民族藝術学会主催による次の公開シンポジウムで詳細に論じている。下道基行・石倉敏明・川瀬慈・中村史子・吉田憲司・岡田裕成 二〇二〇（三月）、「《Cosmo-Eggs 宇宙の卵》（ヴェネチア・ビエンナーレ 2019 日本館）アートと人

類学の交点から考える」『民族藝術学会誌 arts/』（リニューアル記念号）通巻三六号、民族藝術学会、五六－一〇二頁。

＊9 長坂前掲書、一〇頁。

＊10 コッチャ、エマヌエーレ 二〇一九、『植物の生の哲学 混合体の形而上学』嶋崎正樹訳、勁草書房、一一二頁。

＊11 同書、五五頁。

＊12 高田宏臣 二〇二〇、『土中環境 忘れられた共生のまなざし、蘇る古の技』建築資料研究社。

＊13 ラトゥール、ブリュノ 二〇一九、『地球に降り立つ 新気候体制を生き抜くための政治』川村久美子訳、新評論。

＊14 この調査は次の作品として発表された。長坂有希《われらここに在り、漂う森をおもう》（二〇二〇年制作、3チャンネル・ビデオプロジェクション作品、日本語・英語音声）。

＊15 ソルニット、レベッカ 二〇一七、『ウォークス 歩くことの精神史』（東辻賢治郎訳）、左右社。

＊16 イルランドの作品のうち、「思索の駅」「水の集会」「氷の本」といった河川に関わる重要なプロジェクトは下記のカタログにまとめられている。Museum De Domijnen and Basia Irland, eds. *Reading the River: the Ecological Activist Art of Basia Irland*. Museum De Domijnen, 2017.

＊17 Renner, Michelle, Christine Cox (Illustrator). 1995. *The Girl Who Swam with the Fish: An Athabaskan Indian Legend* from Alaska Northwest Books.

＊18 是恒さくら 二〇二〇、『鮭を纏う』（著者による執筆・挿絵制作・デザイン・発行によるリトルプレス）。

＊19 同書、一二頁。

＊20 デスコラ、フィリップ 二〇二〇、『自然と文化を越えて』小林徹訳、水声社。特に第六章「アニミズム再考」を参照（一八五－二〇四頁）。

＊21 中沢新一 二〇〇二、『熊から王へ カイエ・ソバージュⅡ』講談社選書メチエ、四四－五四頁。

＊22 ヴィヴェイロス・デ・カストロ、エドゥアルド 二〇一五、『食人の形而上学 ポスト構造主義的人類学への道』檜垣立哉・山崎吾郎訳、洛北出版。

＊23 是恒『鮭を纏う』、一九－二三頁。

＊24 菅豊は日本本州・アイヌ・北米先住民（北西海岸ネイティブ）における魚叩棒および魚叩行為を比較し、鮭儀礼におけるそれぞれの観念・禁忌・技術・儀礼の個別性と共通性を導き出している。三者の背景にはいずれも魚叩棒の使用を通して鮭の死と再生のサイクルを全うする生命循環の論理が存在するという。「呪具としての魚叩棒・呪術として

の魚叩行為――日本本州編――」『動物考古学』五号、一九九五年一一月、三九－六八頁。同じくアイヌ編（同誌三号、一九九四年）、北米北西海岸ネイティブ編（同誌四号、一九九五年五月）も参照のこと。

第4章　エコロジーの美術史[*1]

山本浩貴

1　はじめに――エコロジーという概念

本稿は人間と自然の関係、特にその変遷に着目しながら、多様なエコロジー思想と結び付いた芸術実践の歴史をやや駆け足で概観する。エコロジーという言葉は、狭義には生態学、すなわち生物と環境の相互作用を扱う学問分野を指す。[*2] しかし、周知のように、そうした限定された学術的枠組みをこえて、いまや「エコロジー」は広く人間と自然の調和を目指す思想、ひいてはその思想に導かれる生き方そのものを表す概念として人口に膾炙している。一九九〇年代のアメリカを発祥とし、二〇〇〇年代以降の日本でも流行語のひとつとなった、「健康で持続可能なライフスタイル」を意味する「LOHAS」（Lifestyle of Health and Sustainability）と呼ばれる生活様式は、エコロジカルな生き方の代表的な例と言えるだろう。

しかし、エコロジーの概念が有する範囲には、生態学の知見を取り入れた文化的・社会的・政治的・経済的な研究や思索も含まれるということを忘れてはならない。事実、エコロジーにまつわる思想は、とりわけ産業革命によって確立された資本主義とそれに付随する工業化の進展や消費社会の到来がもたらす矛盾や弊害に対する批判的洞察を伴いながら深化してきた。例えば、フランスの哲学者で、「政治的エコロジー」の思想に先鞭をつけたアンドレ・ゴルツは、一九七〇年代前半に、「人間の活動は自然のなかにその外的な限界があり、この限界を無視すると、たちまちしっぺ返しをくうことになる」と喝破し、そのためには「最大限の欲求をつくりだし、原料とエネルギーとの最大限流量から最大限利潤を実現しつつ、最大限の商品材とサービスとによって、その欲求を満足させよう」とする「資本主義の論理の転倒」[*3]が不可欠であると主張している。

それゆえ、本稿においても、エコロジーという用語が含みもつ豊かな射程を、単なる「環境保護」や「サステナビリティー」の議論（もちろんそれらも重要な論点ではあるが）に収斂されがちな、狭い意味での自然環境のみに還元するのではなく、むしろ「環境」という言葉の含意を、私たちを取り囲み、私たちの身体や意識を形成し、私たち自身もその不可欠な一部となっている物質・精神世界にまで拡張し、エコロジカルな芸術実践の軌跡をその社会的・経済的・歴史的文脈との関連で記述していきたい。

2　産業革命から第二次世界大戦まで

本稿では、便宜的に三つの時代区分を採用する。それらは「産業革命から第二次世界大戦まで」、「第二次世界大戦から二〇〇〇年代まで」、「二〇〇〇年代から現在まで」の三つである。言うまでもなく、過去から現在を経て未来へと至る過程でエコロジーの思想と実践がリニアな発展を遂げてきたという素朴な進歩史観は、ここでは退けられる。「産業革命」、「第二次世界大戦」、「二〇〇〇年代」という区切り（前二つは歴史上の出来事であるのに対し、最後の一つが年代であるのは不自然に感じるかもしれないが）を設定した理由は、各項目がエコロジーの歴史において重要な意味を有しているためである。それぞれの意味づけは、芸術実践とも結びつけながら、本文中で行っていく。

イギリス経験論哲学の祖とされるフランシス・ベーコンは、一六二〇年に「新しいオルガノン」を意味する『ノヴム・オルガヌム』という書物を公刊した。古代ギリシアの哲学者アリストテレスによって体系化された論理学（オルガノン）の刷新を目論んだ同書では、「人間の自然に対する支配権」を強固にする力は「ただ技術と学問にのみ」[*4]宿ると主張されている。すなわち、ベーコンは、人間が自然を制御するためには、実験や観察に基づく知識が不可欠であると考えたのである。ここでは、自然は客観的な知の対象とみなされている。

こうした自然を客体視する見方は、近代西洋における風景画の展開にも影響を及ぼした。人類学者のフィリップ・デスコラは、風景画の起源とされる「室内の窓」（「後背地の景色を切り取る」絵画表現）を発明したとされるルネサンス期の画家アルブレヒト・デューラーが「アルベルティが五〇年前に体系化した線遠近法［透視図法］の数学的基礎をマスターした、ドイツ文化圏で最初の画家」であったことに着目し、「風景が一つの自律的ジャンルとして出現すること」は、「新しい規則に従って風景を秩序化することに従属する出来事」であると結論づけている。[*5]

こうした近代的な自然観は科学的知識の蓄積を積極的に促し、一八世紀後半のイギリスにおいて最初の産業革命を準備した。交通手段の発達や衣料事情の改善などを通じて、都市生活は便利で快適なものに変わった。その一方で、拡大された貧富の差や児童労働の蔓延などに象徴される社会の階層化が進んでいった。現代イタリアを代表する美学者であるパオロ・ダンジェロが「風景画は都市で生まれ、一九世紀という産業の時代に支配的なジャンルになった」と述べているのは、こうした「都市的で産業的な社会」が「自然美へのノスタルジーを呼び醒まし、自然表象に逃げ場を探し求めた」[*6]からにほかならない。

加えて、言うまでもないことだが、産業革命は戦後に顕著になった公害などの環境問題の起点でもある。すでに一八九一年の日本では、田中正造によって足尾銅山の鉱毒問題が国会の場で提起されている。

一九世紀半ばにイギリスで始まったアーツ・アンド・クラフツ運動は、この産業革命を時代背景として興起した。この動きは、一般的に「伝統的な手仕事の復興、より素朴な生活様式への回帰、家庭の日用品のデザイン向上をめざす工芸の革新運動」[*7]と理解される。この芸術運動の主導者の一人である美術評論家のジョン・ラスキンは、一八五一年から五三年にかけて執筆された大作『ヴェネツィアの石』において、人間を「たんなる部分に分割」[*8]する機械化・分業化の動きを厳しく糾弾している。アーツ・アンド・クラフツの源流には、「モダンデザインの父」と称される、もう一人の主導者ウィリアム・モリスの存在がある。モリスが一八七七年に創設した「古建築物保護協会」は修復という名目で乱発されていた歴史的建造物の破壊に反対し、この動きは近年、デザイナーによる環境保全運動の先駆けとして再評価され始めている。晩年のモリスが一八九〇年に出版した小説『ユートピアだより』では、人と自然が調和した社会が、「過去の美しい芸術作品が現在の美しい自然と混じり合った」[*9]理想郷として描かれていた。

同時代、即ち一九世紀のアメリカに目を向けてみる。そこで真っ先に言及すべき人物として浮上する一八一七年生まれのヘンリー・ソローは、今日まで続くエコロジーの思想にこの上なく多大な影響を与えた人物である。ソローは、人間と自然の関係をめぐるたくさんの詩や文章を残した。その活動の根幹には、常に「人間を社会の一員としてではなく、むしろ「自然界」の住人、もしくはその重要な一部分として」[*10]眺める眼差しがあった。湖畔に建てた小屋で自給自足の生活を送ったソローは、一日に何時間も森を歩き回った。その思索の過程で残された様々な動植物のスケッチは、「人間の創造的な直感を揺り動かし、繊細な芸術作品を生み出す源泉となってきた」[*11]。文化人類学者の今福龍太は、その一例として、一九七八年に現代音楽の生みの親とも目されるジョン・ケージが制作したフォト・エッチング《ソローによる一七のドローイング》を挙げている（図1）。ケージは、この作品以外にもソローをインスピレーション源とした様々な作品を生み出している。

こうしたソローの自然観は、時代を超越して春秋時代における中国の哲学者と響き合っている。このことは、ソローから大いなる薫陶を受けたケージが、一方では古代中国に成立した『易経』（儒教の基本書籍である五経の一書）からインスピレーションを得て、独自の「偶然性の音楽」（《易の音楽》、一九五一年）を創作していることからもわかる。紀元前六世紀ごろに編まれた『道徳経』は、万物の根源を指し示す「道（タオ）」の思想を記した老子の作とされる。『道徳経』では、「人間は自分の利益のために自然を支配する」が、真に「道」を知る人にとっては「自然は深い基礎的な調和」[*12]として感じられると説かれた。それに対して、ドイツの哲学者カール・ヤスパース

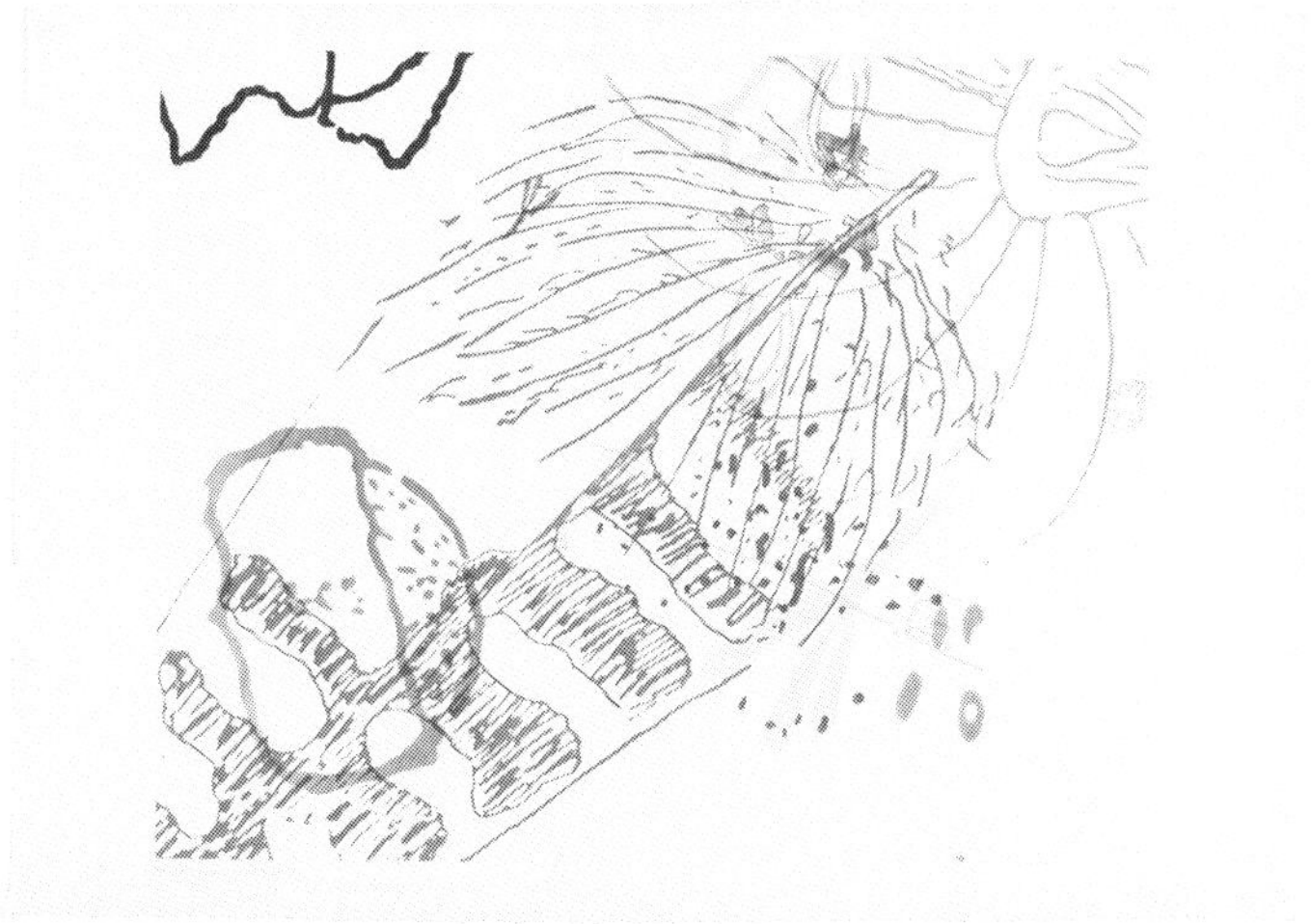

図1　John Cage, *Seventeen Drawings by Thoreau,* 1978, color photoetching on Hodomura paper, 55.9 × 71.1cm, ©National Gallery of Art, Washington

は、「世界とわれわれの精神」は「他との格闘の緊張にあり、戦いにおける決定的な生起現象」であると主張し、ゆえに「世界は自然の生起現象であり、生きた循環」であるとする老子の考えに反駁した。[*13] 人間と世界の弁証法的対立を経由した進歩を基礎とする西洋の近代的な自然観と、人間と自然という二項対立自体を超克していくことを志向する東洋的な発想のあいだの鋭い対立が、ここでは露わになっている。

中国出身の徐氷（シュ・ビン）は、一九八七年から九一年に制作した《空から降る本》において実在しない漢字（そのどれもが漢字を読めない者にとってはもっともらしいものに感じられる）を捏造し、洋の東西を挟んだ相互理解の齟齬を表現した。二〇一四年、徐は植物の枯れ枝や古紙などの廃棄物を用いて制作された江山万里図を含むインスタレーション《背後の物語》を制作した。江山万里図は、宋代に描かれた山水画の傑作である。《背後の物語》では、西洋とは異なる東洋の自然観が現代風に、そして廃材を再利用するという文字通りエコロジカルな手法で表現されていた。

3　第二次世界大戦から二〇〇〇年代まで

人類に比類なき惨禍をもたらした戦争の後も、人間による自然の収奪は続いた。その勢いは衰えるどころか、ますます激しいものになっていった。第一次世界大戦の遠因をたどれば、それが自然破壊を伴う産業の過剰な発達により、市場としての植民地を獲得するための各国の競争から派生した対立にあることは明白だ。しかし、戦後になって、そのようなエコロジカルな観点からの反省はほとんどなされなかったということだろう。もちろん、こうした傾向に対して警告を発する学者もいた。例えば、一九六二年に出版された『沈黙の春』において、生物学者のレイチェル・カーソンは生態系を破壊する科学薬品の危険性を告発した。現在でも読み継がれる同書で、カーソンは「私たちの住んでいる地球は自分たち人間だけのものではない」[*14]ことを繰り返し強調している。

『沈黙の春』出版から八年後の一九七〇年、アメリカ人アーティストであるロバート・スミッソンの《スパイラル・ジェッティ》がユタ州のグレートソルト湖に建設された。この巨大な芸術作品は、全長約四六〇メートルに及ぶ渦巻き状の突堤であり、土砂や岩石など自然素材から構成されている。美学者の平倉圭は、その複雑な生産過程に「複数の人間的・非人間的作用者の交渉から現れる、物とダイアグラムの混淆」を看取する。[*15]この作品は、ランド・アート（アース・ワーク）の金字塔とされている。ランド・アートとは、「主に自然に存在する物質を用いて屋外に設置される芸術」の潮流と理解され、一九六〇年代後半以降の欧米で頻繁に見られるようになった。[*16]スミッソン以外の代表的な作家として、ナンシー・ホルト、マイケル・ハイザー、ウォルター・デ・マリア、ジェームズ・タレルなどの名前が挙げられる。これらのアメリカを中心に活動していたアーティストたちの作品は、重機などの大型機械を駆使して実現される大規模なものが大多数を占めていた。美術批評家のルーシー・リパードは二〇一四年の著作で、ランド・アートを人間による自然の「植民地化の一形式（a kind of colonization in itself）」[*17]として批判している。リパードは、ランド・アートの大部分が持続可能性を無視した人間による自然への強引な介入であったと考えた。

しかしながら、イギリスにおいて、ランド・アートは異なる進展を示したことは言及に値する事実だろう。リパードの古くからの友人でもあるジャーナリストのレベッカ・ソルニットは、歩くことを主題に据えた著作の中でリチャード・ロングの芸術実践に言及している（実際、ソルニットはこの本をリパードに勧められて執筆したと述べている）。一九六〇年代半ば以降、ロングは「芸術の媒体としての歩行」[*18]を探求し始めた。その最初期の成果が、一九六七年に発表された《歩行による線》である。自身が草原を往還して残した道筋を写真に記録したのが、この作品である。ロングと同世代のイギリス人アーティストであるハミッシュ・フルトンは、世界各地を歩いて旅する過程を作品化した。一九七一年に発表された、写真とテクストを組み合わせた《巡礼の道》は、フルトンの初期の代表作である。彼らの後継者に位置するアンディー・ゴールズワージーの繊細な作品は、雪や氷にわずかに手を加えることで作られ、ほんのわずかな時間しかその姿をこの世界にとどめることはない。このようにイギリスのランド・アートは、自然に対する干渉を最小限に抑えることを特徴としていたのである。

ロングやフルトンと同時代、つまり一九六〇年代から七〇年代前半にかけての日本に目を配ろう。そこでは、松澤宥や磯辺行久のエコロジカルな芸術実践が輝きを放っている。日本における概念芸術の始祖として知られる松澤は、拠点としていた長野県下諏訪の自邸で八〇年ほどの生涯を閉じた。その山奥で一九七一年に催された「音会」や、その翌年の「雪の会座」などのイベントは、一九六〇年代の日本美術を研究しているウィリアム・マロッティにならって、知を通じた自然支配の基盤をなす近代的理性に対する「反文明の蜂起」[*19]と読むことができるだろう。そうした松澤の「フリー・コミューン」実践では、身体的表現行為を媒体として共感作用を創出する儀式が試みられた。

一方、版画や彫刻などを幅広く制作していた磯辺は、一九六〇年代に渡米し、アメリカで環境工学を学んだ。帰国後はエコロジカル・プランナーとして働き、七〇年代には芸術の視覚表現と生態学の知見を統合したユニークな活動を展開していく。九〇年代になって本格的にアーティスト活動を再開すると、磯辺は「人と自然の相互関係」の複雑な「様相」[*20]を視覚化する作品群に着手した。その代表例として、一九九六年の《成長計画》や二〇一三年の《偏西風図》がある（図2）。いずれも、目に見えない生態学的な現象を視覚的なダイヤグラムに落とし込んだ磯辺独自の平面作品である。

一九七〇年代半ばから八〇年代において注目すべき事象として、コミュニティやコオペレーション（協働）に重点を置いたエコロジカルな芸術実践の出現がある。その一例として挙げることのできる《ザ・ファーム》は、一九七四年にボニー・シャークの手でサンフランシスコに設立されたコミュニティ・センターである。シャークは高速道路の建設のために荒廃した地域を公園として蘇らせ、老若男女が集う場に変貌させた。そこにはギャラリーや図書館に加えて、菜園や牧場も併設されていた。人と動植物がともに学び合う「野生の学舎」（今福龍太）が、ここに確かに成立していたのである。

もう一つの例として、戦後、最も影響力のある社会派アーティストの一人であるヨーゼフ・ボイスがいる。一九七〇年代、ボイスは環境政策を推進するドイツの環境政党「緑の党」の設立に深く関わった。ボイスは一九八二年のドクメンタでは《七〇〇〇本のオーク》と題されたアート・プロジェクトを立ち上げ、市民と協働して植樹作業を行った。こうした活動の根底には、「自然へのわれわれの関係は徹底的に乱れている」[*21]という彼の深刻な危機意識があった。

実際のところ、「徹底的に乱れ」た自然と私たちの関係は、戦後、徐々に、しかし着実に人間の身体を蝕んでい

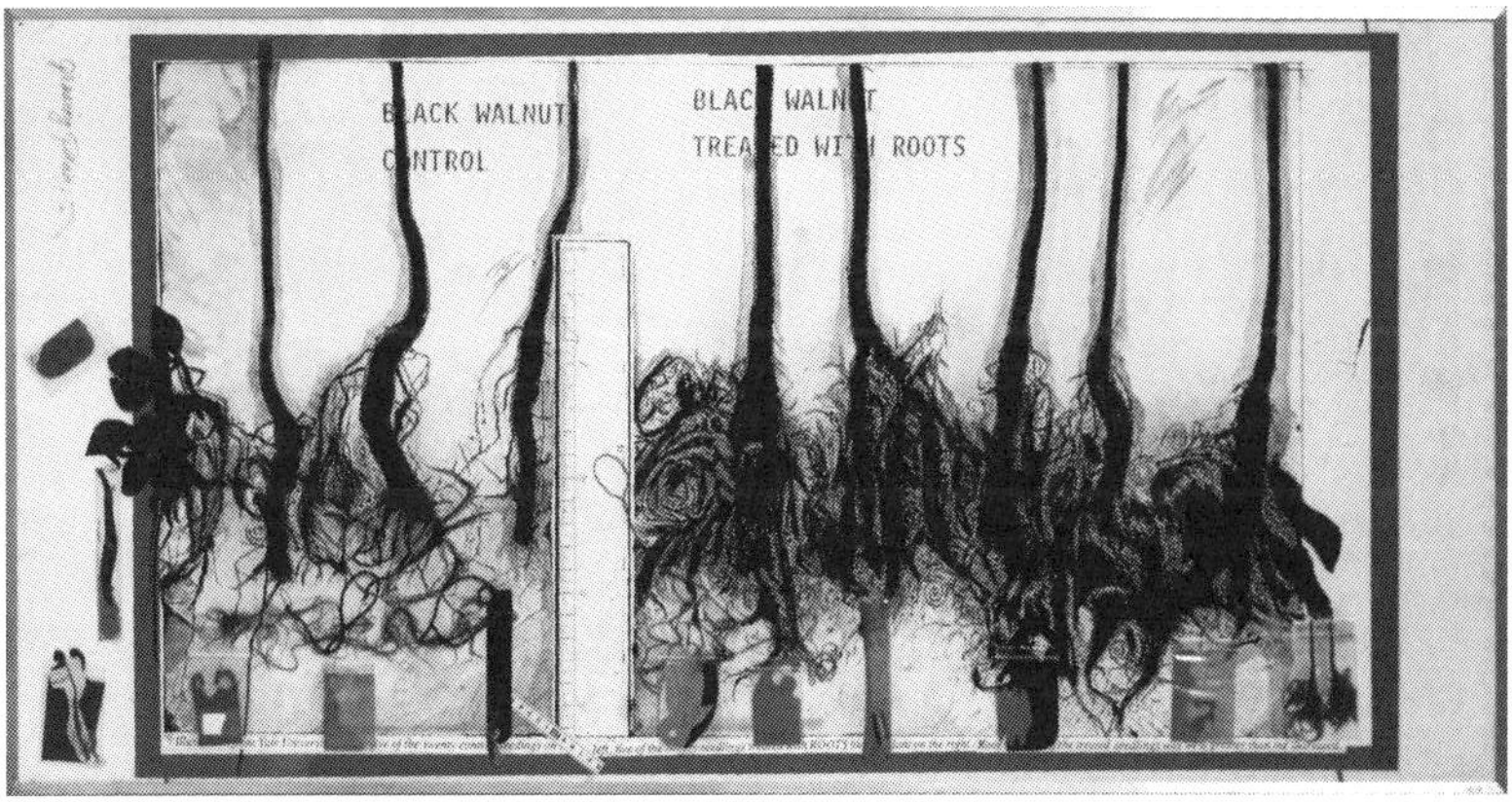

図2　磯辺行久、《成長計画》、1996年、ミクストメディア、100 × 200cm、画像提供：アートフロントギャラリー

た。日本を例にとれば、その明確な表出がいわゆる「四大公害」である。ニューヨークを拠点としてアートとテクノロジーの融合を目指したE.A.T.（Experiments in Art and Technology）とも関わりのあった中谷芙二子は、一九七二年に《水俣病を告発する会――テント村ビデオ日記》を制作した（図3）。水俣病は一九五六年に正式に認められた疾患で、第二水俣病（新潟水俣病）、イタイイタイ病、四日市ぜんそくと並んで四大公害の一つとされる。これらは一九五〇年代後半から七〇年代にかけての高度経済成長期に日本で発生した多数の公害のうち、特に被害の大きい事例である。こうした事態を受けて、一九六七年には公害対策基本法が制定されている。この法律は一九九三年に環境基本法が成立すると同時に廃止されたが、大部分の内容は同法に引き継がれた。中谷の映像作品は、生態系の破壊が引き起こした悲劇の犠牲者による抗議活動を記録した貴重な資料となっている。

　パーソナル・コンピュータが身近なものになった一九九〇年代には、テクノロジーや科学技術を融合した芸術作品が目立つようになった。その先駆者の一人に、アメリカ人アーティストであるピーター・フェンドの名が挙げられる。一九八〇年、フェンドは《オーシャン・アース・コンストラクション・アンド・ディベロップメン

図3　中谷芙二子、《水俣病を告発する会——テント村ビデオ日記》、1971-72年、ビデオ、モノクロ、サウンド、20分、©Fujiko Nakaya, courtesy of PROCESSART INC.

ト・コーポレーション》を発表した。これは衛星を用いて代替エネルギーを探索した写真作品で、同年に彼が設立した事務所の名称にもなっている。一九九一年に発表されたインスタレーションである《オーシャン・アース：ヨーロッパ》など、彼は九〇年代以降も芸術を通してエコロジーという主題を追求し続けている。同様にテクノロジーや科学技術を用いた芸術実践の中でエコロジーの思想と共鳴する例として、インゴ・ギュンターのインスタレーション《ワールド・プロセッサー》は言及に値する。この作品は一九八八年に制作され、九〇年代に様々な場所で披露された。発光する多数の地球儀型オブジェの表面には、世界各地の環境に関連した統計的データが可視化された。

一九九三年に三人のデンマーク人アーティスト（ヤコブ・フェンガー、ビョーンスターネ・クリスチャンセン、ラスムス・ニールセン）によって結成されたスーパーフレックスは、新しい科学技術を芸術のプロジェクトに融合している。彼らは、二〇〇〇年以降に注目を浴びることになるアート・コレクティブという概念を先取りしていた。当然ながら芸術家の集まりははるか昔から存在したが、美術批評家の福住廉が言うように、この概念は特に「単独ではなく複数でチームを構成し、その集団的主体性をひとりのアーティストとする考え方」[*22]に基づいていることに特徴がある。科学技術を援用したエコロジカルな芸術実践として、スーパーフレックスが一九九六年から開始したアート・プロジェクト「スーパーガス」に言及したい。これはエンジニアと協力して、自然エネルギーを動力源とするユニットの開発を目指すプロジェクトであった。その最初の試運転は、アフリカ東部に位置するタンザニアで行われた。この試みは、その後も一九九〇年代を通じて、カンボジアやメキシコを含む様々な国々で展開された。

4　二〇〇〇年代から現在まで

二〇〇〇年代になって、人新世という言葉が登場した。その発端は同年の国際会議におけるオゾンホール研究の泰斗、大気科学者のパウル・クルッツェンによる発言であった。この造語に、クルッツェンは「人間の活動が地球に地質学的なレヴェルの影響を与えている」[*23]という含意を込めた。人新世の概念は瞬く間に学術界を席巻し、様々な学問領域において取り入れられた。[*24]

環境史家のJ・R・マクニールは、人新世の開始を一九四五年に定めている。その根拠は、この年を境に「いくつかの異なる仕方で観測され、判定される地球と生物圏に対する人間の影響」[*25]が爆発的に増大したことに求められる。この統計的事実を指して、マクニールは「グレート・アクセラレーション（The Great Acceleration）」と名付けた。その原因は人口増加やグローバル化、あるいは産業化・都市化や核開発の頻発など、とりわけ産業革命以降の人間活動に紐づく複合的な要素に求められるとされている。

ティモシー・モートンは、哲学の領域において人新世に関わる思索を深化させてきた重要人物である。「本当にエコロジカルな政治と倫理と哲学と芸術を阻む観念の一つが、自然の観念そのものである」[*26]と述べるとき、モートンは本質を備えた実体としての自然という概念を否定している。モートンの『自然なきエコロジー』を翻訳した篠原雅武は、こうしたモートンの姿勢を「人間と自然を対置させ、自然を人間よりも優位にあるものとして考え、生命圏中心主義を提唱することに、警戒心をもっている」[*27]と解釈する。そうした態度は、自然を私たちの生を「とりまくもの」として捉え」[*28]、人間と自然の相互浸透に目を向けることへと私たちを導く。

こうした自然観を体現する例として、本田健の画業を挙げたい。彼は三〇年前から岩手県遠野の山中に暮らし、絵を描き続けている。先述したリチャード・ロングやハミッシュ・フルトンからも影響を受け、制作のために一日に数時間は山を歩くという。こうして誕生したのが一九九〇年代に開始された「山あるき」と題されるドローイングのシリーズである（図4）。本田は、山中で実際に木や草を見ながら絵を描くのではなく、そこで撮影した写真をアトリエで精密に模写するという手法にこだわる。すなわち、そこに描かれる対象は実体としての自然そのものではなく、アーティストの時間性において再現された山景の表象である。本田自身の言葉を借りれば、こうした営みは「意識の歩行」と表現される。二〇〇〇年代には油彩画に着手し、本田は自庭に張ったテントで長時間の写生を行っている。筆者がインタビューした際、その過程で「自然が意識の中に入り込んでくる」と彼は語った。そして、その感覚はとても心地いいものであるそうだ。これは、自然の人間への貫入を示す好例と言える。

アマゾン川流域でのフィールドワークを通じて、人類学者のエドゥアルド・コーンは「見ることや表象すること、そしておそらくは知ることや考えることでさえも、人間の専売特許ではない」[*29]という気付きを得たと書いている。ここでは人間を取り囲む自然世界には、私たちの認知能力の限界をこえた領域が存在することが示唆されている。加えて、コーンは「イメージを通じて作動する」[*30]思考こそが重要であると明言する。すなわち彼は、イメージを通じて言語による認識を超越した事象を感覚的に把握しようと努める。

図4　本田健、《山あるき――十二月》、2017年、162.2 × 162.2cm, キャンバスに紙、チャコールペンシル、©Takeshi Honda、画像提供：MEM, Tokyo

この点において、ドイツの音楽家・芸術家カールステン・ニコライは特筆に値する。美術と音楽の領域を横断するニコライは、音や光などの自然現象をイメージによって可視化してきた。イメージによる可視化を通じて、私たちは人間の可聴域の外側に存在する「音」を「聴く」ことができる。そうした経験は、作品を体験した人々が自らの世界の輪郭を新たに引き直すことを可能にするだろう。いずれも二〇〇〇年に制作された《テレフンケン》や《ミルク》といった作品は、音を視覚化する試みである。《テレフンケン》では壁に設置されたテレビモニターに作家がリミックスした音が波形となって映し出され、写真連作の《ミルク》は音の周波数によって牛乳の表面上に出現する波紋の幾何学模様を記録したものである。特に後者の作品を、上村洋一による二〇一九年の《Hyperthermia ――温熱療法》（作家自身がオホーツクや知床など世界各地の海で収集した音を使用したサウンド・インスタレーション）と比較するのは興味深い。

二〇〇〇年以降、日本国内で開催される芸術祭の数は急増した。それらは大都市でなく、しばしば地方都市や過疎地域で実施された。そのため、そうした芸術祭の中には自然を舞台とし、自然や動植物との共生をテーマとしたものも見られる。その代表例として「大地の芸術祭」を掲げた、新潟県の越後妻有アートトリエンナーレがあるが、先述の磯辺行久は二〇〇〇年のその第一回目から参加している。《川はどこへいった》（二〇〇〇年）や《サイフォン導水のモニュメント》（二〇一八年）など、磯辺はエコロジカルな構造に鑑賞者の目を向けさせるような大型のインスタレーションを屋外に設置している。

海外においても、二〇〇〇年以降の地球環境をめぐる国際的取り組みの増加[*31]に呼応するように、新しいエコロジーに関係した芸術祭が増えている。例えば、二〇一四年の台北ビエンナーレ（テーマは「The Great Acceleration」）や二〇一七年のモスクワ・ビエンナーレ（テーマは「Clouds ⇄ Forests」）などである。前者はニコラ・ブリオー、後者は長谷川祐子のキュレーションによるものである。いずれの展覧会でも、多彩な芸術作品を通じて近代の人間中心主義を批評的に再考することが目指された。

こうした動向を、ソーシャリー・エンゲージド・アートの世界的流行から説明することもできる。この用語は「公共空間での人々との交わりを志向する社会的芸術実践[*32]」を指し、二〇〇〇年代以降に美術界で頻出するようになった。その流れの中で差別や貧困の問題と格闘する作品のみならず、エコロジカルな関心からオルタナティブな生態系や環境のモデルを提案しようとするプロジェクトが前景化してきた。

例えば、母国アルゼンチンで建築を学んだトマス・サラセーノは、自身が「エアポート・シティ」や「クラウド・シティ」と呼ぶ空中都市を構想してきた。作品の設計にあたって空中に浮かぶ雲や蜘蛛の巣の構造を研究するなど、サラセーノはしばしば自然や他の生命体の知恵を借りる。さらに鑑賞者が実際に体験できるインスタレーションにすることで、彼はオルタナティブな未来の居住環境の在り方を現実的に模索している。

もう一例として日本のコミュニティ・アートに目を転じると、藤浩志は二〇〇〇年からかえっこバザール（通称

「かえっこ」というプロジェクトを開始している。藤は独自の通貨を媒体に、異なる地域の子どもたちが不要になった玩具を交換し合うシステムを考案した。ここではエコロジーと地域交流の視点が有機的に交差し、瞠目すべき相乗効果が生まれている。

人間と動物の共生というテーマも、近年の芸術実践における重要な主題の一つを構成している。例えば、アーティストのAKI INOMATAは芸術を通じて自明視される人間と動物の境界を問い直してきた。彼女の映像作品《犬の毛を私がまとい、私の髪を犬がまとう》（二〇一四年）では、アーティストと犬がお互いの毛で作られたコートを身にまとって登場する（図五）。人類学者のアナ・チンは、独自のマルチスピーシーズ民族誌を提唱している。「人間と人間以外の存在による、多数の世界制作プロジェクト」[*33]に着目することで、チンは人類学の刷新を目指す。INOMATAもチンも、アートと人類学というフィールドの違いはあれど、ともに非人間との相互作用を探求することを通じて、世界における人間の存在を相対化しようと試みている。

しかし人間と他の生物の共生という主題には、ある困難な問題が付きまとうことも指摘しておきたい。「人間が動物に対して感情的な愛着を持ち、ときに性的な欲望を抱く[*34]」動物性愛について書かれた、濱野ちひろの『聖なるズー』（二〇一九年）は激しい議論を呼んだ。その点に関して、人間と植物の性愛を正面から扱った中国の作家・鄭波（ジェン・ボー）の映像作品《蕨戀》（二〇一六年）、およびその続編である《蕨戀Ⅱ》（二〇一八年）――そこには鳥の巣を形成しているシダ植物と「性行」し、最終的にそれを食べてしまう男性が登場する――は非常に核心的な問いを提起していると言える。

最後に忘れてはならない出来事として、二〇一一年に発生した東日本大震災に伴う福島第一原発のメルトダウンがある。[*35]この事故は多数の被曝者（可能性を含む）や帰宅困難者を出し、一九七〇年代以降に草の根的に継続されていた反原発デモの勢いを大いに加速させた。この問題に日本のアーティストも次々と作品を通じて反応した。

図5 AKI INOMATA、《犬の毛を私がまとい、私の髪を犬がまとう》、2014年、©AKI INOMATA

そうした作品の例として、Chim↑Pomの《LEVEL 7 feat. 明日の神話》（二〇一一年）や田中功起の《振る舞いとしてのステイトメント（あるいは、無意識のプロテスト）》（二〇一三年）が挙げられる。前者の作品において、現代日本のアート・アクティビズムを代表するChim↑Pomは、渋谷駅に設置された岡本太郎の巨大絵画《明日の神話》（一九六八―九年）[*36]の隅にゲリラ的に小さなパネルを追加した。このパネルには、福島第一原発を想起させる黒煙を発する原子炉のシルエットが描かれていた。また、芸術におけるコラボレーションのプロセスに関心を抱く田中功起による後者の作品は、たくさんの人々がひたすら非常階段の昇降を繰り返す姿を映した映像である。ここで田中は、私たちの日常的な振る舞いすらもエコロジーをめぐる政治的な態度表明になってしまった人新世の様相を前景化しているようにも見える。こうした動きは、日本の現代美術史における社会的転回のメルクマールのひとつを刻んだ。

5　おわりに――人間と自然の美術史

ここまで見てきたように、エコロジーの概念にまつわる芸術実践は非常に多岐に及ぶ。このことは、「はじめに」でも強調したように、エコロジーという言葉に含まれる豊かさに由来する。近年における異常気象の顕現や自然災害の頻発を鑑みると、私たち人間が住まう地球環境の未来についての見通しは暗いと言わざるを得ない。しかし、それゆえにこそ芸術が果たすことのできる役割を真剣に考える必要があるだろう。そのために、本稿が多少とも有意義であることを願う。

これまで、「美術史」は人間の占有物とされてきた。私たちがわざわざ「人間の」という枕詞を冠することなく美術史という言葉を使っているのは、それゆえであろう。しかし、考えてみれば当たり前のことであるが、美術を（カント的な意味で）「感性や感覚に働きかける技法」と定義するのであれば、そうした技法を活用しながら生を営んでいるのは人間だけではない。[*37] しかるに「オオカミの」美術史や「アカマツの」美術史が存在してしかるべきであろう（それを人間に理解・記述しえるかは別の問題であるが）。本稿でも見てきたように、広い意味での人間と自然のコラボレーションによって作られてきた芸術というものが確かにある。そろそろ本格的に「人間と自然の美術史」なるものの構築について考え始める時期が訪れているのかもしれない。

【注】

＊1　本稿は、『美術手帖』二〇二〇年六月号（特集「新しいエコロジー」）に寄稿した拙稿「エコロジーの美術史」に大幅な加筆・修正を加えたものである。同論考の転載を快諾してくださった美術手帖編集部のみなさま、特に「新しいエコロジー」特集を企画・立案し、エコロジーを主題とした芸術実践の歴史を概説する論考の執筆について筆者に声をかけてくださった福島夏子さんに感謝を申し上げたい。

＊2　エコロジーという用語の起源について、建築家の能作文徳は、哲学者の篠原雅武との対談で次のように説明している。「「エコロジー」の語源は、ギリシャ語の「オイコス（家）」と「ロゴス（論理）」を複合した、生物学者で哲学者のエルンスト・ヘッケルによる造語ですが、当初は生物と環境の相互作用を扱う学問として用いられていました。その後、環境科学者のエレン・リチャーズが「ヒューマン・エコロジー」という言葉で、人間と環境との関係を家政学に持ち込み、生活との関わりのなかで捉えられるようになりました」。篠原雅武・能作文徳　二〇二〇、「人新世のエコロジーから、建築とアートを考える」『Cosmo-Eggs ―宇宙の卵―コレクティブ以後のアート』torch press、二一五－一六頁。

＊3　ゴルツ、アンドレ　一九八三、『エコロジスト宣言』高橋武智訳、緑風出版、二〇頁、四〇頁。

＊4　ベーコン　一九六六、『ノヴム・オルガヌム』服部英次郎訳、河出書房新社、二九四頁。

＊5　デスコラ、フィリップ　二〇一九、『自然と文化を越えて』小林徹訳、水声社九六－九八頁。

＊6　ダンジェロ、パオロ　二〇二〇、『風景の哲学――芸術・環境・共同体』鯖江秀樹訳、水声社、一〇九頁。

＊7　川端康雄　二〇一六、『ウィリアム・モリスの遺したもの――デザイン・社会主義・手しごと・文学』岩波書店、八頁。

＊8　ラスキン、ジョン　二〇〇六、『ヴェネツィアの石――建築・装飾とゴシック精神』内藤史朗訳、法藏館、二六二頁。

＊9　モリス、ウィリアム　二〇一三、『ユートピアだより』川端康雄訳、岩波書店、二六〇頁。

＊10　ソロー、H・D　一九九七、『市民の反抗　他五篇』飯田実訳、岩波書店、一〇六頁。

＊11　今福龍太　二〇一六、『ヘンリー・ソロー――野生の学舎』みすず書房、六一頁。

＊12　張鍾元　一九八七、『老子の思想――タオ・新しい思惟の道』上野浩道訳、講談社、二五〇頁。

＊13　ヤスパース、カール　一九六七、『孔子と老子』田中元訳、理想社、一三五－三六頁。

*14 カーソン、レイチェル　一九七四、『沈黙の春』青樹簗一訳、新潮社、三八一頁。

*15 平倉圭　二〇一九、『かたちは思考する――芸術制作の分析』東京大学出版会、一五四頁。

*16 山本浩貴　二〇一九、『現代美術史――欧米、日本、トランスナショナル』中央公論新社、四四頁。

*17 Lippard, Lucy R. 2014. *Undermining: A Wild Ride Through Land Use, Politics, and Art in the Changing West*, New York: The New Press, p.88.

*18 ソルニット、レベッカ　二〇一七、『ウォークス――歩くことの精神史』東辻賢治郎訳、左右社、四五二頁。

*19 マロッティ、ウィリアム　二〇一七、「不思議な輝き――松澤宥　文明的統合から反文明の蜂起へ」嶋田美子編『ニルヴァーナからカタストロフィーへ――松澤宥と虚空間のコミューン』嶋田美子訳、オオタファインアーツ、八頁。

*20 磯辺行久　二〇一八、『川はどこへいった』、現代企画室、九四頁。

*21 ハーラン、ラップマン、シャータ　一九八六、『ヨーゼフ・ボイスの社会彫刻』伊藤、中村、深澤、長谷川、吉用訳、人智学出版、一三〇頁。

*22 福住廉　二〇一七、「美術批評と動向　日本・アジア編」『美術手帖』二〇一七年一二月号、二八頁。

*23 吉川浩満　二〇一八、『人間の解剖はサルの解剖のための鍵である』河出書房新社、一六七頁。

*24 美術史家のT・J・ディーモスは、「人新世を正統的な用語として採用することに対し究極的には異を唱え」、その主な理由として二点挙げている。第一に、そうした議論では「人新世の主体なるものが存在していることがほのめかされている」が、「その主体が「私たち」という集合的代名詞で語られている」ことからもわかるように、「気候変動を引き起こした諸原因の責任を、万人が等しく負っているかのような口ぶり」に対して「自己同一化したくないと抵抗する人間が多くいる」ためである。第二に、「人新世を描写したイメージ群でよく示される「諸活動」は、「人間の」それであるとは言いがた」く、「大半は大企業による産業「活動」」であるが、このことが「人新世言説のなかでは概して隠蔽され」てしまうためである。ディーモスは、その代わりに、「資本新世」という言葉を用いることを提案している。ディーモス、T・J　二〇一九、「人新世《じんしんせい》にようこそ！――『人新世に抗して：視覚文化と今日の環境』」『美術手帖』二〇一九年二月号、中野勉訳、一一九-一二八頁。

*25 McNeill, J. R. and Peter Engelke. 2016. *The Great Acceleration: An Environmental History of the Anthropocene since 1945*, Cambridge, MA: Harvard University Press, p.4.

*26 モートン、ティモシー　二〇一八、『自然なきエコロジー――来たるべき環境哲学に向けて』篠原雅武訳、以文社、

二八頁。

＊27　篠原雅武　二〇一六、『複数性のエコロジー——人間ならざるもの《ノン・ヒューマン》の環境哲学』以文社、四六頁。

＊28　篠原雅武　二〇一八、『人新世の哲学——思弁的実在論以後の「人間の条件」』人文書院、五一頁。

＊29　コーン、エドゥアルド　二〇一六、『森は考える——人間的なるものを超えた人類学』奥野克巳・近藤宏監訳、近藤祉秋・二文字屋脩訳、亜紀書房、八頁。

＊30　同書、二九頁。

＊31　例えば、遺伝子組み換え生物の使用を規制するカルタヘナ議定書（二〇〇四年）や温室効果ガスの削減目標を定めた京都議定書（二〇〇五年）などの国際協定の発効が挙げられる。もちろん、それ以前にもオゾン層の保護を目的としたウィーン条約（一九八五年）や化学物質の国際取引を規制するロッテルダム条約（一九九八年）などの国際条約が締結されている。二〇一五年には気候変動の抑制を目的としたパリ協定が合意に至ったが、ドナルド・トランプ大統領がアメリカの離脱を宣言して話題になった（二〇一九年に正式に脱退）。

＊32　山本『現代美術史』、vi頁。

＊33　チン、アナ　二〇一九、『マツタケ——不確定な時代を生きる術』赤嶺淳訳、みすず書房、三二頁。

＊34　濱野ちひろ　二〇一九、『聖なるズー』集英社、一五頁。

＊35　これは一九七九年のスリーマイル島、一九八六年のチェルノブイリでの原発事故とも地続きの問題である。また一九九九年に発生した東海村JCO臨界事故では、日本国内では初めての事故被爆による死亡者が出ている。

＊36　この作品は、一九五四年における第五福竜丸の被曝事故を主題としているという点で、それ自体エコロジーの美術史における重要作品の一つである。

＊37　例えば、以下の文献を参照のこと。渡辺茂・長谷川寿一　二〇一六、『美の起源——アートの行動生物学』共立出版。

第5章　植物の生の哲学と芸術

エマヌエーレ・コッチャ×長谷川祐子
（中野勉 訳）

本章は、二〇二〇年七月にZoomミーティング上で実施された、本論集の編者である長谷川祐子氏による哲学者エマヌエーレ・コッチャ氏へのインタビューに基づく。補足や訳注は文中〔 〕で示した。

長谷川祐子（以下、長谷川）：今日はインタビューにお時間をいただきありがとうございます。私は先日オンラインの建築批評雑誌に『植物の生の哲学 *La vie des plantes*』〔2016、邦訳二〇一九年〕の書評を書いたのですが、そこで「動かないもの」とされている植物と建築の比較をしました。COVID19下で、もともと移動を本質とする人間がstay homeでその両者にとりまかれながら、一カ所にとどまることを求められている。この状況は建築や植物を「動くもの」としてみる新しい視点をもたらしうるという内容でした。『アートと新しいエコロジー』と題された本書は、アートと新しいエコロジーの関係を探ることを目的としています。従来の人間中心の哲学や表象論とは異なり、より科学的で唯物論的な方法に基づいた脱人間中心の世界観への転換が、アートに与えた影響、関係を検証しようとしているのです。

このインタビューのためにあらかじめ送った私の質問に使われている「芸術／アート」という言葉は、因習的な意味での「アート」ではなく、視覚感覚などの感覚を介して伝達される創造的な行為全般を指します。したがって、たとえば、科学者によるドローイングやドキュメンタリー映画、デザインや工芸、建築、環境デザイン、ガーデニングなども含まれます。今多くの現代アーティストは、ブリュノ・ラトゥールやティモシー・モートン、そしてあなたの著作に影響を受けています。感性や世界を感知する感覚が、認識の解像度が変わってきている。芸術、科学、哲学、人類学などの複数の分野を再接続することは、新しいエコロジー下においてとても重要なことだと考えています。（前回私が行ったインタビューで）あなたが『植物の生の哲学』を書き始めたきっかけは、京都の伏見稲荷での体験がきっかけとおっしゃいました。具体的にはどのような体験だったのでしょうか？　日本の神社に祀られているのは山や木で、「偶像」や「イコン」という概念はありません。神社建築は、神々のための神聖な踊りの場や、参拝や祈祷のために身を清める水場（神職による勅令の場）など、その場所やプログラムを指し示すように構築されています。神社の環境は、すべて自然に敬意を払い、周囲の自然と一体となるように作られています。そのような全体性に感銘を受けたのでしょうか？

エマヌエーレ・コッチャ（以下、コッチャ）：植物について本を書こうと決めたときの感覚はとてもよく覚えています。あの本は植物だけを扱っているのではありません。私は植物学と農学を修めたのですが、これは私の中で非常に大きな部分を占めていました。そのあと古代と中世の哲学を勉強し、教えるようになりました。あのときあの場所〔伏見稲荷〕で私は、自然と文化という対立し合う二つのものの中間に第三の道を見つけなければと決心しました。あの場所で、実のところ文化と自然のあいだにはもはや矛盾も対立もないのだという感覚を持ったのを覚えています。

長谷川：あなたを自然と文化のあいだの矛盾と対立がないという感覚に導いた光景、イメージとは何だったのでしょうか。

コッチャ：私が強く心を打たれたのは――きわめてはっきりしたイメージが一つ記憶に残っているのですが――ネコが何匹も跳ね回っているのを除くと、あの場所は完全に空だったということです。私とネコたち、彫像、鳥居は同じレベル、同じ平面上に存在しているのだという印象を受けました。そして、哲学はすべてが同じ魂を持ち、同じ形式の主観性を具えているということをどうにかして視野に入れなければならない、そういう印象を受けたのです。あれはリアルな経験でした。植物は、こういった目標に向かう第一歩に過ぎませんでした。地球上のすべてに主観性ないし魂を認める必要があります。これをアニミズムと呼ぶこともできます。アニミズムは日本の神道の伝統に属するものですが、あの場所〔伏見稲荷〕ではそれを感じることができると思います。あの場所は、すべての人、すべてのものが同じレベルの尊厳と主観性を持っていることを伝えてきます。彫像にも、木々にも、山々にも魂が宿っていることが感じられる。長谷川さんがおっしゃったとおり、寺や神社とはまさしく場所であり、すべてがその場所の表現となるのですから、自分自身さえもが、このとても奇妙で特異な場所の表現であると感じられるのです。

長谷川：そのときは日本にはどれくらいいらしたのですか？

コッチャ：ひと月ほどです。二〇〇七年だったか二〇〇九年だったか、忘れてしまいましたけれど。

長谷川：どこかの大学から招聘されたのでしょうか？　それともご自分のリサーチですか？

コッチャ：東京大学に招聘されて、何度か授業をしました。そのあと東京で一カ月、京都で一週間過ごしました。ですから神社やお寺をずいぶん訪ねてまわったのですが、どうしてこれ〔伏見稲荷〕がとても強い印象を与えたのかはわかりません。

長谷川：面白いですね。少しミステリアスな感じもします。あなたの経歴について、一四歳のときに農業高校を受験されたことにとても興味があります。誰かにすすめられたのですか？　それともあなたの個人的な興味からでしょうか。

コッチャ：両方ですね。とても奇妙ないきさつなのです。

長谷川：生まれ育った場所の環境とかなり違う、田舎の学校を選ばれたのは？

コッチャ：私は田舎とは縁もゆかりもありません。でも、とてもおかしくてとても複雑ないきさつがあるのです。というのも私の母は無茶で、無自覚なフェミニストといった態度の持ち主なのですが、私の一番上の姉をエリート校に入れました。古代ギリシア語やラテン語を勉強しなくてはいけない学校、文化的・経済的エリートのための私立のカトリック系の学校で、本当に学費が高いのです。それから母は私と私の双子の兄弟に、あなたたちは決して大学に行けないから、手にリアルな職をつけなくてはいけないと言いました。私が大学教授になったのは、私は大学に行くことができたし、学者になったと母に対して証明する目的もあったかもしれません。ともかく母は実業系の大学に入るよう私に強制しました。結局農業大学に籍を置いたのですが、なぜかというと、当時私はすべての生き物には魂があると信じていたし、今でも信じているから、そして生物学に興味があったからです。私は、現実にアニマ（生、魂）があるという感覚に科学的根拠を与えたいと思ったのです。これはたいへん楽しかった。植物学と化学にすっかり夢中になりました。化学を専攻したいと思ったのですが、それだと一日中実験室に閉じこもるはめになると気づきました。生活形態としてはあまり面白くないのです。

長谷川：学校のカリキュラムや日々の生活はどのようでしたか？

コッチャ：学校は街の外にありました。とてもきれいな場所でした。とても遠かったので朝六時に起きて、バスに二時間乗って行かなければなりませんでした。本当に面倒でした。でも学校の近くには何もなく、実に綺麗でした。動物、たとえば牛がいました。もちろん木々も多かった。教育内容は理論的であると同時に実践的でした。もちろん理論もたくさんあったのですが、同時に田舎の生活にも参加しました。ですからブドウを収穫したりオリーヴの木を剪定したりしなくてはなりませんでした。いろいろやることがありました。農場で生活するにはどうするかといった実践的な授業も多かったし、経済やイデオロギー、あらゆることに関して専門的な授業がありました。それがとても良かったと思います。そのころ私は一六歳くらいでしたが、理論の面では〔歳上の人たちの勉強を〕手伝っていました。あとで姉は医学部に行ったのですが、彼女の友人たちが化学の試験に合格できるよう手伝ったのを覚えています。〔農業学校は〕とてもいい学校でした。理論の面でも。

長谷川：農業に関係する実践と理論を学んだあと、哲学に進まれたのはなぜでしょうか？　哲学とはあなたにとってどのように映ったのですか？

コッチャ：農業学校のあと、哲学を勉強しようと決めたのですが、それには非常にはっきりした理由がありました。私にとって哲学はあのころ、とくに正当化したりせずにあらゆることを勉強する口実でした。今でもそうです。哲学は単一の学問領域ではないのです。西洋で哲学の古典とされているものを見ると、きわめてバラバラな、きわめて異なるテクストや人物が大量に含まれています。まったく共通点がない。プラトン、アリストテレス、マルクスでは目的としているものがまったく異なる。哲学とは存在の学であると言う者もいれば、一者の学であると言う者もいるし、経済だと言う者もいるし、社会だと言う者もいます。方法も違います。各人が自分なりの方法を編みだすのですから。哲学はつねに、みずからは一個の学問領域ではない、科学ではないと宣言していたのです。他の科学とは名前まで異なっています。「哲学〔philosophy = philo 愛 + sophia 知〕」とは、欲望によって産み出される知を意味しているからです。まさにそういうものなのです。

哲学は他の学問領域とは異なっていて、欲望と忍耐によって生気を吹き込まれる知の一つです。ですから、情熱によって生気を吹き込まれ強度を増すものなら何でも哲学になりうる。私の視点からすれば、哲学を勉強するということは、このようにあらゆる形式の知に向かって開かれていくことなのです。〔哲学を勉強したことは〕私が行った中で最良の選択でした。そのあとで中世哲学、というか中世神学を勉強することにしました。

長谷川：なぜ中世だったのでしょう？　中世では、僧侶が修道院で植物を育てたり、農業をしたりして薬草の知識を身につけ、自然の循環を理解していました。農業学校の経験が、中世哲学と現代の視覚研究をクロスオーバーさせているあなたの仕事とどのように関係しているのでしょうか。中世哲学を学ばれたあと、現代哲学者のジョルジョ・アガンベンに師事されていますね。

コッチャ：中世は私たちの世界のまさに対極にある宇宙だと感じたのです。じっさい中世哲学は私たちとはおよそ縁遠いものです。非常に奇妙な宇宙で、処女から生まれたイエスと呼ばれる人的位格《ペルソナ》が出てきたり、翼を持ち空を飛ぶ人々が出てきたりして、まるでSF小説なのですから。またそこには、一者でありかつ三位一体である神もいます。私にとっては大SF小説のようなものでした。非常に重要な痕跡を私に残しました。中世哲学で興味深いのは、当時の人々が途方もない想像力を持っていたという点です。自明なことは一つもなかったのです。中世の哲学者たちは、世界が私たちに見えているものとは違うということを証明しようとします。ただしその証明はきわめて厳密な方法で行われます。中世哲学で非常に奇妙なのは、こういうまったくとてつもない思考法の組み合わせです。繰り返すなら、世界は一つの位格《ペルソナ》によって創り出されたと考え、同時に一であり三である位格によって創り出されたと考える一方で、〔その考えを証明するために〕きわめて強力で厳密な方法、論理的な方法を用いる。想像力と幻想、論理がこのように組み合わさっているところが、私にとっては非常にインスピレーションに富み、重要でした。それから、哲学を勉強した理由はもう一つありました。私の最初の著作は*La trasparenza delle immagini. Averroè e l'averroismo*（2006〔未邦訳〕）です。アウェロエスを研究したいと思ったのは、ダンテの友人であったグイド・カヴァルカンティという非常に重要な中世イタリアの詩人がいたからです。カヴァルカンティの詩はアウェロエスの強い影響を受けていて、私はカヴァルカンティの詩を理解したいと思ったので、アウェロエスを研究する必要があったのです。そのあとアウェロエス自身にも魅了され、研究を続けました。

ジョルジョ・アガンベンの名前を挙げられましたが、私はアガンベンに師事したわけではなく、友人を介して知り合って親しくなりました。ジョルジョが私にとって重要なのは、彼の人格のユニークな部分ゆえです。本当に度量が広く、天才なのです。私たちはすべてを共有しているわけではないし、多くの事柄について考え方も違うのですが、私にとって今も昔もこのうえなく重要なのは、彼がとても自由な思考者でもあるということです。今日の生について語ることができるし、とても強固な意見を持っている一方、本当に学識豊かなのです。過去を実によく知っている。彼が過去の伝統の知を私たちの世界、現在の世界への関心と結びつけてみせたということ、それが私にとって重要でした。

それから、どのようにして視覚文化に興味を持ったかというお尋ねですが、理由はたくさんあります。まず、若いころ私は映画作家になりたいと思っていました。文字がうまく書けなかったからです。私はやや読み書き障害があり、話したり書いたりするのが苦手なので、イメージを通じて書くというのは私にとってはもっとずっと自然な表現形式でした。でもなぜか——きっと勇気がなかったからでしょうが——その道は選ばずに哲学の勉強を始め、本に埋もれて過ごすようになりました。ですから言ってみれば私はイメージ以外のものが存在していると考えることができず、いつも頭の中に存在するイメージを〔言葉に〕翻訳しようとしているのです。それが第一の理由です。第二の理由として、自分の個性を出した最初の著作 *La Vita sensibile*（2011〔未邦訳〕）を刊行して以来、アーティストと親交を結ぶ機会が非常に増え、そのとき以来私にとっての本当の対話相手は、哲学者や学者よりもアーティストであることがはるかに多くなっています。

長谷川：イメージを通じて書かれるということ、アーティストが主たる対話相手ということ、少し意外です、とても興味深い。

コッチャ：ええ。

長谷川：たとえば、どのようなアーティストと話をされるのですか？

コッチャ：たとえばフィリップ・パレーノやカミーユ・アンロなどのアーティストたち、建築家といってもいいアーティスト、景観設計家《ランドスケープ・アーキテクト》などもいます。きのうインタビューを受けて、どの哲学者と一番よく話すかと訊かれました。考えてみると私は哲学者ではなくて、アーティストとばかり話をしています。私が理解したいと思う人々、私が読んでいる人々は、アーティストであって哲学者ではありません。それも〔先ほどの質問に対する〕答えの一つです。思考の素材は言語ではなくイメージなのだと私は思っています。思考はイメージからできているのです。ですから私にとって、アーティストは思考者あるいは哲学者でもあるのです。大学にいるたいていの哲学者たちより、アーティストのほうがよほど哲学者ですよ。

長谷川：同感です。私はキュレーターとして仕事をしていますが、基本的に、言葉よりイメージによって考えています。また、リサーチの過程において、プロのキュレーターや批評家よりも、アーティストの考えやアドバイスにインスパイアされることが多い。彼らの視覚的、直観的な思考は、イメージに豊かで複合的な意味を与えます。これは、あなたが *La Vita sensibile* の中で書かれていた、メディウムとのかかわりでとらえた世界と関係していると思います。空気はメディウムであり、それ自体がイメージであり、媒質的なものである。だがそれは物質的なものではなく、認知のためのツールでもないと。とても興味深いアイデアだと思います。

コッチャ：実をいうとその考えは中世哲学、そしてアリストテレス哲学から取りました。『魂について〔霊魂論〕』のとても美しい一節でアリストテレスは、知覚、あるいは可感的生（*La vita sensibile*）を考えるには、客体（＝物体）と主体の弁証法、客体と主体のインタラクション〔という発想〕ではうまくいかないということを証明しています。だから、イメージは客体が主体に残す刻印にすぎないとは言えない。もしそうであるなら、客体を目に近づけるだけで、もっと多くのことが見えてくるはずだとアリストテレスは書いています。しかし実情は違う。私がこの時計を目に近づけたら、何も見えなくなってしまうでしょう。客体を見るには、客体と主体を隔てると同時に接続する何かが必要であるということが、ここから証明されるとアリストテレスは言います。この中間の（intermediary）空間はのちの伝統の中で媒質（medium）と呼ばれるようになります。客体そのものは可感的ではありませんが、この空間の中で可感的になります。空間や空気、光といった媒質があるおかげで、客体は可感的になるのです。この客体の可感化こそ、アリストテレスが、そして私が「イメージ」と呼ぶものです。イメージとはある客体〔が経過する複数の段階〕のうち、主体によって客体が知覚できるようになる段階、つまり客体が可感的になる段階のことです。それは音であってもかまわないし、嗅覚的なものかもしれませんが、単に視覚的なのではありません。

だからイメージは客体（物体）ではない。それは決して客体ではない。客体と主体のあいだの第三の空間であり、だから客体と主体を隔てると同時に接続するものです。それゆえにこそイメージはかくも重要なのです。というのも、イメージがなかったなら私たちは世界を知覚することも、世界の中に存在することも、他の人々あるいは他の客体たちと接触を持つこともできないからです。イメージとは客体と主体のあいだを媒介する（mediates）もの、主体と主体を媒介するものすべてのことであり、イメージがあるからこそ客体は知覚され、他の生物との関係において可感的になるのです。これで少し明快になったでしょうか？

長谷川：あなたが持っているこの時計は客体であり、空気と光に囲まれた空間の中で客体は可感的になるわけですが、そのイメージはどこにあるのでしょう。

コッチャ：いいえ、これはイメージではありません。イメージは客体そのものではなく〔ここと〕あそこを隔てるものなのです。あなたが見ているものは客体ではなくて、客体のイメージなのです。客体はミラノにいて、あなたは東京にいる。

長谷川：よくわかります。

コッチャ：イメージは客体そのものではないということの証明としてもう一つ、この時計はイメージを通して同時にここパリにも、東京にも、あなたの精神の中にも、私の精神の中にも存在しているという点があります。イメージはつねに物質的であると同時に非物質的なのです。非物質的であるというのは〔今私たちがしているようにZoomを通してイメージを見るためには〕コンピューターと脳が必要だからですが、このイメージを通して時計は、異なる場所、異なる時間に同時に存在できるのです。イメージのおかげである客体は単なる客体であることをやめ、あらゆるところに存在するようになるのです。それがイメージあるいは音の魔術です。存在論の視点から見てイメージが興味深いのは、イメージとはつねに客体を増殖させたものであるという点です。

イメージが客体そのものではなく、客体と一致しないのも同じ理由によります。客体はそれ自体と一致することはできません。この時計がイメージになりうる、あるいはあなたにとってすでにイメージであるという事実ゆえに、この客体がそれ自体と一致することは決してありません。それは同時に複数の場所に存在しているわけですから。私はこの客体を破壊することができるけれど、イメージは残りつづける、あるいはあなたはそのイメージを持つことができる。これが、客体とイメージは一致しないということの存在論的証明です。

長谷川：思考はイメージからできている、ゆえにアーティストは思考者であり、哲学者であるということですが、あなたは彼らとどんな風に会話をしているのでしょうか？

コッチャ：フィリップ・パレーノやカミーユ・アンロとはとくに仕事の話をします。なかにはとても親しくなって、ありとあらゆる事柄についてともに語りあうアーティストもいます。今フィリップとカミーユの仕事について本を書いているところですが、それは私たちのあいだにある非常に強い知的関係の一環です。前回カミーユとゆっくり会ったときには、彼女は子どもができましたから、母親であることについて大いに話しました。最後にフィリップに会ったのは三週間か一カ月くらい前で、SF文学の話をしました。本当に知的な交友関係で、単に仕事の上だけではありません。彼らについて本を書いているのは、私にとって重要だからでもあります。さきほどお話ししたように私は、アーティストは哲学者よりももっとずっと理論的、というか理論的な観点からみて興味深いと考えているからです。哲学者より自由だからです。また、アート、とくにこういう種類の〔パレーノやアンロらの〕アートが興味深いのは、もはや一つの媒体（medium）にリンクしてはいないという点です。彼らには〔まず〕アイデアがあって、〔次に〕このアイデアに呼応する媒体を探していく。彼らはあらゆる種類の媒体を使って思考するのです。私自身は書くこと以外の媒体は使えないのですが。

長谷川：私はあなたが他の媒体を使用することができると思います。あなたのアーティストに対する関心をうかがえてとても嬉しいです。あなたは広告について興味深いテキストを書いています。広告のイメージや広告的写真はファンタスティックであり、それはいたるところに存在すると。一方で、あなたが言及されたアーティストは、非常にコンセプチュアルであり、すべてのものを概念化し、自由に自分の表現のための道具として使っている。逆に、広告の立場は、商品－モノの宣伝という明確な目的をもっています。アートと広告の違いについてどのように考えていますか？

コッチャ：私が広告に関心を寄せるのは三つの理由に基づいています。まず、どんな子どもでもそうですが、私が幼いころ両親が映画を見ていて、映画は退屈なのですが広告は面白かったという経験をしています。ですから自分がなぜ子どものころ広告にあれほど魅了されたのかを知りたいと思いました。もう少し真面目に言うと、私が *La Vita sensibile* を出版したのは、書物などにみられる文字的要素にも増して、イメージが私たちの文化の真の基礎となっていると言うためでした。広告はファッションとともに広まっていきますが、ファッションはイメージ生産の最も重要な屋外実験場です。さらに重要なことに、広告とファッションはアートよりもはるかに強力です。広告のイメージは、あらゆる人に見られなければならないからです。階級やジェンダーの区別なく、イメージはつねにそこにあります。イメージがある国から別の国へと移っていくというのは非常によくあることですが、そういった国際的イメージは各地域の文化とはまったく無関係です。それらは私たちの視覚文化の文法とでもいったものを構成しており、その観点から興味深い。これが第一の理由です。

第二の理由として、歴史的な観点からみてみると、広告は国家＝都市がかつて発していた道徳的・視覚的な文字情報と同じ空間を占めていることがわかります。広告は都市の内部、壁の上で始まります。たとえばローマなど古代都市の銘文では言葉と視覚的記号が組み合わされており、扱うトピックは次の三つでした。死者、エートス（どのように振る舞うべきかを定めた法）、そして神々です。今日、こういった公共的な屋外〔空間〕で行われるコミュニケーションにおいて話題になるのは日用品ばかりです。

私が興味を持ったのは第一に、多くの人々の見方とは異なり、広告は道徳言説の一形式なのだと示してみせることでした。広告は、私たちが公共の空間で道徳言説を実践する一つのやり方なのです。第二に〔広告をみるとき〕私たちは物体を、道徳性を生み出すことのできる何か、道徳性の中心にある何かとみなしています。これは興味深いことです。エコロジー的思考もこれと同じ方向にシフトしつつあるところだからです。

内部からみれば、西洋の社会・文化における道徳性はつねに、善すなわち道徳性の原理が事物の中、物体の中に存在することはありえないとする教説でした。道徳性は天空とか神々、あるいは私たちの行為の中に存在していると考えられたのです。私たちはもう宗教を信じていないし、二〇世紀に起こったおぞましい出来事の数々のせいで、行為の中に人間性があるといった信念を放棄しているので、世界の善性（the goodness）がどこかにあるとすれば、それは私たちの造り出すモノ、商品（goods）の中としか考えようがない。エコロジー的観点からすれば広告は、善（the good）、善性（the goodness）つまり道徳性の原理は商品（goods）の中に、事物の中にあることを例証するものであるわけです。このことが私にとって興味深いのはまず、イメージが道徳言説を伝達できることを証明するものだからです。今日イメージは書物よりもはるかに道徳言説を伝達することができるのです。そして、道徳性は概念ではなく美学＝感性学の素材なのだということも同時に証明されます。だから私は広告を詳しく研究したのですし、同じ理由から、ファッションも詳しく研究しました。ファションとは、イメージが身体となる領域だからです。

長谷川：ファッションと身体に関係するといえば、あなたの著書 *Le Musée transitoire. Sur 10 Corso Como*（2018）はとても軽やかな美しい本ですね。私はミラノのこの店、ファッションや書籍、デザイングッズが有機的にレイアウトされている Corso Como がとても好きです。ＳＦライトノベルのような感じで読んだのですが、日常の光景の中にある新たな論理構造に気づかせてくれた、新しい視界へと目を開かせてくれました。カルティエ現代美術財団で開催された「木々」展では、学術顧問を務められました。若い頃映画作家志望だったあなたは、アートディレクションや空間構成にも関心を持っていらっしゃるのではと思います。カルチエ財団ではどのような展覧会とのかかわり、経験をされたのでしょう？　自分の考えや研究を、展覧会という形で実現したことについてどう思われましたか？

コッチャ：あれは私にとって近年で最も重要な経験の一つでした。何よりもまず、カルティエ財団のチームは実にすばらしい。エルヴェ・シャンデスやイザベル・ゴドフロワ、カタログ担当のベランジェール・グトファルやピエール＝エドゥアール・クートン、いずれもすばらしい人たちで、パリで最良のチームの一つです。あの展覧会のために、また他の展覧会も視野に入れ、エルヴェは新たな委員会を結成し、本人に加えて人類学者、キュレーター、植物学者、哲学者を迎えました。ですからこれは実に領域横断的であったわけです。私たちは知を共有し合いましたが、最終的に生み出されたものをどれか一つの領域（たとえアートであっても）に結びつけることはできません。知を混ぜ合わせ、もはや何にも属さないような何かを生み出すという発想です。だからこそ、あらゆる人がこの展覧会を理解できるのです。本当に領域横断的な何かをじっさいに見たのはこれが初めてでしたから、私にとってはとても重要でした。

それから三番目の理由があります。領域横断は、美術館においては可能ですし、おそらく美術館においてしか可能ではないのですが、それはなぜなのかを説明するのがこの第三の理由です。展覧会とは最も強力な認識媒体だと私は考えています。展覧会チームと作業をしているあいだじゅう、「大学よりも美術館にいるほうがずっと面白いな」と思っていました。なぜなのかをあとで考えていて、あることに気づきました。これは強調すべき点だと思いますが、この一五、六年、いや、五、六〇年で大学と美術館の関係が変化したのです。たとえば昔、大学は人々が先取り的に思考する場でした。大学は未来を想像する場だったのです。

長谷川：今、未来を想像する場所は大学ではなく……。

コッチャ：今日、大学で人々は五〇年前に起きた出来事について考えているのが普通です。ですから過去に焦点を合わせている。美術館はそれとは逆のことを体験しつつあります。以前の美術館は過去が保存され展覧される場所でした。自分の地域や文化などを理解するために行く場所だったのです。しかし現代美術館というものが創設されて以来、世界中で美術館の本質が変化しました。今、私たちは美術館の現代美術展に行って未来を理解しようとします。以前ファッションショーに出かけていたのとちょうど同じように。ショーに行くときの私たちは、ファッションを理解しようとしていただけでなく、二日後に起きることを見定めようとしていたのです。美術館は今、予測したり未来を理解したりするための最も強力な道具です。それはなぜか？

理由はとても簡単です。私が若かったころ、世界は現在とかなり異なっていました。世界はモノ、物質、リアルな事物から成り立っていました。知は希少品でした。ですから、たとえばカンボジアの首都はどこかといったごく些細なことを知るにも、図書館に行くか人に尋ねるかしなければなりませんでした。知はきわめて少数の場所、あるいはきわめて少数の物体に集約されていました。知が希少であったために、大学つまり知の営みはアーカイヴを生み出すことと同義でした。図書館、大学、教授たちは後世に向けてアーカイヴを遺していたのです。

展覧会は、すでにアーカイヴに入ってはいるけれども相互に関連づけられていなかったようなモノたちを一カ所に集めます。この組み合わせを通じて一定の形式の知、冷凍ではない知が生み出されます。それゆえ今日、展覧会をつくることのほうがたとえば本を書くよりも重要なのです。「木々」展が証左ですが、展覧会は知を生産するための途方もなく強力な道具です。アート作品や植物、哲学などが一堂に会し、非常に異なる木々のイメージができあがるからです。語るだけでは不十分で、じっさいにモノを集める必要があるのです。同展を準備しているあいだに私が体験した最も重要なことの一つは、会場に掲示する解説文の執筆を依頼されたことでした。それぞれの展示室がどのような物語を語っているかを検討しました。そしてアート作品を本当に、つまり物理的に会場で見るという体験。色彩や素材がそこにあることによって生まれる意味の過剰。これは私にとって実に強力で、事実を頭の中で並べただけでは十分に触れ合うことができないと証明するものです。モノを同じ空間に入れなければいけない。モノ同士を物理的に近づけることで意味の爆発が起きるからです。

長谷川：展覧会では、展示物から意味が立ち上がってきて、空間の中に場所を形成していきます。そこではキュラトリアル実践によって、アーカイヴ的資料、テキストや映像、絵画、写真などのあいだで領域横断的な相互対話がうまれていきます。たとえばそこでは、どのように自然を感じ取り、何を想像しているかが問題となってきます。「木々」展のカタログに掲載されているあなたのフランシス・アレへのインタビューでは、ドローイングを描く過程で植物の構造をよく観察し、理解していることが強調されていました。またテキストでは、植物学は美的表現と密接に結びついた学問であり、科学のどの学問よりも形の生成による表現を重視していると書いていらっしゃいます。私がアマゾンのベレンにあるエミリオ・ゴルジ美術館に行ったとき、研究者が、植物の細部を観察しながら手描きでそれを描写していました。ほんとうに何ミリという細部を描き分けるのですが、写真と違って手で描くことで日々新しい種を見つけられると彼は語っていました。目と手による鋭い観察を通して、生物の多様性が増している。世界を知り、想像するために、描くという芸術的行為が役立っている。これはあなたの考えに関係があるのでしょうか？

コッチャ：ええ、まったくそのとおりです。長谷川さんがおっしゃるフランシス・アレの体験が興味深いのは、植物の種目を知る、つまり科学的な観点からある植物を知るにはそれを描かなくてはならない、つまり、植物をアートで表象するという媒介を経なくてはならないことを証明している点です。これはきわめて重要で、というのも第一に、科学が科学であるためにはアートでなければならない、つまり科学が科学でありつづけるためにはアートを経由しなければならない、あるいは、ある種のアート教育を経由しなければならないことを示している。植物に関する科学的知だけではなく、現実をアートで表象することなしには、私たちは現実と関係性を持つことができないわけです。私たちが描くことによって植物とのあいだに日常的な関係を構築することを覚えるというのは興味深い事実です。フランシスが何度も繰り返すことですが、単に木々の写真を撮るのではなく絵に描き始めたのは、木々の建築的構造に関心があるからだというのです。木々は非常に特別な存在で、動物と異なり、自分の身体に絶えずパーツを付け加えます。木々は毎年、自分がどういう形を取るかを決めるのです。自分をデザインしているわけです。そして木がどうやってあのようなデザインを生み出しているかを知るには、写真は役に立たない。視覚的ノイズが多すぎるのです。絵に描く必要があります。人間をみるためには絵に描かなければならないのと同じです。非常に興味深いパラドクスです。

そして植物。植物は実に複雑で、私たちと実に異なっているので――ごくありふれた植物であるタンポポのことさえ、私はよくわかっていません――本当に植物をみるためにはやはり描かなければ、つまりアートで表象しなくてはいけない。アートで植物の身体を再構成すれば、科学にとってだけでなく私たちと植物の関係にとっても〔写真より〕はるかに役立ちます。この観点からみると、アートは生物学的多様性を増加させるための重要なカギです。ダナ・ハラウェイら多くの人々が言っているように、まったくレベルが異なるのです。私たちには植物や動物に関する物語が必要です。つまり、他の存在たちをアートで想像しなおすことで、彼らとともに生きるチャンスを掴む必要があるのです。エコロジーは単に実践的な問題、物質的な問題、気候の問題ばかり考えていてはいけない。エコロジーにはアートによる表象が、アートが必要なのです。

たとえばフランスにはレティシア・ドルシュという非常に興味深い舞台振付師がいて、〔人間と〕動物との関係をめぐって物語を多数生み出しているのですが、ここでの関係とはたとえば恋愛関係であって、だから非常に荒唐無稽です。しかし彼女の作品を見ると、私たちにはこういった物語が本当に必要なのだということが理解できます。私たちはアーティストに新たな語彙を発明してもらい、非人間存在とのあいだに私たちが結びうる関係に創造的な名を与える必要があります。ですからエコロジーはアート実践を全面的に受け入れ、リアルなエコロジーにならなくてはいけません。

長谷川：前回のインタビューでは、エコロジーの理論の発展の問題について触れられていました。経済学者や社会学者は多くの理論を生み出してきましたが、エコロジーに関する言説は多くの理論や考え方があるにもかかわらず、十分に深化してこなかった。エコロジーに関する言説は一八世紀に提唱された理論と結びついているが、あまり発展していない──その理由は何だと思いますか？　あなたが進めたいエコロジー理論の発展は、どのようにして可能なのでしょうか？　また、あなたはこの概念を発展させるにあたり、ギリシャ語のオイコス（家）に由来する「エコロジー」という概念が、閉鎖的な空間の中で父権主義的な科学になってしまうのではないかという疑問を呈していました。エコロジーの思考を、芸術がもたらすリフレクティヴな想像力にだけでなく、芸術によるある種の介入にまで誘導したいと思っていらっしゃいますね。

コッチャ：ええ、そういう道もあってしかるべきですね。最重要課題の一つは、非人間存在を私たちの想像力の世界に迎え入れることですが、これはアートにしかできません。ライオンとか象とかの物理的な生存を尊重することるだけが問題なのではありません。問題は非人間存在たちの居場所を、私たちの文化世界の中にあらためてしつらえることなのです。そしてこの課題は他よりもずっと重要です。長谷川さんが神道や神社についておっしゃったことですね。私たちは異なる振る舞いをすることができるから、物事に対して違う見方をするのです。これはもっとずっと喫緊の道です。この観点からすれば、エコロジーはアート実践を大幅に取り入れるべきです。また、エコロジーが変わらなければいけない点も多い。エコロジーはとても重要な科学ですが、みずからの歴史をまったく反省しないのです。

エコロジーの中で変わらなくてはならない点の一つが〈家〉への執着です。エコロジーという名前を発明したのはエルンスト・ヘッケルという名のドイツ人科学者で、エコロジーの最初の語義は〈自然の秩序《エコノミー》〉でした。つまり〈家の学〉――〈家庭の学〉ということですね。しかしこれは非常にバカげたイメージであり、バカげた概念です。まず第一に、世界は一つの家庭であるという考え方は科学とは無縁です。第二に、それは経験的事実とも無縁です。家庭とは何でしょうか。なぜ自然ないし非人間との関係を一つの家庭として考えなければならないのでしょうか。実を言うと、このようなイメージを用いる理由は神学的なものです。エコロジーが生まれたのは一八世紀半ばだったからです。〔当時〕すべての種がどのように関係し合っているのか、さまざまな種が物理世界とどのように関係しているのかという問いは、神学においてしか立てることができませんでした。たとえばアメリカの馬とロシアの蠅のあいだには何の関係もない。一度も出会ったことがないからです。〔両者のあいだの〕関係を考えるための唯一の道は、神の視点――両者を創造した者の視点――を取ることです。創造主は〔両者の〕関係がどのようなものか見当がついていたわけですから。

キリスト教的観点から言うと、神は単に統治者――世界の政治的指導者なのではありません。神は父であり、世界の創造者です。ですから神は一家の父であり、神の前ではあらゆる事物が一つの家族のようなもの、家庭のようなものということになります。それゆえエコロジーはすべての種を、一個の巨大な家庭に属するものとして考えているのです。この〔家庭という〕イメージは強力です。私たちが一つに結びついていることを伝えるからです。ただし危険なイメージでもあります。なぜなら、家庭というものは第一に利便性の生産に従属させられているからです。第二に、これは非常に父権主義的なイメージです。すべてが一人の人物に従属させられており、かつこの人物は男性である、そういった発想です。この観点からすれば、エコロジーが依然としてこのイメージを用いているのは問題です。私たちの抱えている問題は、これでは解決されないのです。かつこれはきわめて人間中心主義的な視点です。男性が支配していた古代の文化、性差別的で奴隷制の文化――ギリシア文化の思考法を延長しているからです。

ですから、こういった〔社会の〕人々が〔自分たちと〕空間の関係を考える仕方を、私たちは世界のあらゆる種に投映しているわけです。これは非常に暴力的な考え方でもあります。家というものがとくに幸福な場所ではないことを私たちはイプセンなどを通して知っています。家は悪の場でもありうるのです。痛みと苦しみの場でもありうる。ならば、いったいなぜ地球は家だと考えなければならないのでしょうか。なぜ場所、都市、ボートだと考えてはいけないのか。なぜ私たちは家というこのとてもバカげた、とてもつまらないイメージを使いつづけなければならないのでしょうか。たとえばそういったことも、理論的な問題として存在しています。

実践と理論ということをおっしゃいましたが、エコロジーが避けるべき先入観の一つは、エコロジーは行動によってのみ世界を救うことができるという考えです。戦闘的エコロジストたちは、理論もアートも必要ない、行動、実践さえあればいいと考えているのです。これはとてもバカげた態度です。たとえば社会主義や資本主義は実践だけのものではありません。理論のライブラリーをいくつも生み出し、世界〔に対するみずから〕の覇権を拡大しようとしている。理論なしに世界を支配することはできません。世界を支配しようと思うなら、エコロジーも大量の理論を開発しなければならないのです。どこかに探索に出かけ、ライオンを何頭か保護するだけでは十分ではありません。物事はそういうふうには動いていないのです。

長谷川：だからこそ、エコロジーは学際的に理論再構築されるべきで、生物学や、社会学だけではなく多くの専門分野の理論を横断すべきなのです。

コッチャ：そのとおりです。

長谷川：あなたは、これらのことを円滑に進めるためのファシリテーターとして非常に優れていると思います。あなたはカルティエ財団で充実したキュレーション体験をされました。私はキュレーションの実践として近い将来あなたと、何かを一緒にやっていけたらと思っています。

コッチャ：私もです。ぜひご一緒しましょう。

長谷川：前回のインタビューで、「ポスト・ヒューマン」という概念について伺いました。そのときのあなたの答えはとても印象的でした。ダーウィンの話に続き、このように話されました。「遺伝学的、形態学的な観点から見ても、純粋に人間的なものはないし、ほとんどないという意味では、私たちはすでに種が混ざり合っています。そして、その意味では、すべての種は異なる種のパッチワークであり、このことを考えるためにポスト・ヒューマニストやトランス・ヒューマニストになる必要はありません。問題は、この種の言説は正しいのですが、問題は、ある意味では純粋に人間の生物学的実体があると仮定していることです。彼らはあまりにも理論的な立場に立ちすぎている」と。「ポスト・ヒューマン」という概念は、トランス・ジェンダー、サイボーグ、ハイブリッドなどの変容の可能性やアイデンティティ・ポリティクスと交差しながら、「人間」という概念について再考したり、脱構築したりすることで展開されてきたと思います。私の考えはあなたに近いです。現在の「ポスト・ヒューマン」をめぐる言説は、あまりにも理論的であるがゆえに、政治が優先され、生きとし生けるものとしての視点が希薄になっていると思います。特に現代美術の世界では、一九八〇年代以降、そのような表象政治が盛んに行われています。昨今の環境問題の悪化やＡＩの開発・普及により、人間の生物的実体への回帰とそれを再考することが、他の種族との関係において重要になってきているのではないでしょうか。「表象」から「物質」への転換をどう考えていますか。

コッチャ：重要な質問です。おっしゃるとおり、ポストヒューマンという考えは八〇年代文化の雰囲気とリンクしていたと思います。今日ではまた別の考え、あるいは他のやり方を経由して同じ結果を得ることができる。というのも私にとってポスト・ヒューマンというのは厄介なのです。〔この考え方を採るなら〕人間と呼ばれる何かがある、それは実体を伴った何かであるということを受け入れなければならないからです。しかし、生物学の研究が進んだおかげで私たちは現在、実体という意味での種など存在せず、あらゆる種は異種混成体《キメラ》なのだという事実を受け入れなければならなくなっています。あらゆる種は進化の結果、種を生み出すために生命体が通過していく段階の一覧表のようになっています。種とはすべて、かつて他の種の中で生きていたさまざまに異なる要素を継ぎ合わせたパッチワークなのです。

これはとても重要な点で、私たちは遺伝的特質に対する見方を変える必要があります。かつて私たちは遺伝的特質を、固定的なアイデンティティを生み出す何かとして考えていました。しかし、私の形、私の生は遺伝子を基礎として構築されているのだから、私の身体のあらゆる特徴はあらかじめ他の身体の中に存在していたわけです。遺伝子コードが意味するのはそういうことです。実を言えば、私の身体の部分はことごとく、あらかじめ存在していた生——人間の生にかぎりません——の一部であったわけです。遺伝子は法律の抄本のようなもので、つねに過去の生、過去の非人間の生からやってきて、私の中に存在している。私はこういう人間の形をしているけれども、私の身体の品種はすべて非人間のそれです。そして、自分をこういう仕方で見るほうが、ポストヒューマンとみなすよりもずっと興味深いのです。この仕方ならば、自分を一個の機械と考えることができるからです。私は非人間の材質を結合しなおしたものなのです。私を魅了するのは、もし生物学の主張を真剣に受け取るならば、私たちは自分を歩く動物園と見なさなければならなくなる、ということです。私はわざわざ犬に会ったりせずとも生物学的多様性を体験できるのです。自分を見つめれば、それだけでもう生物学的多様性を体験できる――しかもそれは遺伝子のレベルに限られません。たとえば鏡で自分の姿を眺めると目がみえます。目というのはとりたてて人間的なものではなく、多くの種において観察されています。鼻もそうです。ですから、私の生はそれ自体として多種的なのです。お望みなら、これを違う仕方で言い表すこともできます。やってみましょう。

生に関して最も興味深いことの一つは、あらゆる生き物は生み出されなければいけないという点です。生み出されたということは生の定義です。つまり、生み出された以上、私は自分の遺伝子コード、自分の肉、自分の息を他の生と共有しているということです。母と私は九ヵ月のあいだ同じ材質でしたし、父ともそうです。私は両親の第二の生なのです。同じ生が反復されるのですが、それが意味するのは、私の血管を流れる生は私自身よりも古いということです。その生は私の中にあり、私の身体よりも古いのです。

私は今四四歳ですが、さらに三〇年足す必要があります。というのは私を産んだとき母は三〇歳だったのです。ですから私は――私の中の生は――すでに七四歳なのですが、母も同じく生み出されたわけですので、私の中にある生は非常に古いもの――人類という種と同じ年齢――ということになります。かつ人間種とはそれに先立つ種が変化したものなのですから、私の身体は四四年を経ていますが、私の身体に宿る生は実のところ何百万年も経ているのです。世界の中の生と同じくらい古いのです。これはつまり、私の中に人間の生はほんの僅かしかないという意味です。生ははるか遠いところから来るのです。私自身の内部がかくも乱雑であるわけですから、わざわざ人間性を乗り越える必要はないのです。私たちは人間であったことなど一度もない、とブリュノ・ラトゥール風に言ってもかまいません。それが問題なのです。

長谷川：東洋には、非人間中心主義、物や場所、生き物はすべて精神的な本質を持っていると考えるアニミズム、ある生命（身体）から動物や他の身体を含めた別の生命に転生する輪廻転生の思想などがあります。たとえば、私はモンゴルでシャーマンに会った際に、彼女は森の中でオオカミに出会ったとき、すぐにその動物が亡くなったばかりの彼女の叔父であることがわかったとおっしゃっていました。ここまでリアルな体験でなくとも私たち東洋人はこれらを、漠然と当たり前のように捉えています。だからこそ、西洋に比べて東洋では「人間の思想」があまり発達しなかったのではないかと私は推測しています。たとえば西田幾多郎などの京都学派の思想をどう考えるのか、私自身は、この立場の違いが、芸術的なアプローチにかなりの違いを生むのではないかと考えています。これについてはどのようにお考えでしょうか。

コッチャ：このあいだ「変身」についての本を出したのですが……〔*Métamorphoses*, 2020〕。

長谷川：これはまだ英訳されていませんね。

コッチャ：ええ、まだですね。この本を引き合いに出したのは、転生に一章を割いているからです。まず、とても実際的な観点から問題を取り上げることにしましょう。誕生はつねに転生の一形式です。私は生きるために母の身体を取ったのですから。生まれてくるというのは、誰か他の人の身体を取って存在するようになるということであり、これはすでに転生の一形式ですが、同一の種の内部での転生ですね。それから、本当にまったくありふれているけれども、同時に特別な体験があります。食物摂取のことです。

食物を摂る——私たちはこの体験に多くの時間を費やしています。少なくとも一日に三回は。動物である私たちにとって、身体／肉体を取り、他者の身体を転生させることは必須ですが、この他者は私たちと同じ種に属していない。だから栄養摂取とはまず何よりも、私自身の中の生とニワトリの中の生は同一であるという事実に思いをめぐらせることです。かつ、まさしくこの理由ゆえに私はニワトリを食べることができる。ニワトリは私と同じ生を持っていて、ニワトリに宿った生は私に宿ることができるのです。その逆もまた真です。私は食べられることになるのですから。オーストラリアの有名なエコフェミニスト、ヴァル・プラムウッドが実に興味深い話を書いていま す。彼女はクロコダイルに襲われたことがあるのですが、私たちがエコロジー危機に見舞われている主な理由の一つは、私たちが動物たちの食べ物になることを受け入れない、他者に食べられることを受け入れないからだと言っています。

そういうわけで私たちは毎日転生を体験しており、その第一の形式は食物摂取です。それから、長谷川さんがたいへん正当にもおっしゃったとおり、日本あるいは東洋の宗教あるいは文化の枠組みの中での転生は、キリスト教あるいは西洋のそれとは全面的に異なっています。おっしゃるとおり東洋には転生神話があり、〔他方〕西洋には復活神話があります。キリスト教におけるキリストの身体復活神話です。興味深いのは、キリスト教の中で復活神話がたどった歴史を調べてみると、そもそもこの復活は転生神話が変容してできあがったものであることがわかるのです。レヴィ＝ストロースは、神話というものはことごとく、それ以前に存在した別の神話が変容したものだということを証明しました。復活は、後期古代に地中海の空間に広く拡散していた転生神話が変容したものなのです。転生神話は非常に興味深い。なぜなら、魂と身体のあいだには密接な関係があることを物語っているからです。ただしこの関係は個人性《パーソナリティ》や人間性とはまったく無縁であって、だからサルとかハチの身体に転生することもありうるのです。

ですから私たちには身体が必要なのですが、ここでいう身体というのは非常に広い意味でのものです。私たちのそなえている身体性は人間的ではありません。私たちが体験する物質の身体性はとりたてて人間的なものではない。ところがキリスト教が出てきてこう言ったのです。「違う、あなたは何千回も転生するのではない。一回だけ、人間の身体にのみ、生きるためにじっさいに使う身体にのみ転生するのだ」と。ですから身体が復活すると〔キリスト教が〕考えるとき、実を言えばそれは〔他者ではなく〕自分自身の身体を取るということなのです。これが意味するのは、キリスト教は人間の身体に取り憑かれた宗教であるということです。私たちの個人性《パーソナリティ》は身体とリンクしており、かつそのときの身体は人間の身体でなければならない〔と考える〕のです。エコロジー的思考にとって西洋社会がはらんでいる大きな問題がこれです。私たちにとって問題なのは、デカルト的な主体の自律ではありません。つまり、私たちがみずからを他とは異なる自律的な自我、主体とみなしているのが問題なのではない。私たちの文化の大きな問題は、私が自分の身体を、非人間存在たちの身体とは存在論的に異なるものとみなしている点にあります。私たちは人間の肉体を、ニワトリの肉体よりも重要とみなしているのですが、実を言えば、誰でも、どんな場所でも、肉体はまったく同じなのです。かつて私たちは自分の肉体を本当に個人的なものとみなしていましたが、これはバカげた考えです。私はさっきニワトリを食べましたから、私の肉体は個人的《パーソナル》でも人間的でもなく、異なる〔肉体の〕塊なのです。なぜ個人的でないかというと、私の母がすでに使った肉体だからです。私の肉体には個人的なところなどいっさいありません。興味深いのは、生物学の観点からすれば、私の肉体はリサイクルだということです。私は父と母の肉体をリサイクルしたのですから。私の肉体は新しくもなければ、個人的でも人間的でもない。魂は〔肉体から〕自律しているとする考え方ではなくて、肉体は自律的なものであるとする考え方こそが、最も危険な先入観なのです。

　私の返答の締めくくりとして言えば、私たちは転生という考えを受け入れる必要があります。復活という神話よりももっとずっと力強く興味深い神話だからです。

長谷川：ありがとうございました。大変興味深いお話でした。昨年五月の『ル・モンド』紙のインタビューで、あなたは、すべての生物が惑星のように漂い、常に住む場所や身体、生活を変えているという世界観について話されていました。このような見方は、現在のエコロジーに関する言説の、未来形になると思いますか？　今、人々は家に閉じこもり、あらゆる社会生活を失っています。一方で、自然界では変わることなく、すべての生物は惑星のように漂い、住む場所、身体、生活を絶えず変えています。今回のコロナウイルス危機は、微小な物質と生物の間に存在する微小なウィルスが世界を大きく破壊しているということで、人間だけが世界に大きな影響を与えられるという「人新世」という考え方の前提条件に挑戦しているように思えます。この基本的な前提条件の転換を重要な転換点と考えているのではないでしょうか。では、それが今後の思考の展開にどのような影響を与えたのでしょうか。

コッチャ：私たちの政治システムは国家という観念に基づいています。これは非常に重要な観念だったのですが、問題をはらんでいます。私たちの政治的アイデンティティを特定の場所に、恒久的な仕方でリンクさせてしまうからです。私は人生の半分をフランス、ドイツ、日本、スペイン、米国で過ごしてきました。しかし、生まれたときイタリアにいたからというだけの理由で、イタリア人でなければならない。これには占星術の裏返しといった面があります。西洋占星術では私はふたご座です。私が生まれたとき、太陽が十二宮系の中の特定の場所にあったからです。政治は占星術の一形態と言えます。私のアイデンティティを、地球というこの天体に対する私の身体の位置をもとにして定めるからです。コペルニクス以来私たちは、地球＝大地（the Earth）は空に対立するものではなく、空の一部なのだということを知っています。とすれば、政治的アイデンティティを身体の固定された位置にリンクさせるのではなく、空間を変える可能性につなげていくような政治システムを発明する必要があります。人的移動《イミグレーション》＝移民を、問題から解決策へと変容させる必要が私たちにはあります。人的移動＝移民に抵抗するのではなく、政治的アイデンティティを創り出す力学へと変容させる必要があるのです。私が今このような存在であるのは、一つの国家から別の国家へと移動できるからです。私たちはすでにこういうシステムを持っている。日本でも同じだと思いますが、フランスでは、パリ人やリヨン人やボルドー人になることができる。ただボルドーやリヨンやパリに行って、私はここに住む、と言うわけです。そうすれば私はもうボルドー人でもパリ人でもなくなって、アイデンティティが変わります。非常に単純なことなのです。国〔籍〕に関しても同じことがあてはまります。〔どこに行こうが〕私の〔イタリア人としての〕アイデンティティが私についてまわると考えなければならない理由はありません。都市では、アイデンティティは絶えず変わりうる。これとまったく同じ主張を、政治的アイデンティティについても行うべきです。なぜなら地殻変動の結果、固定した陸地というものはもはや存在せず、大陸はすべて漂流していることを私たちは知っているからです。大陸はすべて一つのボートなのです。私たちはみなボートに乗った移民なのです。誰もが移動しているのですから。目には見えませんが、私たちは絶えず移動しつづけているのです。

もう一つ重要な点として、私たちは土着種という考え方を放棄しなければなりません。私たちは、種には土着のものと侵略してきたものがあると考えます。この考え方を創出したのはヒューイット・ワトソンという名の英国の植物学者でした。彼は一九世紀半ばに英国植物誌の執筆を企てたのですが、次のようなことを言っています。「自分が英国人の一覧を作成するなら、フランスやドイツからやって来たばかりの人々は、観光客であるから、このリストに含めることができないし、単に仕事で来た人々もそうだ。同じように〔英国植物の〕主要な種を一覧にするなら、科学研究目的や〔庭園などの〕装飾目的でもたらされた種は含められない」。そして彼は当時の〔英国の〕普通法で用いられていた土着人、外来人といった分類を採用し、植物に当てはめたのですが、これはまったくバカげた議論です。土着種を外来種、侵略種から区別するというのは、植物を一九世紀〔の英国という〕共和国《コモンウェルス》の良き市民になぞらえることです。まったく不条理な話ですが。ですから、自然の中のすべては移住しつづけています。植物も移住しているし、動物も移住している。生きている存在がどこか一つの場所と固定的な関係を結ぶなどということはありえないのです。

長谷川：このプロセスは、禅の思想や体験にかなり近いものがあります。京都の西田幾多郎という哲学者をご存知でしょうか。彼の思想を日本語で説明するのは簡単ではありません、禅の体験と同様、非常に個人的な経験に基づいているためです。

コッチャ：京都学派の哲学者たちの著作はいろいろと読んでいます。面白かったのは、変身に関する私の近著を読んだ人の多くに、あなたは禅の信者なのか、禅の伝統、日本の伝統を知っているかと尋ねられたことで、じっさい私はいろいろ読んでいるのですね。ただし私が試みているのは、西洋科学の言っていることに真面目に耳を傾ければ、それだけでもう〔禅と〕同じ結論に到達できるのだと示してみせることです。これは以下の二つの理由から、私にとって重要です。第一に、戦略的な観点から見て、人を説得してある考えを受け入れさせるには、これは科学なんだ、現実なんだと言うほうが、誰々がこういうことを言っているからあなたも転向しなければいけないとか、こういうことを言っている人たちがいるからあなたもこの別の人の文化を受け入れなければいけないとか言うよりも、やりやすいのです。

もう一つの理由は、私たちはいつだって文化や国々を相互に対立させるけれども、異なる文化の根を深く掘り下げてみると、架け橋や一致点が実に簡単に見つかるということを示したいのです。これは私にとってとても重要です。なぜなら今、アイデンティティ・ポリティクスが大きな混乱をもたらしていて、誰もが「私はイタリア人だ」とか「私は異性愛者だ」と口々に言います。でも私はアイデンティティを信じません。物事はもっとずっと複雑だと思います。自分が男性なのかどうかも私にはわかりません。いつの時代も文化はおたがいに混ざり合います。たとえばギリシア文化はエジプト文化と地中海文化のミックスです。ローマ文化はぐちゃぐちゃです。私たちが西洋文化あるいはヨーロッパ文化と呼んでいるものは、セム系文化、中東文化、ギリシア文化、アフリカ文化のとても奇妙な混淆物なのです。「ヨーロッパ文化は本当にヨーロッパ人種中心主義だ」などと言われますが、いわゆる西洋哲学の中で最も重要な哲学者たちにはアフリカの人々もいたのです。アウグスティヌス、プロティノス、ストア派はアフリカの人々でした。アウグスティヌスに関しては膨大な文献があります。これほどまで多くのことが書かれている哲学者はいません。ですから、西洋ないしヨーロッパの最重要哲学者は、実はアフリカの人だったということになります。文化の根の部分を見てみると、すべてはつねに、異なる場所からやってきたもののミックスなのです。たとえば京都学派はマルティン・ハイデガーにきわめて深く影響されていますし、ハイデガーの思惟は京都学派にきわめて深く影響されています。実を言えば、個別のものなど存在しないのです。人々は絶えず対話を重ねていましたし、思想も場所から場所へと移動しているからです。

長谷川：あなたのテキストは軽やかで、詩とSF的ストーリーの中間にあるようで、しかし大変論理的です。楽しみながら一つの世界観の中に入っていける。今までの哲学書と異なり、「新しい哲学」の語りだと思います。

コッチャ：ありがとうございます。

第6章　ヒト、モノ、幽霊たちとの調停

――中園孔二とナイル・ケティングの芸術実践

黒沢聖覇

1　不安とともに生きるアーティスト

近年、一九八〇年代後半以降に生まれた、いわゆる「ポストインターネット世代[*1]」といわれる若いアーティストたちの実践がより顕在化してきており、その重要性と影響力は看過できない。インターネットを代表とする情報技術の急速な発達を、自らの身体や認知機能の成長と重ね合わせてきた（筆者自身を含む）この世代は、高度情報資本主義の生み出した状況に対して迅速な共有や即応を得意とする。同時に、精神や身体をとりまく人間文化・社会・自然環境全体が、高速に空洞化され、解体され、再構築されてきた彼らは、客観的かつ批判的に自分たちの現実を解釈することの困難とも向き合ってきたといえるだろう。また、視覚情報が氾濫することで、虚構世界と現実空間の区別が曖昧になり、自らの身体を含む物理的な基盤に対し確信を持つことができないままに、アメリカ同時多発テロ、東日本大震災といった数々のカタストロフを、身体的経験とスクリーン上のバーチャルな情報の分裂の中で経験する。そうした中で、それぞれの危うい主観的現実を単数から複数へ、あるいは可逆的なファンタジーへと代替し、交換する技術を特異な形で発達させてきたのである。

しかしこの過程では、常に無意識下の存在論的な不安がつきまとう。「私は、ヒトかモノか、それともその両方か、あるいはそのどちらでもない幽霊なのだろうか？」。この無意識の不安は、現状が良くないと知りつつ、現状に対してなす術がないことを了解する「再帰的無能感」（マーク・フィッシャー[*2]）の中に彼らを閉じ込める。しかし、身体とそれをとりまく環境のずれ、この二律背反的状況の生み出す行き詰まり感、その不安を常に抱えてきた彼ら（筆者自身を含む私たち）の主観的現実から生まれる芸術実践は、様々な存在者を巻き込む「諸世界における諸戦争」（ブリュノ・ラトゥール[*3]）の渦中ともいえる今日の状況において、ますます複雑化するエコロジーをとらえる新しい感性を示しているのではないだろうか。

本稿では、そうした観点のもと、中園孔二（一九八九―二〇一五）とナイル・ケティング（一九八九―）という二人のアーティストに着目する。両者はまさに「一九八九年」という歴史的転換点、つまりベルリンの壁崩壊による東西冷戦の終結、新自由主義体制の確立、国内の文脈でいえば「昭和」から「平成」への移行期に生まれている。また、中園とケティングは美術予備校時代からの親しい友人であった。彼らはよく、深夜のマグドナルドで、パソコンで見つけたコンテンツを特に批評したり肯定したりするわけでもなく、ただ風景を眺めるのと同じように面白がっていた。[*4] 環境問題ですら広告やマーケティングに取り込まれ「表象不可能な空洞」[*5] となり、無限の資本を前提としたフェティッシュ的市場拡大が人間の地盤そのものを破壊しかねない高度情報資本主義の中、二人は高速に変化する眼前の風景を、明確な意図を持たず何度も追認していった。そして、自然と人工の対立を問わないままに、自身をとりまく環境・エコロジーに対する感性を獲得していった。無数の絵画を制作する中園と、マルチメディア・インスタレーションやパフォーマンスを展開するケティングはともに、資本主義リアリズム下の存在論的不安や再帰的無能感を変容させる。同時に、新しく生じているヒトとモノの複数のエコロジーの絡み合いの中で「私」と「とりまくもの」の関係性をとらえ、それらを直接的に触知可能なアンビエンスへと翻訳する。

哲学者のティモシー・モートンは、ラテン語の「どちら側」にもあるという意味の「ambo」に由来する「アンビエンス」という用語を、「周囲のもの、とりまくもの、世界の感覚を意味している」[*6] 半ば物質的なものとして説明している。彼の提唱するアンビエント詩学は、自然と人間という二元論から生まれる人間不在の環境保護主義としてのエコロジー思想ではなく、現代の人工と自然の二項対立の綻びから醸し出される環境世界の脆弱性を経験可能にする意識状態（＝エコロジカルな意識状態）を生み出すものである。アンビエント詩学は、大文字の「自然」と結びつけられる環境への回帰ではなく、もはや修正不可能なほどに人間が手を加えてしまったこの世界の脆弱性といかにしてともに生きていくのかということを検討するのだ。中園とケティングの実践には、このアンビエント詩学の戦略と類似するものがある。二人の作品は新しいエコロジー下において主体化からも客体化からも漏れてしまうようなアンビエンス、脆弱な世界の存在者が発する刺激を、感覚可能にさせるためである。

2　中園孔二――景色の「外縁」を生み出す

中園孔二は、東京藝術大学美術学部油絵科を二〇一二年に卒業後、二〇一五年に水難事故により二五歳という若さでこの世を去った。アーティストとしては一〇年に満たない短期間のキャリアの中で、油絵を中心とした五〇〇点にも及ぶ絵画作品を残した。彼は、キャンバスに油絵というオーソドックスな媒体によって、プリミテイブに戯画化された特有のキャラクター（パペット）[*7]たちを無秩序に登場させ、多くのレイヤーを重ね合わせ、イメージを攪乱、拡散する。ひとつひとつの絵画の「内側」になにが描かれているか、あるいは絵画という媒体を用いることですらとりわけ重要ではないと断言し、眼に見えず触れることのできない絵画の外側に生み出される「外縁」こそが重要だと述べる。[*8]つまり、ひとつのモチーフ、あるいは表現手法に焦点を絞るのではなく、前景、中景、後景が判別不可能なまでに入り組んだ絵画上の空間構成や、複数の絵画の組み合わせによって生み出される体験を彼は重要視していた。例えば、彼は絵具を指でこすり厚塗りをする、あるいは正反対の極度の薄塗りを多用する。そこで見出されるのは、スマートフォンの画面を指でなぞるのと同じようにして、指のストロークによって新たに導き出される情報の物質性である。あるいは、深い森の中に迷い込んでいくような不安を示す現代のプリミティブとも呼びうる幽霊的身体の持つ淡い表現も見出すことができる。現代の不安をあえて自身の身体に憑依させ遊んでいるかのような、周辺を「とりまくもの」との多方向的な交歓に似た奔放の感覚が、彼の絵画には見られるのである。

中園の絵画には、情報技術との接触とイメージの受容がほとんど身体化しているというこの世代特有の感覚が表現されている。今日の視覚情報の過剰から生まれる不安定な身体は、中園絵画においてしばしば「不気味なもの」（フロイト）[*9]としての幽霊的なパペットによって代理させられつつ、同時に絵画面をにじませることによって、画家の主体を守るようにして隠蔽される（図1）。中園は、この「にじみ」の手法をよく用いることで、視覚情報の過剰により作り上げられる現代的風景を、私たちの現実とは切り離された後景として示すのではなく、私たちをとりまくひとつの景色としてまとめて前景化させる。彼の主観的現実ととりまく環境を絵画面のアンビエンスとして一体化させることで、グローバルネットワークの中で拘束されている現代的身体の苦痛や不安そのものを分散し和らげるのである（図2）。

いっぽう、中園のこうした絵画手法は戦略的に編み出されたというよりも直観として得られている。中園は絵画の制作過程について以下のような言葉をスケッチブックに残している。

この絵が何なのかということを、説明することは基本的にできない。私は、たった二〇年少ししか生きていないただの人間です。絵を描くときには、その絵に置き換えるべき大きな流れのようなものが、私の外にあって、それを、見つけることができたときに、その流れを、手を動かしながら、見失わないように、ただ見ていてやるというような立場として、私は絵の前に立って、絵ができあがるのを、待っているような気持ちでいます。描かれていく物語は、私が決めるのではありません。[*10]

中園は、絵画上に描かれるパペットたちの織りなす物語風景を、ただ受動的に待ち、それを追認するようにして高速に描く。これは、描かれるものたちにあえて乗っ取られ、自らに憑依させる行為である。そこでは画家という

図 1　中園孔二、《無題》、2012 年、キャンバスに油絵、194.0 × 194.5 cm、東京都現代美術館所蔵、画像提供：小山登美夫ギャラリー、photo by Keiji Takahashi©Koji Nakazono, Courtesy of Tomio Koyama Gallery

本作は、最も表面の層において 2 つの横顔が線を共有しながら構成されている。また、その背景では焼け焦げるパペットを中心として、寓話的性格を持ちつつどこかカタストロフ的な状況が示されている。この絵画においては、画家自身がパペットたちの悲惨な状況を、デジタルカメラのスクリーンを通して眺めている。つまりこの作品では、画家自身も景色の住人となり、そのパペットが焼け焦げる悲惨な状況を、デジタルカメラを通して観察している。

図 2　中園孔二、《無題》、2013 年、キャンバスに油絵、100.0 × 100.0 cm、画像提供：小山登美夫ギャラリー、photo by Keiji Takahashi©Koji Nakazono, Courtesy of Tomio Koyama Gallery

中心のパペットは、放射状のネットワークの中に拘束されるかのように、周辺に散在する家や顔、植物やきのこといった様々なイコンと等価的に描き出される。大きく見開かれた目だけが描かれたパペットの顔は、鑑賞者に向かって、なにかを切実に訴えるようである。足部分は円状に圧縮されていて、奇形の幽霊的な身体を思わせる。両腕部分の赤斑は血の「にじみ」のように見える。本作からはグローバルネットワークに即座につながり、視覚情報による拘束を回避できない現代の身体の苦痛の感覚を見出すことが出来る。

主体と、描かれる絵画（パペットたちによる物語）という客体はイントラーアクティブな関係性の中で結ばれるため、中園作品は俯瞰することの難しいひとつの曖昧な気配、あるいはアンビエンスとして立ちあらわれるのである。

加えて、中園は絵画を展示するさい、多くの大小の作品を入り混ぜる独自のスタイルを採用しており、ひとつの壁面に、多数の作品を過剰ともいえる方法で展示することがよくあった（図3）。視認性からいえば適切とはいえないにもかかわらず、こうした展示方法は、背景（壁面）と前景（展示空間）の区別を崩すような独特のアンビエンスを創出し、ほとんど触知的な鑑賞体験を生み出す。この展示空間に充満する中園独特のアンビエンス（中園の用語で言えば「外縁」）の中では、「私」と絵画の境界が曖昧になり、鑑賞者は迷路に放り込まれたような感覚に陥る。

3　森の中のアンビエンスへ

中園の生み出すアンビエンスの体験は、中園の自然環境の体験そのものと結びついている。ケティングが回想するように、中園は、しばしば深夜の森や海に懐中電灯をもってひとりで出かけ、早朝に帰ってきたことで知られている。[*11] 彼にとって深夜の森を探索することは、大文字の「自然」の感覚を取りもどすということではなかったはずである。深夜であれば、視覚情報は照らし出す対象をのぞいて、ほとんど遮断されるが、同時に森のざわめくようなアンビエンスは、昼間よりも増大する。暗闇の森では、相手を見ると同時に森に「見られる」という感覚の総体としてのアンビエンスがある。薄明かりの森の中を歩くとき、画家は樹木を観察するだけではなく、知覚可能な樹木を見る手段の一つである「眼」を用いて、樹木と「ともに with」見ている（ティム・インゴルド[*12]）といえる。つまり、樹木を見る、石に触るといったとき、視覚－触覚、あるいは主体－客体のこちら側とあちら側の「どちら側 ambo」にもあることになる。樹木や石は、それ自身で知覚することは出来ないが、それらは「感覚することが出

図3　作家自身のポートフォリオより東京藝術大学在学中の展示風景（筆者撮影）

来るものの中に浸されている」[13]ので、見たり、触れたり、聞いたりするために、知覚者である画家に逆戻りすることができる。森の暗闇の中で不安に懐中電灯を動かせば、見える景色はその都度変容するが、見えない森のざわめきの中に「浸る」ことはできるのである。

中園にとって重要なことは、夜の森の中を歩くこうした経験と同じようにして、自然環境や描かれるパペット、そして「私」を半強制的に拘束する情報環境にある諸存在と「ともに」世界をとらえることであった。無数の諸存在と「ともに」見える景色を描き出すためには、暴力的とさえ形容できるイメージの生成速度をもって多くのイメージを生成していく必要がある。中園は、このスピードによって逆説的に、特定の記述や記録から逃れうる「どっちつかずでなんでもない」[14]、「どちら側」にもあるアンビエンスをとらえることが可能になったのだろう。この独特の曖昧さにより、中園の絵画は、鑑賞者に強い不安の感覚を引き起こしながら、同時にどこか諸存在と戯れているかのような、児童絵本のような穏やかさをも兼ね備えることになる。中園の絵画が生み出すアンビエンスは、画家自身の主体が持つ無意識の不安をぼかして緩和するのみならず、それ自体が「諸存在のざわめき」であるために彼と鑑賞者をとりまく環境の徴候となるのだ(図4)。

4　ナイル・ケティング――「私」とモノの同化

いっぽうのナイル・ケティングは、こうした中園の感覚を友人としておそらく直接的に共有しつつも、自然環境よりもむしろ人工環境や情報空間へとよりラディカルにアクセスする。彼は、映像、パフォーマンス、インスタレーション、サウンド・アートなど、多様な表現形態の作品を発表しているが、多くの作品に共通しているのは、物質と非物質、人間と非人間の狭間の領域における諸存在の往来への洞察である。ケティングは作品を通して、新

図 4　中園孔二、《無題》、2014 年、キャンバスに油絵、46.0 × 38.0cm、画像提供：小山登美夫ギャラリー、画像提供：小山登美夫ギャラリー、photo by Keiji Takahashi©Koji Nakazono, Courtesy of Tomio Koyama Gallery

たな（非）物質性への知覚と、人間を介さない物質同士のコミュニケーションの可能性を提示しながら、「感覚するモノとしての人間」（マリオ・ペルニオーラ）[*15]を再解釈することで、現実を再構築しようとするのである。その背景には、世界に「私」を溶け込ませ、同化させることで防衛するという方法論への関心がある。

《Sustainable Hours》（二〇一六年、図5）では、ソーラーフィルム、アロマディフューザー、スピーカー、Wi-Fi ルーターといった現代的レディメイドを組み合わせたインスタレーションである。ケティングは、これらのプロダクトを主に世界的なインターネット通販大手であるアマゾンの生み出す推薦商品に従い購入している。本作は、アマゾンの生み出す資本主義的欲望のアルゴリズムをそのまま援用しながらも、映画『ブレードランナー』（一九八二年）が示すような八〇年代的SFディストピア思想とは別の、脱中心化され平均化された「未来はない」、「何も感じない」という感覚を示すアンビエントな空間を生み出す。私たちの身体とほとんど強制的に相互作用する不可視の電波やアルゴリズムを、そのまま利用しながらも乗っ取り組み換えていくことで、「未来はない」というディストピア的思考の遺伝子や、資本主義リアリズム下の不安のコードを書き換え、一つの自律的で持続可能かつ生存可能な領域を生み出すのである。このインスタレーション空間において、鑑賞者はこうした組み換え可能な領域と接触し、その不可思議な心地よさによって自身の身体が持つ物質性を、そのアンビエンスへと変容させながら落とし込んでいく。

また、「パフォーマティブ・インスタレーション」と作家が呼ぶ《Remain Calm》(二〇一九年、図6、7)では、「スマートホーム」技術を想定したというセノグラフィー(インスタレーション)の中でヒトやモノによるパーフォマンスが行われる。(ヒトの)パフォーマーがゾンビ化し、ロボット化し、段階的にモノへと向かっていくような態度には、グローバリゼーションの均質化作用への馴致が見出せる。ヒトとモノを問わないアクターたちは、外部環境や世界のシステムへは反発せず、むしろそれらに積極的に飼い慣らされていくようにすら見える。これはヒトとモノによる「内省的なセノグラフィー」[*16]なのである。そして本作でとりわけ重要なのは、「災害」のリハーサルである。周期的に起きる災害のフェイズでは、パフォーマーたちは嵐の轟音の中で、日本式の避難訓練からインスパイアされたという「うずくまり」の姿勢を取る。このフェイズ中、彼らは一切身動きを取らない。「うずくまり」は、ヒトを人間として判別可能にする身体の各部分を覆い隠し、ひとつの物質的な塊として露出させる。モノになることさえできれば、どんな緊急的な状況でも常に、冷静でいられるはずだからだ。これはほとんど周囲の物理的環境に対する「降伏」のジェスチャーでさえあるだろう。

この作品は「災害」という観点から、感情的な態度を極端に排除することで、美術館という制度におけるヒトとモノの関係性を「冷静」に問い直している。建築的強度を持つインスティチューション(ミュージアム)が、災害時に身体的・精神的な「避難場所」として機能し、そこではモノである作品とヒトである鑑賞者のそれぞれが「単一のユニット」としてあることをやめ、存在論的なレベルでの新しい連帯を生み出す場となる可能性をはらんでい

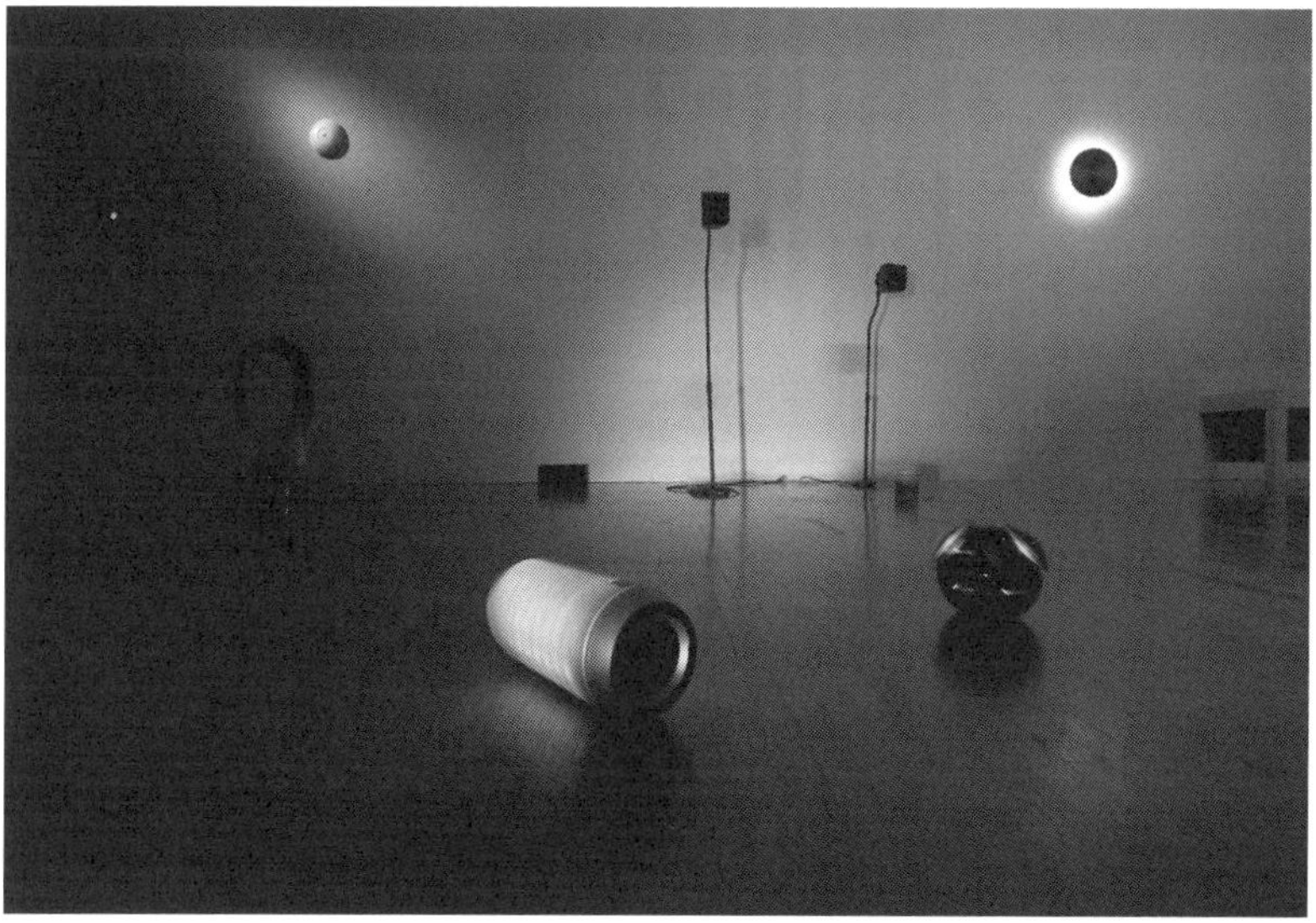

図5　ナイル・ケティング、《Sustainable Hours》、2016年/2017年再制作、ミクストメディア、サイズ可変、photo©Nacása & Partners Inc. / Courtesy to Fondation d'entreprise Hermès

本作は外部電力に頼らず、太陽光発電を利用することによって、独自のサステナビリティを獲得している。また時折、70年代から90年代にかけての様々なパンク・ミュージックの歌詞が、ボーカロイドのフラット化した音声で、無気力的に発声される。不可視な無線Wi-Fi、フラット化したパンクボーカルの音声、スピーカーやLEDライトといった既製品の放つ人工的な光といった諸要素が個々に反応し合うことで、インスタレーション全体としてはポスト・ヒューマン的な有機体の雰囲気を醸し出す。同時に、鑑賞者はこの作品の一部であるWi-Fiにアクセスすることで、インターネットと接続し、別の情報空間の位相とも接続できる。

る。ミュージアムを通して、今日の環境世界の持続可能性、生存可能性の選択肢を、モノと連帯することで模索すると同時に、仮にその世界が持続不可能であり、生存不可能であった場合の「内省的な緊急対策」の方法も本作で提案されている。ケティングがパフォーマティブに示すのは、人間による世界が終わっても、この世界にはたくさんの世界があるということ（ヴィヴェイロス・デ・カストロ）[*17]というリアリティである。それを示すために、本作ではヒトもモノも幽霊のように展示室内で漂うことで、緊急事態における内省的なアンビエンスを創出する。つまり、モノたちの絡み合いとしての環境とそれが度々引き起こす不可避のカタストロフに対して、「私」の脆弱性を露呈し、積極的に飲み込まれることで、資本主義の持つ強力な圧力から、「私」と「とりまくものたち」の双方の防衛を実現させるのだ。これはある種パンク的ともいえる防衛手段である。世界の後景として抑圧されているモノと「私」を強引に調停させ、再構成することで、自衛を獲得する方法論である。[*18]

5　「私」の失敗、環境世界との調停

こうした二人の作品に共通しているのは、高度情報資本主義が生み出すエコロジーにおける不安の緩和、及び「私」と「とりまくもの」の相互を憑依させ合う方法論である。これは、自然環境と人工環境を未分化の状態としたまま、世界を感覚してきた彼らの発明ではないだろうか。中園は複数の作品を過剰に展示することで、匿名性を獲得しているが、これはケティングが匿名的なレディメイドとの連帯によって「私」とモノの生み出すそれぞれの環境を同化させることに類似している。彼らの作品において、主体と客体のはざまを漂う匿名的な幽霊たちは、それがパペットであれ、Wi-Fiの電波であれ、あるいはカタストロフの風景であれ、私たちを「とりまくもの」としてあらわれ、作家たちを憑依し、取り込んでいく。ケティングが述べるように、これは環境の状況に対する「私」

図6（上)、図7（下)　ナイル・ケティング、《Remain Calm》、2019年、Photo by GRAYSC.

本作でパフォーマーたちは擬似的なロボットダンスのジェスチャーや、同一ステップの反復といったフラットで機械的な動作を見せる。同時に周囲では、変型自走式のロボットプロジェクターやプログラミング訓練用のボールが動き回る。「災害」のリハーサルにおける「うずくまり」の最中、展示室内のモニターでは擬似的に計測された彼らの「冷静度合」が、数値としてゲーム感覚に提示される。

の失敗、無能感を徹底的に確認することで、逆説的に新しいエコロジーを獲得し、その「不安」との共存を模索するという今日的な挑戦である。

私は、アートワールドの中で特定の立場をとるものではなくて、世界の中で自足できる何かをつくりたいと思っています。作品そのものがエコロジーを持っていて、自分で生きていられる作品をつくりたい。手法や方法論は、「fail（失敗）」して自分ができないことを確認するためにある、発見の手段だととらえています。*19

これまで述べてきたように、自らの存在論的立ち位置が危機的状況に置かれ続けてきた両者の作品は、ほとんど分裂的でさえある今日のエコロジーの中で、無意識の不安をどのように緩和し、どのように「私」を防衛できるかを実験する。また、憑依可能な媒質としてのアンビエンスを創出し、「私」と「とりまくもの」、主体と客体のあいだを揺れ動く幽霊たちと折り合いをつけようとすることで、急速かつ不可逆的に変容する環境世界との調停の方法論を模索している。近代が「私」の後景と考えていたものを前景化させ、自らの主観的現実を生存可能なものへと組み替えようとする彼らのこうした芸術実践は、近代のプロジェクトを問い直し、ますます不可避となるエコロジーの危機と共存する方法の可能性を示す例であるといえるだろう。

【注】

＊1 この用語は、アーティスト・批評家・キュレーターであるマリサ・オルソンによって、二〇〇八年に提起された。しかし、その定義については様々な議論があり未完成であるため、この用語の曖昧かつ一律的な使用については注意しなければならない。

＊2 フィッシャー、マーク 二〇一八、『資本主義リアリズム』セバスチャン・ブロイ、河南瑠莉訳、堀之内出版、六〇-八二頁。

＊3 ラトゥールが述べるように、現在の状況の最大の悲劇は、わたしたちそれぞれがどの惑星に共通して住んでいるのかという点についての合意された定義がなく、ゆえに（人間と非人間を問わない）すべての政治学の根幹部分における戦争状態、分裂状態に陥っていることである（『美術手帖』二〇二〇年六月号、特集「新しいエコロジー」一二九頁を参照）。

＊4 ケティング、ナイル 二〇一六、「マクドナルド、星、迷路」『「NEW VISION SAITAMA 迫り出す身体」展図録』埼玉県立近代美術館。

＊5 フィッシャー『資本主義リアリズム』、五三頁。

＊6 モートン、ティモシー 二〇一八、『自然なきエコロジー 来るべき環境哲学に向けて』篠原雅武訳、以文社、六六頁。

＊7 中園絵画において頻繁にあらわれる独特のキャラクターたちを、作家が自ら動かしながら、作家に語りかける指人形のような存在として、以降「パペット」と呼ぶ。

＊8 中園の映像インタビューより。小山登美夫ギャラリー「8／TV配信動画：中園孔二展、8/ ART GALLERY/Tomio Koyama」（ディレクター：鈴木将也 撮影：山中慎太郎 提供：渋谷ヒカリエ 8/）https://www.youtube.com/watch?v=6Fhzw5thoSM（二〇二〇年七月一五日アクセス）

＊9 フロイトの述べる「不気味なもの」とは、かつて親しかったもの（heimlichkeit）が、抑圧され、突如として再びあらわれたものである。ドイツ語のheimlichという単語のheimが「家」をあらわすように、親しいものの両義的側面の片側として、「不気味なもの」は「抑圧されたものの回帰」として、反復強迫的に登場する（フロイト 二〇一一、『ドストエフスキーと父親殺し／不気味なもの』中山元訳、光文社、一五〇頁）。

＊10 中園孔二 二〇一八、『中園孔二 見てみたかった景色』求龍堂、八五頁。

＊11　ケティングは、中園とともに深夜の港へと行った経験について回想している（ケティング「マクドナルド、星、迷路」）

＊12　インゴルド、ティム　二〇一八、『ライフ・オブ・ラインズ　線の生態人類学』筧菜奈子・島村幸忠・宇佐美達郎訳、フィルムアート社、一六九頁。

＊13　同書、一七〇頁。

＊14　中園は、前掲インタビューにおいて、いちばん好きな色を「緑」と述べ、その理由を「一番どっちつかず」「中間にある」「なんでもない」色であるからとしている。緑色は中園の絵画において多く用いられ、作品の生み出すアンビエンスのひとつの要因となっている。

＊15　ペルニオーラ、マリオ　二〇一二、『無機的なもののセックスアピール』岡田温司・鯖江秀樹・蘆田裕史訳、平凡社、九頁。

＊16　ポンピドゥー・センターの上海別館・西岸美術館（ウェストバンド・ミュージアム）で開催された本展のキュレーターである、マルセラ・リスタはケティングとのトークの中で、本作を「内省的なセノグラフィー（introspective scenography）」と形容した。

＊17　Danowski, Déborah and Eduardo Viveiros de Castro. 2017. *The Ends of the World*. trans. Rodrigo Nunes. Polity Press, p.120.

＊18　本作についてのより詳しいレビューは、筆者による「ヒト、モノ、災害、美術館が織りなす舞台装置（セノグラフィー）」（ウェブ版美術手帖、二〇二〇年三月三一日）。https://bijutsutecho.com/magazine/review/21575 を参照されたい。

＊19　ウェブ版美術手帖「モノと身体、世界のはざまで　ナイル・ケティング インタビュー」（二〇一六年五月七日、インタビュアー：近江ひかり）、https://bijutsutecho.com/magazine/interview/297（二〇二〇年七月一五日アクセス）

第7章　庭のエコロジーとキュレーション

高木遊

1　はじめに

現代は、人間と自然の関係を問い直すターニングポイントである。環境の重大な変化、それに伴う自然災害や資源の枯渇、テラフォーミングすら現実味を帯びる人口増加など、地球規模で巻き起こるこれら諸問題に対して、従来通りの私達人間と自然の関わり方からは、解決の糸口がどうも見えてこない。この現状を前にして、世界各地で自然、環境、生態系をテーマに展覧会が開催されている。

二〇一九年、パリ、カルティエ現代美術財団において、開催された「Nous les Arbres」は植物生命の代名詞ともいえる木を主題にし、木の環世界を描き出した展覧会であった。[*1] また二〇一八年には、シチリア島最大の都市パレルモにおいて、「Manifesta」[*2]が開催された。一二回目になるマニフェスタが掲げるキュレイトリアル・コンセプトは「The Planetary Garden. Cultivating Coexistence　惑星という庭 ―― 共存を育む」であった。一際目を引く、詩的で雄大な「惑星という庭」という用語は、フランスの庭師ジル・クレマン（Gille Clément）[*3]からの引用である。一九九九年にパリ、ラ・ヴィレットにおいて、ジル・クレマンは庭師、そしてキュレーターとして「Le Jardin Planétaire　惑星という庭」を開催した。ラ・ヴィレット特有の大きなホールの建築空間内に多様な植物、様々な形態の庭が持ち込まれた。主著『動いている庭』（二〇〇七）において、彼は「惑星という庭」について次のように述べている。

「惑星という庭」を提案したとき、わたしはこの惑星と庭とを、そのいずれにも当てはまる囲われた土地という原理にもとづいて同列に扱うにとどめておいた。第一にずっと以前から、庭は garten つまり囲われた土地に由来するものだった。そして第二に、生態学がこの惑星上での生物の有限性を明らかにしてから、生物圏の境界は、この新たな囲われた土地の境界として立ち現れてきた。こうしたことを認めるなら、自然にたいするわたしたちの関係は根本的に変わってしまう。地球の乗客としての人類は、希少で脆いものとなった生命の保護者という役割、つまり庭師の役割に立ち戻ることになる。[*4]

つまり「庭」という場所は、「囲われた土地」であるという前提において、この私たちが生きる世界、全事象を包括する次元にまで伸び上がる可能性をもつ。そして、クレマンにとって「庭」は、人間が「庭師」として振る舞い、地球上の生物の多様性を育むための場所なのである。そして、その「庭師」の態度を、実世界における日常生活に導入することができるのか、あるいは庭仕事に取り組むようにして、人間がこの惑星に臨むことは可能なのか。これらの問いかけが「惑星という庭」の中軸にはある。そしてこの「惑星という庭」が時代の潮流とも相重なり、アーティストはもちろん、思想家、建築家と様々な領域から注目を受けている。そして本論では、クレマンの理論と実践がキュレイトリアルの実践において、どのように読解できるのかを示す。

2 ジル・クレマンの庭

「惑星という庭[*5]」は、クレマンの「動いている庭」の概念を継承したものである。西洋の庭園史においては、「庭」は通底して芸術や装飾の側面をもち、「庭師」のあり方[*6]もそれに呼応するものであった。それを逸脱した「庭」、そして「庭」を管理する「庭師」のあり方が「動いている庭」で表現された。その理念は、庭における生態系に「できるだけあわせて、なるべく逆らわない[*7]」ことである。ゆえにクレマンの「庭」は植物の自由な動きをとり入れ、その変化と生物の多様性を重視するきわめて特異な手法をとる。「動いている庭」を知るための映像資料として、映画『動いている庭』[*8]がある。これは、映画監督／アーティストの澤崎賢一がクレマンとその自邸にある最初の「動いている庭」を訪ね、撮影したドキュメンタリー映画である。鑑賞者は、澤崎の視点のもと、クレマンと共に「動いている庭」を散策することができる。

映像において描かれるクレマンの「庭」は、筆者が幼少期のころに遊んだ、京都、西山の雑木林や、節目毎に訪れた神社の裏山を想起させる。そこは、人間の介入はごくわずかで、必要最低限の手入れしかなされていない（人が通れるように踏みしめられた道がある程度）。それらの場所や、クレマンの「動いている庭」においては、造形という意味合いでの「庭」は存在しない。自由に植物が繁茂し、画一的な種ではなく、多種多様な植物たちがそこに存在している。そして、クレマンは映像の中で、「動いている庭」を案内するさいに、庭自体のコンセプトについてではなく、むしろ「植物」自体の生態について話す。そう、クレマンにとって、「庭」の主語はあくまでも「植物」なのである。そこでは「人間」という存在は、脇役にすぎない。またクレマンは「私はすべてを捨てなければならなかった。先生から教わったことのすべてを。学校では殺せ殺せとすべてに逆らわなければならないと言われました」[*9]と回想している。クレマンの「動いている庭」は画一化され、人間が支配する自然のあり方を乗り越え、「自然」のもつコントロール不能なオートノミーに「庭」を委ねることを目指している。この「自然」および「植物」の動的な自律性に対するクレマンの敬意がよくわかる例がある。クレマンは自邸の庭のすぐ近くに「野原」という動植物の生態系を観察するための平原を所有している。そこでは、人間の介入は年に一度の草刈りのみで、「生きているもの être vivants」が自由に多様性と変化をみせ、彼らの動的なオートノミーが表出している。

昨日はここを歩いたのに、もう歩けなくっている。通れなかったのに、今日は通れる。だから通り道と植物の場所とがつくりあげる空間の絶え間ない変化こそが、動きという語を裏付け、この動きを管理している事実こそが、庭という語を正当化している。[*10]

「生きているもの」が自由に生を育む「野原」は「動いている庭」の源流となっている。「できるだけあわせて、なるべく逆らわない」という「動いている庭」の理念、クレマンの態度は、人間を一要素として含みこんだ「生きているもの」による諸関係の集合体による「庭」を思考している。つまり、クレマンの考える「庭」は、植物の動きを支配して枠組みの中に留めてしまう従来の庭のあり方とは異なった、新たな人間と自然の関係性を生み出すものである。そして、同時に「生きているもの」の生態系をもつ、複合的な主体が生み出すオートノミーに抗うことなく、変化を続ける場なのである。

そして、この「動いている庭」を引き継ぎ、加速するグローバリゼーションのもと、地球規模での環境問題が席捲していた二〇世紀末に、「惑星という庭──人間と自然を和解させる Le Jardin Planétaire — Réconcilier l'homme et la nature」の開催が実現するのである。

展覧会挨拶文にて、数々の科学研究機関、技術研究所、専門機関の名を連ね感謝の辞を述べていることからわかるように、同展覧会は多くのスペシャリストが展覧会準備に参加した、学際的なものであった。会場である三五〇〇平方メートルの巨大なラ・ヴィレット、グランド・ホールには、様々な草花、月桂樹、マツ、竹などの樹木をふんだんに植え込み、膨大な研究資料に対して来訪者が身体的および感覚的にアプローチしやすい方法でのセノグラフィー[*11]が展開された。本展において、多種多様な人工物と自然物がハイブリッドに混在する「庭」がつくられた。この「庭」では、ツェツェバエの生態系の科学的追求によって農薬使用をやめる事例、アタカマ砂漠において濃霧を利用した水生産の事例、気球の上から樹冠の生態系を傷つけずに調査する事例、山火事も庭における大事な要素であるといった事例などが「庭仕事」として紹介された。一見それらは「庭」における「庭仕事」のようには見えない。つまり「惑星という庭」における「庭師」の「庭仕事」が、植物の管理をするだけに留まらないことを明白に示している。グローバリゼーションにおける大規模な自然への関与ではなく、各々の人間が自身を取り巻くローカルな環境を観察し、その自然環境と協調しながら最小限の人間の干渉によって問題を解決しようとする場の総体が「惑星という庭」であった。そこでの「庭師」には、従来の自然と人間の関係性を見つめ直し、新たな関係性を見出すことが求められる。これこそが「惑星という庭」における「庭師」の態度なのである。

また「惑星という庭」展におけるクレマンの役割は「庭師」／「キュレーター」その両方が混成した状態といえる。「キュレーター」という立場からは、植物や庭の展示、つまり実際の生命の生態系を「展覧会」に持ち込んだ。総じて、クレマンの「庭師」および「キュレーター」のエッセンスは脱構築的に物事を捉えることである。「庭」ではないものを新たな「庭」として捉え、従来の「展覧会」には「展示」されなかったものを「展示」することである。「庭師／キュレーター」であるクレマンの「キュレーション」は「展覧会」を脱構築的に捉え、実際の生態系を展示することで、それを「新たな関係性を創出する」プラットフォームと捉えた。そして、従来の展覧会との決定的な特異点は、アート・ワールド本意であった同時代のキュレーションとは異なり、自然と人間というより多様で複雑な関係性を扱っている点なのだ。

「惑星という庭」は、「生きているもの」の複雑さを統合する庭仕事の無限性として認識される領地を、思考と行動の複数性の場であると宣言する。*12

つまり「惑星という庭」におけるクレマンの「キュレーション」は、「庭／展覧会」を「生きているもの」の生態系と人間が新たに出会う場であること、そして人間中心的なものではなく、自然と人間双方の新たな関係性が生まれる場として表現したのだ。

そして、人間と自然の複合的な関係性のあり方を画策する展覧会のリファレンスとして「惑星という庭」展は現代においても有効であり、当時以上に領域横断的に展開される現代のキュレーションとキュレーターのあり方において、クレマンの「庭師／キュレーター」のあり方は特筆に値する。そして「動いている庭」、それを引き継ぐ「惑星という庭」は、展覧会というフォーマットにおいて、人間や植物あるいは非生物といった様々な主体が対等に共生する「生態系」≒「庭のエコロジー」を表出させ、共生可能な「自然」を表出させた重要な参照点といえる。

3　庭のエコロジー

クレマンが提示する「動いている庭」や「惑星という庭」の理論・実践をキュレイトリアルな観点から分析し、筆者が開催したのが「生きられた庭　Le Jardin Convivial」（二〇一九）である。それは人間が植物生命に寄り添うというジル・クレマンの実践する「庭」のあり方、そしてその「庭」という概念がこの私たちが生きる世界、全事象を包括するアイデアを参照しつつ、クレマンの「惑星という庭」展を通し、「展覧会空間」を「対等な主体の多様な関係性創出の場」と捉える「庭師／キュレーター」のエッセンスにインスパイアされている。

「惑星という庭」展を通して、クレマンは「庭」という概念をキュレーションにもち込んだ。その「庭」は「出身がどこであれ、理由が何であれ、誰でもその言葉のもとに集まることができるもの」であり、「庭という言葉の庇護のもと、エコロジーは大いなる平穏のなかで、イデオロギー間の対立の危険もなく、エコロジーと名乗る必要さえなく、作用することができる[*13]」ものであった。これは従来の「展覧会」という概念を大きく拡張させた。「展覧会」は人間中心的なものではなく、自然と人間双方の新たな関係性が生まれる場という側面を獲得した。その場では、静的なオブジェだけではなく、「生きているもの」の動的なオートノミーもまた尊重される。通常、展覧会では、静的なオブジェたる作品を扱うことが大半である。展示された諸作品間にて相互の連関が表出する場合でも、それはキュレーターや作家の意図があり、完全に操作され「展覧会」という庇護のもとに置かれている。一方、「庭」という概念をもち込んだキュレーションの中では、作品、あるいは展覧会、そして様々な諸要素も、主体として扱われ、決して支配されるわけではない。自然、あるいは人間、作品間の関わりの中で、キュレーターは「できるだけあわせて、なるべく逆らわず」、その「庭」を「思考と行動の複数性の場」と捉える。これはクレマンが「庭師」であるからこそ成し遂げることのできた「キュレーション」といえる。また、「庭師」であるクレマンが「展覧会」という表現を選択した点も重要である。「惑星という庭」の概念は、来訪者を、地球を庇護する「惑星の庭師」にならしめることが狙いでもあった。よって、より多くの来訪者の共感を喚起するためにクレマンが体験を生み出す「展覧会」というフォーマットを選択したのは必然であった。

また、本展「生きられた庭 Le Jardin Convivial」は美術評論家、多木浩二（一九二八―二〇一一）の『生きられた家』[*14]から着想を得た。多木は、人間が生きていくことで、その空間の質が確実に変化し、その変化を捉えた言葉として「生きられる空間」を提示した。そして、多木は人間存在の行為（出来事）が織り込まれたもっとも小さい空間の一つとして「家」を提示している。一方「庭」という空間は、「家」と同様に閉じられた空間でありながら、人間存在の行為（出来事）、あるいは自然存在の行為（出来事）が織り込まれた空間でもある。「生きている」という能動態でなく、「生きられた」と受動態で表された「庭」は、主体と客体の混じり合い、互いに連関し合うオートノミーを表現するのにも適切であろう。つまり、本展では「庭」を、人間に限らないあらゆる主体が形成し、独自の生態系をもつ空間として捉えている。多木の言葉をサンプリングすることにより、人間中心的ではない様々な主体のための「庭」が、現代の「生きられる空間」であることを示唆している。一方、仏題「Le Jardin Convivial（共宴の庭）」における「共友性／共宴性（convivialité）」という概念は人間間でのネゴシエーションを前提としている。そこで、筆者はこのネゴシエーションの性質を、クレマンの提示する「庭」での植物を中心とした様々な要素間での「関係性」のネゴシエーションへと紐づけた。本展のタイトル「生きられた庭 Le Jardin Convivial」は邦題、仏題ともに、人間中心主義を乗り越え、多様な生命の共生の営みが「庭」という空間に宿される様相を表そうとしたものだ。つまり「人間中心的で」「静的／スタティック」なものを通常扱う従来的なキュレーション行為を拡張し、自然環境の中で、ありのままの「動的な自律性」をもつ「生きているもの」と関係をもっていく行為をキュレーションと呼ぶための試案であった。

この展示は京都府立植物園[*15]という「庭」を舞台に、七名の現代作家による展示と、キュレーターのガイドツアーを主体とするパフォーマティブな展覧会である。この「庭」では、現代作家である石毛健太、髙橋銑、多田恋一朗、立石従寛、野村仁、牧山雄平、山本修路の七名が、絵画、彫刻、写真、映像、サウンド、インスタレーションなどの多様なメディアを用い作品を展開し、これをキュレーターである筆者が、一日七回、計四九回の毎回異なるプログラムのツアーで観客をガイドするものである。このガイドツアーは「ナビゲーション」と名付けられ、「庭」に存在する人間と自然との諸関係性や生起する諸事象に物語を与えることを目的とした。そして、この展覧会の様子は映像やテキストなどの形で記録し、「ドキュメンテーション」と名付けウェブサイト上[*16]に公開した。

そして、実際の「ナビゲーション」では、展覧会の中心である七名の作品についてはすべて話すことはなかった。解説を加えるのは基本的に三作品程度であり、多くても五作品程度であった。これは時間の制約もあるが、「京都府立植物園」という「庭」のもつ歴史、萌む植物たち、園内各エリアにおける「庭」の特性が、「庭のエコロジー」

をキュレーションが実現するために、作品同様に重要であったからだ。本展は、「動的な自律性」をもつ「生きているもの」と関係をもち、それを「庭のエコロジー」として可視化および体験化することをキュレイトリアルな目的としていた。

また、本展では、植物と作品、そして建築や歴史が混在する生態系を、「キュレーター」によるリアルタイムなパフォーマンスで提示しようとした。これは、「庭師」としての「キュレーター」が常に「庭」における全要素と即時的に繋がっていることを表し、この繋がりを体験させることで、複雑に絡み合うエコロジーの全容を少しでも見せようとしたからだ。例えば、筆者は日々、参加者と共に歩き、植物に触れ、道なき道を通り、時には土の上に座り込んだ。また、彼らとは、植物について、植物園について、作品について、そして、他愛の無い話もした。これらは意図的におこなったもので、それは「展覧会」の裏に潜むはずのキュレーターが常に「展覧会」に現前し、リアルタイムに展覧会空間にある要素を繋げる役割となることで、「庭」にて日々仕事に勤しむ「庭師」像の実現を意図したものである。

さらには、植物園を取り巻く環境は変化し、それは園内全体の「生きているもの」だけでなく、「作品」のあり方すらも変えた。よって、会期中通算四九回行われた「ナビゲーション」は一度たりとも同じ導線はなく、作品の説明、取り上げる植物も異なったものであった。つまり「ナビゲーション」は常に変化し、リアルタイムの「生きられた場」であり続けた。

そしてアーティストもまた、京都府立植物園に点在する様々な「庭」において、独自のアプローチをもって様々な主体が息づく「庭のエコロジー」を表出させようとした。アーティスト達がアプローチした「庭」の中には、自然にその場を委ね、造園的な意味での管理の放棄を意図的におこなっている場がいくつかあった。それは先述の自然の力にまかせることで、より生物多様性を育もうとするクレマンの「野原」のあり方と近しい。そこでは、人間と同等かそれ以上に植物の主体性が強調されている。

京都府立植物園には複数箇所には、多くの倒木や切り株が点在する。植物園としては異様な光景であり、管理が行き届いていないようしか見えない（図1、2）。これらは、二〇一八年に京都一円を襲った台風二一号に起因し、自然災害の爪痕を教訓として残し、倒れた木や切り株が苗床となり、新たな命を育む様子を展示する意図のもと残された「庭」である。

例えば、立石従寛（一九八六―）は日本庭園エリアの一区画に作品を展開した（図版3、4）[*17]。そこは、台風二一号によって極相である森林の木々が薙ぎ倒され開かれたところだ。そして植物園が倒木を整理し、新たな植生のサイクルが生まれるビオトープ[*18]を作り出した。立石は、このビオトープに、非生物である「人工知能」を混じり合わせ、自然と人間、そして新たな主体による「庭」を生み出すことを目論んだ。

多田恋一朗（一九九二―）もまた、台風被害が色濃く残るエリアにて「庭のエコロジー」を表出させた。多田の《「君」に会うための繊細な毒》（二〇一九）は、ヴィヴィットな単色で塗られた一五個の変形キャンバスを、台風でなぎ倒され、新たな生命の苗床となった同数の切り株の上に設置した（図版5）[*19]。

そして、野村仁[*20]（一九四五―）もまた災害の爪痕が残るエリアに作品を展開した。本展では、四段に積み上げた巨大な段ボールが自重で変化していく《林間の Tardiology》（二〇一九）が展示された（図6）[*21]。『生きられた庭』では、「野原」である台風エリアに上記の三作家のように作品での介入により、生きている大樹、倒木や切り株、それら死を糧として再生する命、そうした循環する自然の動的なエコロジーがオーディエンスに明示されたといえる。そしてそこには、人間を内包したありとあらゆる主体が息づいていたのだ。

図1（上） **図2**（下） 台風21号による園内の被害が残るエリア、撮影：筆者

図 3（上）、図 4（下） 立石従寛、《Abiotope》、2019 年、撮影：山崎裕貴

図5　多田恋一朗、《「君」に会うための微細な毒》、2019年、写真撮影：山崎裕貴

4 おわりに──庭のエコロジーとキュレーション

現代は、人間と自然の関係を問い直すターニングポイントである。ゆえに、人間や植物に留まらないありとあらゆる主体の共生する「庭のエコロジー」を思考することはきわめて重要だ。そして、ジル・クレマンの「庭」に関する考え方が、ラ・ヴィレットでの「惑星という庭」に始まり、アート・ワールドにおける参照点となっているのは、彼の理論と実践が、従来的な自然との関わり方としての「造園」ではなく、植物とそれ自体がもつオートノミーに対して関わる人間の新しいあり方を私達に指し示すからであろう。そして、従来の人間中心主義では解決不可能であった世界規模での環境問題、国境を越えた利権闘争、拡大され続ける格差社会などの諸問題に対して、「庭」としての地球のメタファーがポジティブなビジョンをも見せてくれるのだ。彼の「庭師」としての態度、理論と実践は、この惑星で巻き起こる様々な事象、諸問題に援用できよう。そして、クレマンのラ・ヴィレットでの展覧会実践は「キュレーション」の概念を拡大するからである。人工物や自然物、ありとあらゆるものの中で「庭師」がおこなう「庭仕事」「キュレーション」の方法は、静的に存在する作品とは異なって、制御できない動的な自律性をもつ「庭」「植物」「動物」といった「生きているもの」を対象としている。この「生きているもの」の中で、諸関係性の折り重なる織物を紡ぐともいえる「庭仕事」としてのキュレーションの手法は、従来のキュレーションの手法に対して一石を投じている。つまり「人間中心的で」「静的／スタティック」なものを通常扱う従来的なキュレーションの行為を拡張し、自然環境の中で、ありのままの「動的な自律性」をもつ「生きているもの」と関係をもっていく行為をキュレーションと呼ぶことができる時代が到来している。

この意味での「キュレーション」は、眼を開き物事を見つめ、新たな要素を繋ぎ合せることではないだろうか。

図6　野村仁、《林間の Tardiology》、2019 年、撮影：山崎裕貴

庭仕事としての「キュレーション」は、「展覧会」と「庭」を重ね合わせることであり、新たな「体験の場」を生み出す。ここに、「キュレーション」の社会的意義がある。

【注】

＊1　「Nous les Arbres」（英題は「Tree」）邦訳するならば、「我々は、木」となる。木による自己の存在のステートメントがそこにはある。本展はアーティストだけではなく、哲学者、植物学者、人類学者など、木と密接な関係を持つ人々を展覧会の中心に据え置いた。これは、アーティストと研究者のアイデアを融合し、生態学的問題の探求と人間と自然（植物）との関係を明示していた。

＊2　マニフェスタはThe European Nomadic Biennialと呼ばれ、ヨーロッパの都市で二年に一度開催される国際展。回ごとに開催地が変わるのがマニフェスタの最大の特徴である。開催地となる都市はＩＦＭ（マニフェスタ国際基金）が、各都市の社会的、政治的、地理的な条件などを勘案のうえ最終的に決定する。これまでにリュブリャナ（スロベニア）、ニコシア（キプロス、開催中止）、トレンティーノ＝アルト・アディジェ（イタリア）、サンクトペテルブルク（ロシア）といった歴史において様々な問題を孕む都市において、ヨーロッパにおける文化的・政治的問題に深く切り込む展覧会を開催している。

＊3　ジル・クレマンは一九四三年にフランス、アルジャントン＝シュル＝クルーズに生まれ、国立高等園芸学校において一九六七年に園芸技術者課程を、一九六九年に修景家課程を修了した。その後は植物の生態系調査のため、世界中を旅し、一九七七年にパリの南、クルーズ県に移住する。一九七九年から現在にいたるまで、クレマンはフランスの代表的な修景家を輩出してきた同校（現在国立ヴェルサイユ高等修景学校）において教鞭をとりながら、現役の庭師として活動している。また、彼は庭師のほかに、修景家、植物学者、小説家、アーティストと多くの顔を持つ。そして庭師あるいは修景家として、アンドレ・シトロエン公園（パリ　一九八六―九八）やケ・ブランリー美術館（パリ　一九九二―二〇〇六）の原始の庭に加えて、アンリ・マティス公園（リール、一九九〇―九五）、レイヨルの園（レイヨル＝

カナデル＝シュル＝メール、一八八九―一九四）など、フランス各地及び世界各地で、数多くの庭や公園を手掛けている。また、クレマンは生物についての造詣も深く、カメルーン北部で蛾の新種（Bunaeopsis clementi）を発見している。さらに、美術業界においてもケ・ブランリー美術館における造園や「惑星という庭」展において周知されており、多岐に渡る活動と思想は世界的に注目を集めている。

＊4　クレマン、ジル　二〇一五、『動いている庭』山内明樹訳、みすず書房、一四九―五〇頁。

＊5　「惑星という庭」という語彙は、一九九五年の「惑星という庭の研究への貢献　Contribution à l'étude du jardin planétaire.」の中で初めて登場する。その後、この概念を発展させるかたちで、一九九七年にクレマンは『トマと旅人――惑星という庭のエスキス』という小説を上梓する。その中で登場人物のトマは「地球はたったひとつの小さな庭だということを、一緒に発見しよう」という象徴的な発言をする。つまり、この小説内では「惑星という庭」の概念の基礎、人間と自然との新しい関係の基礎を提起し、惑星規模での混淆のダイナミズムを強調したとクレマンは述べている。また同時にこの小説の出版がきっかけとなり、ラ・ヴィレットのプレジデントであるベルナール・ラタルジェがクレマンに展覧会開催の要請をすることになる。そして「惑星という庭」展はクレマンにとっての初めてのキュレーションとなった。

＊6　庭の美的側面や管理側面を鑑み、植物の自律性を支配してきた従来の「庭師」のあり方として、ヴェルサイユ宮殿の庭園における手入れの行き届いた芝生や、幾何学的に刈り込まれた生け垣のような庭仕事から、自宅の庭で邪魔な雑草や伸びた枝を処理するような庭仕事などを例示できる。

＊7　Clément, Gilles. 1999. *Le Jardin Planétaire : Réconcilier l'homme et la nature*. Albin Michel. p.88.

＊8　澤崎賢一　監督　二〇一六、『動いている庭』八五分、日本語字幕。

＊9　同前。

＊10　クレマン『動いている庭』、三三頁。

＊11　「惑星という庭――人間と自然を和解させる」この全貌を見渡すには、セノグラフィーを担当したレイモン・サルティのヴィジュアル・アーカイブが重要な指針となる。「惑星という庭」展のヴィジュアル・アーカイブ：レイモン・サルティ公式ウェブサイト：https://raymondsarti.com/exposition-s-le-jardin-planetaire（二〇二〇年八月五日アクセス）

＊12　Clément, Gilles. 1999. *Le Jardin Planétaire : Réconcilier l'homme et la nature*. Albin Michel. p.127.

＊13　クレマン『動いている庭』、一四九―五〇頁。

＊14　多木浩二　二〇〇一、『生きられた家――経験と象徴』岩波現代文庫。
＊15　京都府立植物園は九五年の歴史をもつ日本で最初の公立植物園である。現在の植物園の敷地は、明治時代までは上賀茂神社の境外末社である半木神社とその鎮守の森を中心とした田園地帯であった。現在では、年間九〇万人弱の入園者数を誇り、これは日本の公設植物園で最も多いものである。このように、京都府立植物園はその歴史からも、人間が絶えず関わることで作り上げられてきたことがわかる。
＊16　『生きられた庭』公式ウェブサイト https://ikiraretaniwa.geidai.ac.jp/（二〇二〇年八月九日アクセス）
＊17　立石による人工知能が棲息する《Abiotope》はサウンド・インスタレーションとして展開される。光を乱反射する銀色のシート状の物質が、木々や湖沼を取り囲むように絡みついている。そして、ビオトープ内には台風二一号来訪時二〇一八年九月四日の気象情報二四時間分が一〇分刻みで読み上げ続ける男性の声と、同じ情報を英語によって読み上げる人工音声で満ちている。この不気味な音声のほかにも、鳥のさえずりや、木々のざわめき、雨が地を打つ音が聞こえてくる。
　本作は、ＡＩと人間との関係性について問いかける。銀色のシートはマジックミラーであり、その透過度、反射度が見る場所によって変化する性質は、ＡＩと人間の相互関係を表している。また、ビオトープに満ちる環境音は、ＡＩによって生成されたもので、実際の自然音と重なりあっている。立石の思い描く「庭」はＡＩと人間とが調和し共生する場なのである。このビオトープは、自然、人間そしてＡＩという新たな主体との関係性を思考するための「庭」でもあることを立石の作品は暗示する。
＊18　ビオトープとは相互に関連した生物群集が棲息する一定の空間である。
＊19　多田が作品を展示した切り株の群集は「庭のエコロジー」＝「生と死の循環」を、二種の絵画は「創造のエコロジー」＝「リアルとフィクションの往還」を顕在化する。「死体」のように色褪せた木肌には、新緑が芽吹く。柔らかいその女性像の背後には、あまりにも鮮やかで、いびつなオブジェとしてのキャンバスが立ち並ぶ。多田のインスタレーションは、自然の模倣から始まる絵画の拡張なのかどうかは、定かではない。ただ、それは、生と死の閾を表象する切り株に、一つの力点において自律することで、「庭のエコロジー」の更なる可視化を助長していた。
＊20　野村仁は、カメラという「固定化された眼差し」を通して「人間／植物」の知覚する世界を表象している。植物など多様な生物、例えば《正午のアナレンマ》シリーズはその代表作である。本作において、野村は一年間を通し、一定の場所において、正午に太陽を撮影し続け、南の空に浮かぶ八の字の軌跡が一枚の写真に収めた。八の字型の最も高い

位置の太陽は夏至、低い位置の太陽は冬至をそれぞれ示し、太陽の一年間の運行の軌跡が表されている。野村は肉眼では見ることできない太陽の運行をカメラの眼を通し、記録する。このカメラの固定化された眼を通して、人間にとっては短くない一年という「時間」とそれに付随する世界の変化を可視化する。このように、野村は通底して、人知を超えたこの世界の秩序つまり「時間」や「重力」などを作品の中に顕在化させる観察者としてのアーティストといえる。

＊21 《Tardiology》(1968-69) の再制作である。『Tardiology』は野村の修士修了作品として、京都市美術館の屋外敷地にて初めて発表された。美術館の屋内空間では再制作されているが、野外での再制作は二五年ぶりである。本展において「林間の」という形容詞が付随したのは、特異な展示会場の自然の動的な相を表現する意図がある。本作が展示されたエリアは、開園当初から存在する樹齢一〇〇年を超える樹木が多くのこる針葉樹林である。そこでは、枝が欠如した大樹や、根本から折れたであろう切り株、そして新たに植樹された若木が入り交じる。本展に出展された《林間のTardiology》は、この動的な植物生命の庭で、重力だけでない、太陽エネルギー、温湿度、風、植物の呼吸、環境のありとあらゆる要素を一身に引き受けながら、植物や木々と共に息づく。これら諸要素は植物や人間にも同じく影響を及ぼす。その可視化により、植物／人間あるいは作品を区分する尺度を取り払い、植物や非人間的な作品との対話が可能である「庭のエコロジー」を創出している。

第8章　展覧会の意義と用法

——表象の実験、ならびに2つのフィールドブックから

ブリュノ・ラトゥール
（鈴木葉二訳・解説）

【凡例】

本章では、ブリュノ・ラトゥールの展覧会実践をある程度包括的に紹介するため、以下三本のテキストを訳出した。

（1） Weibel, P. and Bruno Latour. 2007. 'Experimenting with Representation: Iconoclash and Making Things Public,' in *Exhibition Experiments*, edited by S. Macdonald and Paul Basu. Malden: Blackwell Publishing.（全訳）

（2） Edited by Latour, B., Martin Guinard-Terrin, and Christophe Leclercq, Caroline Jansky, Ulrike Havemann. Texts by Latour, B. 2016. *The Field Book of Reset Modernity!*, Karlsruhe: ZKM|Center for Art and Media Karlsruhe.（抄訳）

（3） Edited by Trappendreher, P., Jens Lutz, Miriam Stürner, Caroline Meyer-Jürshof, Ulrike Havemann, Hannah-Maria Winters. Texts by Burger, J., Bruce Clarke, Sébastien Dutreuil, Jérôme Gaillardet, Martin Guinard, Alexandra Hermann, Barbara Zoé Kiolbassa, Joseph Koerner, Bettina Korintenberg, Bruno Latour, Jessica Menger, Daria Mille, Pierre Wat, and the artists. 2020. *The Field Book of Critical Zones: Observatories for Earthly Politics*. Karlsruhe: ZKM|Center for Art and Media Karlsruhe.（抄訳）

ラトゥールがキュレーターとしてクレジットされる大規模な展覧会は、二〇〇〇年代以降にカールスルーエ・アート・アンド・メディア・センター（以下、ZKM）で実施された四つに、最新の台北ビエンナーレ二〇二〇「私たちは同じ惑星に住んでいない」を加えて計五つある。本書の準備期間の都合もあり、ここではZKMで開催された四つをカバーすることを企図した。二〇〇七年に出版された（1）は、ZKM館長のペーター・ヴァイベルとラトゥールの共著になる展覧会論である。ラトゥールによる展覧会論としては唯一のテキストで、自らキュレーションした初の展覧会である「聖像衝突：科学、宗教、芸術における像戦争を超えて」展（二〇〇二）と次の「モノをパブリックにすること：民主主義のさまざまな環境」展（二〇〇五）における実践と背景思想が紹介されている。その後の「リセット・モダニティ！」展（二〇一六）と「クリティカルゾーン：地球的政治学のための観測所」展（二〇二〇-二二）についてはまとまったテキストが存在しないため、それぞれの会場で配布された「フィールドブック」（2）と（3）の英語版から、骨子となるチャプター解説を抜粋し訳出した。これに「クリティカルゾーン」展の準備に一部関わった筆者による論考を加え、全体として、ラトゥールによる展覧会の独特な用法とその意義を浮かび上がらせるよう構成した。

訳出にあたって、原注は＊1…とし、各論考の末尾に示した。訳注は†1…とし、脚注とした。また文中〔 〕で訳注を示し本文を補った箇所もある。なお、「フィールドブック」はZKMのウェブサイトでPDF版全文（英・独）が公開されており、ここに訳出できなかった全出展作品の解説も読むことができる。

表象の実験——「聖像衝突《イコノクラッシュ》」展、「モノをパブリックにすること」展

ペーター・ヴァイベル／ブリュノ・ラトゥール

展覧会というものは、きわめて非現実的なものである。他の場では考えられないような組み合わせで集められる、さまざまな物、インスタレーション、人々、議論の、高度に人工的な集合体。そこは時間や空間、現実性といった普通の決まりごとから解放されている。そのおかげで、展覧会は実験のための——とりわけこれから論じるように、いま現在起きている表象の危機に取り組むための、理想的なメディウムとなっている。

実験の美点は、失敗しうることにある。じじつ私たちが主張しようとするのは、展覧会実験は矛盾した結論を探り当てるためにこそ、きわめて精密な原理に則って、立ち上げられるべきだということである。展覧会はあまりにしばしば、それとは異なる用いられ方をしており、キュレーターの出来合いの趣味を誇示するだけの場となっている。しかし展覧会は、私たちがこれから実例を示すとおり、検証可能な問いを立てるにあたりいかにばらばらな要素の組み合わせ《アセンブリ》=集会をつくりうるかを考えるために用いることもできる。そのような展覧会実験の成否は、慎重な計画と任務報告にかかっている。

こうした展覧会実験はもちろん、キュレーターたちと「実験家たち」（私たちは「アーティスト」よりこちらの語を好む）による長い準備と密接な協働なしには実現できない。大切なのは、アーティストも学者もキュレーター

も自分の神聖なる自律性を最も優先にしないことである。むしろ展覧会実験の過程においては、誰もがその身を他律性のリスクと利害関係に晒すこととなる。

ZKMでの展覧会実験

この章では、私たちがカールスルーエ・アート・アンド・メディア・センター（ZKM）でキュレーションしたふたつの実験的な展覧会を例にとって議論したい。ひとつめは「聖像衝突《イコノクラッシュ》」展（二〇〇二年五月四日〜九月一日）、ふたつめは「モノをパブリックにすること」展（二〇〇五年三月二〇日〜一〇月三日）である。

ZKMは芸術と新たなメディアを融合させることを目的として一九九七年に開館し、情報技術の急速な発展とその社会的影響に対応するため、新たなメディアの理論と実践の分析を続けている。ZKMは科学、芸術、政治を同じ土俵に上げるためのフォーラムである。技術をいかに有意義に使用するかという問題は、つねに再定義され新たに問い直されるものであるため、ZKMは実験と議論のためのプラットフォームとして、将来に向けて積極的に働きかけることを使命としている。

ZKMはいくつかのミュージアムと研究機関から構成されている。メディアミュージアム、現代美術館、メディアライブラリー、メディアシアター、視覚メディア研究所、音楽・音響研究所、基盤研究所、メディア・経済研究所[†1]。これらが一体となり、領域横断的なプロジェクトや国際協働を可能としている。このモデルは、調査と実験の

---

†1 二〇〇七年当時の構成。

場を設けている点、及び古典芸術と新たなメディアを等しく取り扱う点で一般的なミュージアムとは一線を画している。主に収集と展示に注力している他のミュージアムとは異なり、ZKMは新たなメディア芸術の生産に必要なすべての段階——調査、制作、展示、収集、出版、アーカイヴ——を網羅している。

「聖像衝突《イコノクラッシュ》」展*1

「聖像衝突」展では次の問いが探究された。聖像破壊的な所作を拡大継続する代わりに、それを一時停止させ、入念に調査する方法はあるだろうか？　あるいは、聖像破壊（宗教史、美術史、政治史、科学史、文学史のすべてにおいてきわめて重要な主題）を無謬の行動原理から問題含みの興味深い論点へと転回させることができるだろうか？　この難解な問いがひとたび持ち上がったなら、それに取り組む唯一の方法は、美術館という想像的で非現実的な空間——今回であればZKMという素晴らしい施設——に実際の像を持ち込み、本当に実験してみるしかない。ただし実験の環境は、仮説の当否を判定するために集められるべきものをも左右する。もしここで現代アートの作品やインスタレーションばかりを集めたとしたら、結果として得られる態度表明と反応の組み合わせはひとつだけになるだろう。同じことは、美術史もしくは宗教学のみに焦点を絞ったとしても言える。したがって私たちは、代わりにそれら全てを組み合わせてみた。

この展覧会では、科学、芸術、宗教の分野の表象にまつわる三つの巨大な衝突——表象の必然性、聖性、権力に関する衝突——を体系的な対立構図の中で提示することが目指された。タリバンによるバーミヤーン大仏の破壊、デンマークのムハンマド風刺漫画問題、科学的描像についての疑義、こうした像戦争はあらゆる場所で起きている。神学、芸術、科学の三つの領域を結びつけた目的は、その批判的な雰囲気を盛り立てたり、不信仰や皮肉的態度を増長させたりすることではなく、反対に、聖像破壊を疑いの余地のない行動原理から理知的な調査の対象とすることであった。

この展覧会の狙いは、像をつくる人々をこれまで通り嘲ったり、像を壊す人々に対してただ憤慨したりするのではなく、鑑賞者をある種の当惑状態に置くことであった。「私たちは表象なしでやっていくことはできない。表象なしでやっていくことさえできたらよかったのに」。あらゆる表象や像やエンブレムを、つくらねばならない／壊さねばならない——一神教の宗教や科学論、現代芸術、それに政治理論も忘れてはならないが、それらすべてが、この相反する葛藤に苦心させられてきた。この展覧会では、古代・近代・現代芸術の作品群や、多くの科学装置を通じて、西洋世界の自己理解にとってきわめて重要なこの〔製作か、破壊かという〕当惑状態を探求した。ドラマティックな像破壊の歴史の背後で進行していたある別の現象を示すことで、像戦争を超えた地点へ行くことを試みたのである。別の現象とはつまり、展覧会のあらゆる部分で明らかにされていたと思うが、伝統的なキリストの像や科学実験室に始まり、現代芸術から音楽、映画、建築に至る領域のさまざまな実験における無数の像製作の奔流である。偶像崇拝者たちに対する偶像破壊者たちの大いなる闘争が続いているあいだに、像愛好のもうひとつの歴史が刻まれていた。西洋人の像崇拝と像破壊への妄執に関するこの新たな歴史は、像がまったく異なる作用を持っていただろう西洋以外の世界の文化との、より公平な比較検討の可能性を開いてくれる。

「聖像衝突」展は芸術の展覧会ではない。科学と芸術の展覧会でもなければ、美術史の展覧会でもない。この展覧会は、どうすれば聖像破壊的な所作を一時停止し、像の運動をコマ止めしてしまわずに描き直すことができるか、という諸実験のめくるめく陳列である。多数の資料、科学器具、宗教の偶像や芸術作品を用い、本展では「像」という語があらゆる種類の表象と媒介を含んでいることを明らかにした。展覧会が実験的であるのは、ひとえに現代美術、宗教改革、科学の領域においてかつて組み合わされたことのないものを集めたためである。またそれらの資料のうち、目の前にあるものが複製か原物かの判断を来場者に委ねたことによって、展覧会はいっそう実験的になった。さらに、通常の展覧会制作のように一〜二人のキュレーターを据えるのではなく、七人ものキュレーターが三年のあいだ定期的に集まり、一緒に他の展覧会を観に行ったりするようにしたことで、なおさら実験的なものとなったのである。そうして私たちは、聖像破壊史の各パートを重ね合わせて干渉パターンのようなものを生み出す方法について、ただ合意するのではなく、最善の方法に辿り着くために、共同作業を続けた。

展覧会としてこの実験が成功だったかどうかを決めるのは私たちではない。それでもはっきり言えるのは、これは慣習的な展覧会ではなかったし、たんなる支離滅裂な要素のごった返しでもなかったということだ。聖像破壊という、それまで疑われることのなかった進歩的批評の価値基準を、それ自体改めて検証し直されるべきひとつの議題として提示しえたはずである（cf. Besancon 2001）。

「モノをパブリックにすること」展[*2]

「モノをパブリックにすること」展では、この展覧会実験のためにつくられたインスタレーション群のインスタレーションをつくることで、真にありえない空間を生み出し、展覧会実験をさらに推し進めようと試みた。諸議会の議会、諸集会の集会、表象の技術についての探究。まさにおあつらえ向きのテーマである。今回は聖像破壊的な衝動の理由を調べることによってではなく、「聖像衝突」展の成果をつぶさに検討することによって、ふたたび表象の危機を分析することを主旨とした。もしあの副題のとおり「科学・宗教・芸術における像戦争を超えて」いくことができたなら、当然次になすべきは、その成果を政治に当てはめて検討してみることとなる。

間違いなく、これは風変わりな展覧会だった。そこで切に目指されていたのは、ふつうアート・ショーを構成するものや政治についての考え方を刷新すること、それにアーティストと学者の新たな協働形態を立ち上げる方法論を増やすことに他ならない。そうしたことに取り組んだ理由は、私たちの暮らす時代が、政治生活に関する限りどちらかといえばげんなりするような時代だからだ。だとすれば、いつもは分離されている三つの表象様式を集めて仕切り直しを図るには丁度いい時期なのかもしれない。いかに人々を代表するか——政治の問題。いかに物を表象するか——科学の問題。それらの集まりをいかに描くか——芸術の問題。

この展覧会の背景となる考え方は、政治とはすべてモノ（*things*）に関わる営みだということである。政治は自律した圏域でも専門職でもなければ、ただの気晴らしでもない。それは公衆の注意を惹くものごとへの配慮を本質的に含んでいる。公衆はつねに確固としてあるものではない。ここで論じているのは選挙で選んだ公職者に代弁される民衆のことではない。公衆は新たな問題や懸念事項が持ち上がるごとに形づくられる必要がある。それを踏まえて私たちが探求したのは、「もし政治がものごとの係争状態を巡って展開されると何が起こるだろうか？」という問いである。〈政治は結構です〉と銘打たれた、さまざまな異文化における集会のあり方を紹介するセクションを展覧会の冒頭に置いたのはこのためである。政治も民主主義も普遍的なものではないが、人やモノを集めること自体はどこでも行われている。集めるという主題は次のセクション〈組み上げられる諸身体のパズル〉〈良い政府、悪い政府〉の中心的問題である。第一部を通して、問いは〈どのコスモポリティクスに、どのコスモスを？〉へと行きつく。

英語とドイツ語における「Thing」の最古の意味は、ある係争中の懸念事項について話し合うために召集された集会に関連していたことが分かっている。「レアルポリティークからディングポリティークへ（From Realpolitik to *Dingpolitik*）」。本展のための新たな造語によるスローガンは、そこから着想された。この大転換は、百以上のインスタレーションや作品を展示する手法と、フィジカル／バーチャル双方の空間構成全般によって展覧会の美学に反映された。私たちが試みたのは、近代人と非近代人の物に対する姿勢の比較だった。つまり〈客体（objects）からモノ（things）へ〉の移行である。

次のセクション〈諸集会の集会〉では、いわゆる政治的な集会以外にも、モノを中心として公衆を集めるさまざまな種類の集会が存在することを来場者に示した。たとえば科学実験室、技術プロジェクト、スーパーマーケット、金融の舞台――〈市場もまた議会である〉――、教会、それに河川、景観、動物、気温、空気といった議論の的となる自然資源も――つまり〈自然の議会〉である。こうした現象はすべて、私たちがその中に暮らし、息づき、論じ合う本物の政治的景観をつくりだす代弁＝表象の諸技術のセットを、数えきれないほど発明し続けてきた。ここでそのすべてに関わる問いが生じる。それらは確かにもろもろの集合《アセンブリッジ》ではあるだろうが、本当の集会《アセンブリ》にはなりうるのだろうか？

展覧会の第三パートをなす次のセクションは、〈もろもろの議会もまた複雑な技術である〉ということを伝えるものである。投票し、話し、論じ合い、議決することはある風変りな機械のパーツに過ぎないなどと言ってしまう代わりに、来場者は、それらの行為が果たすなけなしの媒介作用の可能性について最大限の敬意を払って考えてみるよう促される。このセクションでは政治家が生み出す公的「圏域」の中だけに民主主義を見出すのではなく、モノがパブリックにされることを可能とする新たな技術的諸条件に関心を向けていく。〈媒介抜きの代弁はありえない〉。

次の論理的段階は、これまで検討した媒介の技術がすべて適用された場合に成り立つ代表議会とはどのようなものか考えてみることだろう。したがって、展覧会の第四及び最終パートは、〈新たな雄弁術〉と〈新たな政治的情熱〉を開発することで、政治の未来を想像することと関わっている。

この展覧会で明らかとなったのは、ある政治的立場を取るときにふつう結び付けられる態度や情熱のレパートリーリーでは範囲が狭すぎるということだった。非西洋の伝統や、古典的な政治哲学、現代科学技術、新たなウェブ空間、さまざまな表象装置の中に、政治的反応を示す手段は色々と見出すことができる。国会はそれらのほんの一部に過ぎない。とすれば、「〈オブジェクト指向〉民主主義」と「モノへの回帰」を試してみない手はあるだろうか？

公衆を形成すること

会場にいるあいだ、来場者はそれと気付くことなく、この新たな政体の骨格に肉付けを試みる見えない作品のアクターとなり、かつスクリーンともなる。私たちの行動がもたらす意図も想定もしなかった結果について集合的に探究することが、米国の偉大な哲学者ジョン・デューイの言葉を借りれば、「来るべき公衆のための」唯一の道である（1927）。これこそ私たちがこの展覧会で来場者を使って試みたことである――彼ら／彼女らを組み直し、まったく新しいモノ、新しい議会の一部とすること。

ウォルター・リップマンによる「幻の公衆」（1925）という概念のおかげで、私たちは公共圏や一般大衆がいつでも同じ形をした生物学的身体ではなく、絶え間なく手入れしなければ消滅してしまう儚い何かであることを知っている。公衆の利害や一般大衆、あるいは特定のモノや世論の構成に関する問題は非常に幅広い。デューイの『公衆とその諸問題』（1927）をパラフレーズして、次のように言うこともできるだろう。公衆の問題とは公衆それ自体のことである、なぜなら公衆それ自体がつくられるもの、それも先んじてパブリックにされた無数の諸問題によって形づくられるものだからだ、と。まさにこの理由によって、誰もが――マスメディア、文化機関、政治が――、公衆という幻を捕まえるのに苦労を強いられている。したがって、「モノはいかにしてパブリックにされるか？」という問いは複数の問題を含んでいる。モノはいかにしてつくられるか？　公共圏はいかにしてつくられるか？　公衆はいかにしてつくられるか？　モノはいかにしてパブリックにされるか？

かつては、理性が公共空間を律していると広く信じられていた——公共圏のカント的な理想である。一八世紀の新たな公共空間である自由市場において、意見の自由な交換、つまり知の市場が展開された。この意見の自由市場はリベラルな民主主義のあらわれであり、市民はこれを特権階級や教会による意見形成の独占を攻撃する武器として使用した。主権者たる市民は、公共空間で、公衆の関心事について理性的な合意形成をすすめる議論に参加した。原則として国家は公共空間にいる市民に対し責任を負っていた。二〇世紀には、マスメディアと政府の双方が世間に浸透させた公的利害と私的利害のために、この公共空間は消滅していった。一九二〇年の時点で国の官僚機構と市場はメディアを世論操作のために利用し始めていた。ハーバーマス（1962）が言うように、公衆は「思考する文化的公衆」から「文化を消費する大衆」へと、つまり能動的主権者から受動的消費者へと変容させられた。しかしリップマン（1925）によれば、代議制民主主義が拠って立つ「全能の主権者たる市民」はすでに存在していなかった。代議制民主主義を正当化し、機能させるための、十全な判断の根拠となる情報や議論へのアクセスをもはやどの市民も有していなかったのである。このことは、代議制民主主義は幻想となってしまっていたのかという疑問を生じさせる。

ブルース・ロビンスによって一九九三年に編まれた『幻の公共圏』という論集で、著者たちは、すべてを知っている市民なるものは、そもそも民主主義の理想を相対化するために描像されたおあつらえの幻影に過ぎないと論じた。これを理由に、彼らは社会問題に一般的な解決策を提示するよりも、実際の個別の問題に対して人権の観点に則って解決策を示すべきだと考えた。公衆ないし公共空間の流動性——ひとつのモノとしてピン留めできない幻のような性質——は、実はそれ自体、民主性の条件である。したがって、公衆は幻であるという考え方は、政治の定義を、何をしようとも変わらずそこにある物体的なものから、うまくことを運ばなければいつ止まってもおかしくない運動へとシフトさせうる、強力な知的コンセプトである。つねに変貌する「幻の公衆」ないし「公衆の幻」は、それ自体民主主義のあらわれである。民主主義においてはあらゆる力は人々から生じてくるが、人々をある全体や特定の身元を持つものとして定義することはできないし、かといってそれは無定形な人々の群れというわけでもない。権力は誰のものでもないが、それゆえにその都度再構成され正当化されなくてはならない。公共圏や一般大衆を抜きにして民主主義について語ることは不可能である。この公共圏は、一部の社会学者が嘆くように失われてはいない。失われたように思われるのは、その表象が変化したからに過ぎない。仮にブルジョワの公共圏が消失したとしても、全体としての公共圏が消滅したというわけではない。これまで見慣れていた場所には見えなくなってしまっただけで、他の場所に異なる形で存在するはずの公共圏を、あるいはデリダ（1991）が言ったようにつねに変貌しているそれを、新たに見つければいいのである。そのうえ、もしこの公共圏というものが社会の成員みなに関わる普遍的なものでなくなったとしても、副次的な諸圏域にそれは存続するだろう（Negt and Kluge［1972］が「プロレタリア公共圏」として描出したもののように）。となれば、今日の民主主義の使命は、マイノリティ／マジョリティについて、ないし支配的な／周辺的な意見について語ることではもはやなく、複数の公共圏における意見の複層性を尊重することにある（Warner 2002）。

過激な反民主主義的情動が広まるのは、マスメディア、とりわけテレビを通じてである（Bourdieu 1996）。これに対し、双方向メディアアートから仮想実験室に至る公共圏の新たな諸形態及び種々のフォーラムは、コーヒーハウスやクラブ、ディベートクラブ、連盟といった初期の公共圏が持っていた役割を果たしている。そのためこれらの新形態は新たな民主主義にとってたいへん意義深いものとなっている。もし立憲民主主義が、アルフレート・ミュラー＝アーマックの言う「社会的市場経済」や福祉国家とともに崩壊しつつあるとすれば、民主主義への信頼もまた消え去ってしまうだろう。このことが、民主主義というアイデアを再起動させ続けることの重要性をいっそう高めている。

幻影《ファントム》

こうした考えを追究するために、デジタル表現を得意とするアーティスト、ミシェル・ジャフレノーとティエリー・コーデュイに展覧会をデザインしてもらった。各個人が自分たちの行動の予期しない結果や影響に取り込まれていく、変わり続ける流動的な公共圏の中にいるのだということを、彼らは来場者に伝えようとした。そして「擬–不可視的な作品」(Jaffrennou & Coduys 2005, p.218)としての《幻の公衆《ファントム・パブリック》》が出来上がった。これは会場内の一カ所に展示される作品というより、「モノをパブリックにすること」展の会場じゅうに配置された音響視覚効果の総体である(図1)。《幻の公衆》の働きは照明・音響効果の変化や、いくつかの展示物のオン・オフ(場合によりプリセットのパターンで動作)によって示された。

来場者には個別の周波数IDが付されたチケットが配られた。来場者の動きは追跡され、《幻の公衆》の挙動を司るソフトウェアにその人数や位置情報が蓄積された。《幻の公衆》の挙動は他にも「カールスルーエの気候、日時、《幻の公衆》の「気分」」(Jaffrennou & Coduys 2005, p.220)や、会場内の特定のボタンが来場者に操作された場合などに左右された。つまるところ、政治が不可知の流れとして人々のあいだを通り過ぎていくように、自分が原因かどうかも曖昧なままに——ときには因果関係は明確だが、ほとんどの場合は不明瞭だ——、「何かが起きている」という不安交じりの予感を来場者に感じさせることがそのコンセプトだった。こうして、来場者は自ら訪れた展覧会を形づくる——誰もが都度、独自の影響を及ぼす——だけでなく、「ファントム」の働きが投影されるスク

図1　「モノをパブリックにすること：民主主義のさまざまな環境」展 2005 年、ZKM）展示風景。ミシェル・ジャフレノーとティエリー・コーデュイによる《幻の公衆》のインスタレーション。展覧会来場者の動きに基づく双方向的で可変的なバーチャル・セノグラフィー。© the artists, photo © ZKM｜Center for Art and Media Karlsruhe, photo: Franz Wamhof.

リーンともなる。言い換えれば、この作品ではあえて、来場者の集合的振る舞いをモニター等で見せるのではなく、その場で生成される効果を一人ひとりが体験するように仕掛けたのである。

ホッブズの『リヴァイアサン』の口絵は大勢の身体によってひとつの身体をあらわしていたが、民主的社会についての現代の書籍なら、ジャフレノーとコーデュイの《幻の公衆》をその扉に載せるだろう。なぜならそこでは、公衆は表象されておらず、かつ公衆自身が自ら考察対象とするシステムの一部となっているからだ。展覧会全体が、それが示そうとするもの自体であるような相互参加型の作品となる――諸集会の集会、諸議会の議会、新たな政治的集まりのあり方。展覧会の全体が来場者の振る舞いに反応する。来場者は公共圏の代表者として振る舞い、同時に公共圏を形づくるのである。

オブジェクト指向民主主義

この展覧会そのものが真のコモンウェルスであり、「モノ」たちの関係性から立ち上がるコモンウェルスのモデルであった。この展覧会では、あらゆる展覧会はそもそもアセンブリであるということが示された――それも政治的性格を備えたアセンブリであるということが。また、「モノ」ベースの公的なアセンブリを構成する本質的なものも劇的かつ明快に示された。それは技術、インターフェース、プラットフォーム、ネットワーク、メディア、そして「モノ」たちの複雑な組み合わせである。まさにこのようにして、展覧会そのものが「オブジェクト指向民主主義」のモデルとなった。つまり本質的に「集まり《ギャザリング》」ないし「モノ」となったのである。来場者の振る舞いが刻一刻と影響や反応、変化を引き起こすことで、新たな公共圏が繰り返し生み出された。

この意味で本展とそのデザインは、たんに「オブジェクト指向」民主主義のイメージないし共和制（*res publica*）のモデルとなっただけでなく、民主的「集まり」を構成していた。小さな諸身体からなる巨人の身体ではなく、多数のモノや動き回る来場者たちの多様さからなる幻影であったというまさにその美点によって、この展覧会はあの歴史的・政治的身体としての、秩序立った諸身体から構成される戴冠巨人リヴァイアサンとはちょうど正反対のものを表現していた。民主的な公共圏はひとつの「身体」でもなければ、諸身体からなる機構でもない。民主主義は諸身体の幻影、捉えどころのない諸身体のイリュージョン、運動し行為する諸主体の動的なネットワークである。民主制の最先端における技術《アート》は、もはや身体の解剖学的イメージではなく、現れつつあるシステムによって起動されるような諸主体の振る舞いにある。この展覧会の意図は、イメージを通じて民主主義の魅惑的な精神を表現することでも、観客を魅了することでもなく、民主主義を上演することにある（Weibel 1999）。民主主義を表象することはできない。ただ「上演する」ことができるのみである。同様のことは、「ファントム」が示すとおり、民主主義の技術《アート》についても言える。

同時に言えることとして、来場者はもはや特権的な観客としての地位を失う。誰も最高権力者にはなれない。それでも一人ひとりの行動が状況に影響を及ぼし、他の来場者の見るものをも変える。ここでは来場者は互いに対等である。別の言い方をすれば、この展覧会は「国家抜きの国家」のカウンター・イメージを示すものとなっている。というのも近代国家はいまや人間の敵として立ち現れており（Neumann 1942）、かつてホッブズが思い描いたような自然状態の人々を保護する人工建造物としての国家ではもはやないという事実は、まさに今日のグローバル社会のひとつの特質となっているからである。今日の国家は人々を市場の力から守るというより、それに晒しているように思われる。

国家の神話と民主主義の違いを示すには、盲人を導く盲人の喩えも有効だろう。ピーテル・ブリューゲル《盲人の寓話》（1568）は聖書の一節を題材としている。「そのままにしておきなさい。彼らは盲人の道案内をする盲人だ。盲人が盲人の道案内をすれば、二人とも穴に落ちてしまう[†2]」。この絵には、前の人の肩に手を置いて歩く盲人の列が描かれているが、彼らを導く先頭の男はいまにも穴に落ちようとしている。キリスト教信仰を持たない者は真理が見えず奈落に落ちる、というのが慣例的な解釈である。しかしこれは信仰のイコノグラフィであるだけでなく、国家の絶対的権力によってものごとが見えなくなる人々の政治的イコノグラフィでもある。盲人を導く盲人、これほど完璧な全体主義のイメージはない。そして、どんなに強い権力も庶民より見通しが利くわけではないという点

†2　日本聖書協会『新共同訳　新約聖書』マタイによる福音書一五章一四節。

にこそ民主主義の意義がかかっている。この絵画は〔政治を導くのにふさわしい〕適格な能力に関わる問いを投げかけている。この適格性を満たすために必要なのは政治の民主化である。私たちはみな盲人、つまり法的に不適格な主体だが、互いに協力することで適格な能力を得ることはでき、新たな道具とメディアの力を借りればよりよく見通すことができるようになる。私たちはまさに民主主義のための道具を進歩させたいと思う。民主主義の実験室を拡大し、芸術及び科学の道具、技術《テクニック》、器械、装置、方法を包摂していくこと。言い換えれば、議会主義を補完すること、ただし表象=代表による手段だけでなく、議会的なるものに新たなテクノロジーとインターフェースを付け加えることによって。政治における代表制の危機は、芸術における表象の危機と鏡合わせの現象である。今日の民主制の危機は、適格な能力の危機である。

パフォーマティヴなものの力

なぜミュージアムがこのような展覧会実験のために使われなければならないのだろうか。それは社会科学と政治哲学の仕事ではないのか。仮に政治を上演することが問題であるなら、展覧会はいかにして路上で行われる本物の政治「デモ」の真似ごと以上のものとなることができるだろうか。もし政治を行うことがもはや不可能なのだとしたら、私たちがここに素描したような展覧会は、アプリオリなアイデアのたんなる退屈な再現以上のものとなりうるのだろうか。こういった問いに答えるためにこそ、実験というコンセプトを真剣に捉える必要がある。「モノをパブリックにすること」展で私たちが取り組んだように、未実現のアイデアを試してみるには模擬的な空間をつくり上げるしかない。だが、私たちの実験の成否はどうだったのだろうか。私たちがつくった諸集会の集会は、来たるべき「モノの議会」を現実的に予期するためのものとなりえただろうか、それとも意味をなさないがらくたの寄せ集めに過ぎなかっただろうか。来場者のフィードバックは集めていないが、私たちは展覧会の最後に、来場者が自らこの展示の成否を測ることのできる最終実験を設けた。展覧会の鍵となる問いは、アーティスト、政治家、哲学者、科学者、そして来場者たち自身が、客体の美学からモノの美学へとシフトできたか否かであった。最後の二枚の壁面がオットー・ノイラートのアイソタイプ——統計データを視覚化するために開発されたアイソタイプには、当時の科学哲学（論理実証主義）と政治学（「赤いウィーン」の社会主義）、そして美学（バウハウス）の典型的なモダニスト的結びつきを見てとることができる——で占められているのがなぜなのか、一見して理解するのに少々手間取ったかもしれない。これは実際、展覧会実験の反証可能性を確保する手法の好例と言えるだろう。「モノをパブリックにすること」展を後にする来場者が、現代の困難さに対して私たちの提示した解答よりもノイラートのモダニスト的解答の方が効果的で理性的で受け入れやすく、かつ政治的に正しいと——あるいは、「モノ性」より客体性の方が前向きだと——結論付けたとしたら、私たちの展覧会は失敗だったことになる。他方で、最後のアイソタイプのコーナーで来場者がモダニズムに対する一種のノスタルジアを感じ、かつ現代の諸問題がもはやそうした哲学や政治、デザインでは解消されえないと感じたなら、私たちの実験は成功だったということだ。もしそうなら、私たちがこの展覧会実験で予見したように、次は来場者たちが自ら諸議会の議会を、諸集会の集会を組織する番である。

　モダニズムの美学的客体は、閉じた客体だった。モダニズムそのものが、機械駆動の工業革命に対する芸術からの応答であった。ポストモダンはポスト工業主義の、コンピュータによる情報革命に対する芸術の応答である。情報社会においては、美学的客体がエーコ（1962）の言う「開かれた作品」となるだけでなく、そうした作品自体が消滅し、上演すること、互酬的な行動、行動の選択肢のための手引きに取って代わられる。作者、作品、観者のあいだに生まれる新たな関係性が上演のための開かれた場となり、そこでは機械、プログラム、多様なユーザー、来場者たちといった新たな演者が対等に活動している。

現代の前衛芸術家たちは、作品へのアプローチを修正し、新しい上演形式を取り込むことで、変わりゆく社会に繊細に反応している。彫刻、イメージ、テキスト、音楽の上演形式はその実践内容を決める。それゆえ、私たちは「パフォーマンス的転回」を語らなくてはならない。そこではテクノロジーやコンピュータを用いたアートが決定的な役割を果たす。作品が双方向的であるとき、鑑賞者はこの上演の場におけるもう一人の演者《アクタント》となり、他のすべての存在と対等の権利を持つ。作品はいまや自律性や絶対性、最高権力の実現しえない理想であることをやめ、奉仕の実践となったのである。

こうして美学的客体は崩れ去り、その地位は上演の場に取って代わられる。もちろんそこは言葉による手引きやパフォーマンスにのみ占められるのではない。なぜならモノたち自体が行為する行為者《アクター》となるからだ。所与の選択肢と場は、行為のメディウムとして奉仕する。社会の構成体としてのアートは社会的なものの構成を促す。芸術的実践が美的生産物に取って代わる。その実践は客体に基づくこともあれば客体から解放されていることもあるだろうが、いずれにせよ上演のためのスコープを拡大するものである。したがってこの完全な、相互作用的な、物理的に来場者ありきの展覧会は、私たちの「オブジェクト指向民主主義」のコンセプトを反映している。それが示すのは展覧会実験それ自体である——すなわち、歴史上初めてのパフォーマンス的民主主義である。

【原注】

＊1　http://www.iconoclash.de/ (accessed August 2006)

＊2　http://makingthingspublic.zkm.de/ (accessed August 2006).

【参考文献】

Besancon, A. 2001. *The Forbidden Image: An Intellectual History of Iconoclasm*. Chicago: University of Chicago Press.

Bourdieu, P. 1996. *Sur la télévision. Raisons d'Agir*. Paris: Liber.〔ブルデュー、ピエール　二〇〇〇、『メディア批判（シリーズ社会批判）』桜本陽一訳、藤原書店〕

Derrida, J. 1991 *La Démocratie ajournée*. Paris: Minuit.〔おそらく正確な原題は、*L'Autre cap: suivi de La Démocratie ajournée* のことと思われる。邦訳は以下。デリダ、ジャック　二〇一六、『他の岬　ヨーロッパと民主主義 **【新装版】**』高橋哲哉・鵜飼哲・國分功一郎訳、みすず書房〕

Dewey, J. 1927. *The Public and its Problems*. Chicago: Swallow Press.〔デューイ、ジョン　二〇一四、『公衆とその諸問題　現代政治の基礎』阿部齊訳、ちくま学芸文庫〕

Eco, U. 1962 *Opera Aperta*. Milan: Bompiani.〔エーコ、ウンベルト　二〇一一、『開かれた作品（新・新装版）』篠原資明・和田忠彦訳、青土社〕

Habermas, J. 1962. *The Structural Transformation of the Public Sphere*. Trans. T. Burger with F. Lawrence. Cambridge: Polity Press.〔ハーバーマス、ユルゲン　一九九四、『公共性の構造転換　市民社会の一カテゴリーについての探究（第2版）』細谷貞雄・山田正行訳、未來社〕

Jaffrennou, M. and Coduys, T. 2005. "Mission impossible: giving flesh to the phantom public". In B. Latour and P. Weibel (eds.), *Making Things Public: Atmospheres of Democracy*. Karlsruhe: Zentrum für Kunst und Medientechnologie, and Cambridge, Mass.: MIT Press, pp. 218–23.

Lippmann, W. 1925. *The Phantom Public*. New York: Harcourt Brace & Co.〔リップマン、ウォルター　二〇〇七、『幻の

公衆』河崎吉紀訳、柏書房〕
Negt, O. and Kluge, A. 1972. *Öffentlichkeit und Erfahrung. Zur Organisationsanalyse von bürgerlicher und proletarischer Öffentlichkeit*. Frankfurt: Suhrkamp.
Neumann, F. L. 1942. *Behemoth: The Structure and Practice of National Socialism*. New York: Oxford University Press.〔ノイマン、フランツ　一九六三、『ビヒモス　ナチズムの構造と実際 1933 –1944』岡本友孝・小野英祐・加藤栄一訳、みすず書房〕
Robbins, B. (ed.) 1993. *The Phantom Public Sphere*. Cultural Politics, 5. Minneapolis: University of Minnesota Press.
Warner, M. 2002. *Publics and Counterpublics*. Durham, N.C.: Duke University Press.
Weibel, P. 1999. *Offene Handlungsfelder*. Cologne: DuMont.

リセット・モダニティ！　——フィールドブックから①

どちら へ行ったら良いか分からなくなったとき、スマートフォンのコンパスが故障したとき、みなさんならどうするでしょうか。

リセットしますよね。その手順は状況や機器によって違うにせよ、方位磁針がふたたび信号を正しくキャッチできるようにするには、ともあれ落ち着いて、注意深くインストラクションに従う必要があります。

この「リセット・モダニティ！」という展覧会では、似たようなことをみなさんにしていただきたいと思います。私たちの生きるこの時代が発している錯乱した信号を捉えるための機器を少々、リセットするのです。ただし、ここで再起動したいのはコンパスのような単純な機器ではなく、世界をマッピングするための漠然とした投影方式のようなもの、すなわち、近代性です。

近代性は、過去と未来を、北と南を、進歩と退歩を、急進性と保守性を区別する方法論でした。しかし深刻な環境変化の時代にあって、そのコンパスは壊れてぐるぐると回りだし、もはや進むべき方向を知るには役立たなくなってしまいました。

だからいまこそリセットしなくてはなりません。ちょっとだけ立ち止まり、手順に沿って新しいセンサーを探してみませんか。私たちの探知機や器械を再起動し、現在位置を確かめ、どこへ向かうべきかを新たに感じるために。

もちろん、ここから先は保証外の用法です。これは実験、思考実験、思考展示（*Gedankenausstellung*）なのです。

フィールドブックの使い方

このフィールドブックが展覧会を訪れるみなさんのガイドとなります。

展覧会の順路は六つの手順に分かれており、少しずつリセットを進められるようになっています。

各ページには、作品との照合を容易にするための手順番号と作品番号、写真が掲載されています。

作品の簡単な解説文と、キュレーターがなぜその作品をそこに配置したかを説明する文章を読むことができます。

「フィールドブック」という名前が示すとおり、みなさんにはちょっとした調査をしていただくことになります。

各手順には「ステーション」と呼ばれる一種の作業所が割り当てられており、そこでより詳細な情報を得たり、調査内容について議論したりすることができます。

導入　連絡を取ろう！

《アフター》は、アメリカ人作家デヴィッド・フォスター・ウォレスから借用したアナロジーを通じて、あるポストモダン的感覚を取り上げています。花火が煌めく夜空の映像に重ねて、語り手は次第に居心地が悪くなってくるパーティについて語ります。

私たちはどうやってある世代から次の世代へ文化を引き継ぐのでしょうか。私たちはどうやって時間と空間のなかで自分の方向を見つけるのでしょうか。これは大変な難問です。とくに自らを「近代人」あるいは「ポストモダン」と位置付ける人々にとって、伝統や文化的遺産との関係性は一筋縄では片づけられません。そうした人たちは、伝統を打ち破り、過去という重みから解放されることを自らに課してきたのではないでしょうか。しかし、何のための解放だというのでしょうか？　ポーリーン・ジュリエルは、こうした問題にすべての世代が新たに直面していることを描き出しています。

手順A　グローバルなものを再ローカル化する

現代では何もかもがグローバルだと考えられていますが、実際には真にグローバルな眺めを見た人はいません。本当は誰もがローカルに、自分のいる場所から、特定の機器を通して見ています。自分の指針をリセットしたいと願うなら、私たちはこのローカルな視点を考慮に入れるべきでしょう。そのためには、ひとつながりに見える「グローバルな眺め」の中にも実は存在している、多くの溝や断絶に意識を向ける必要があります。

科学的世界観をより正確なものとするためには、多種多様な機器や技術者や科学者たちの専門性を隔てている断絶を可視化することが重要だと私たちは考えています。こうした人たちこそ、観察者を銀河の果てから原子の粒まで案内するために、異なる視点をつなぎ合わせなければならない人たちなのです。

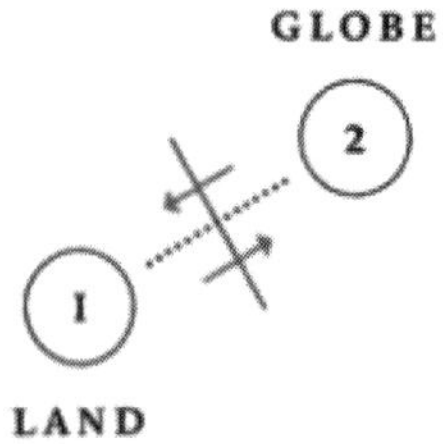

進歩、前進、解放、自由、自律——西洋の人々と西洋化の影響を受けた多くの非西洋人たちが向かおうとするのは、この方向でしょうか？

ある人々は前進によって、ある人々は抵抗と後退によって、そうしようとしています。私たちはこれまで「進歩的」な人々と「反動的」な人々をこうして区別してきました。

この動線にどんな名前を与えたらよいでしょうか？

まずはこれを国土《ランド》からグローバルな世界に向かう線だと考えておきましょう。

手順B　世界の外で、あるいは世界の中で

近代の伝統的な考え方によれば、観者と風景のあいだには完全な区別があります——ここから、物質世界は外の世界だという考え方が生じます。しかし、このようなシナリオはまったくもってモノの「自然な」秩序ではなく、たんに観察者の役を割り当てられた人と、観察される役割を与えられたものとの関係性を演出するひとつの方法に過ぎません。

このように考えると、私たちが自然とのつながりをどう経験するかを説明するのは難しくなります。西洋人は一定程度、絵画から「主体」の役割の演じ方を学んできました。もし私たちが世界との関係性をリセットしたいと望

図 1 「リセット・モダニティ！」展手順B「世界の外で、あるいは世界の中で」展示風景。左の壁が諸資料を配した「ステーション」で、手前の什器にデューラーの『測定法教則』(1525)が、グリッドを用いた透視図法の解説ページを開いて置かれている。中央と右はそれぞれジェフ・ウォールの《アドリアン・ウォーカー、ブリティッシュコロンビア大学解剖学科の研究室で標本を模写する画家》(1992)、《フィールドワーク：2003年8月、ブリティッシュコロンビア、ホープ、グリーンウッド島、旧ストーロウ国村住居跡の発掘調査。ストーロウ族ライリー・ルイスの協力を得るカリフォルニア大学人類学科アンソニー・グレーシュ》(2003)。© Jeff Wall, Photo © ZKM|Center for Art and Media Karlsruhe, photo: Jonas Zillius.

むのであれば、この舞台がどのように上演されてきたのか見直す必要があります。世界を外側から眺める代わりに、世界の中にいることができるかどうか、ここで試してみましょう。

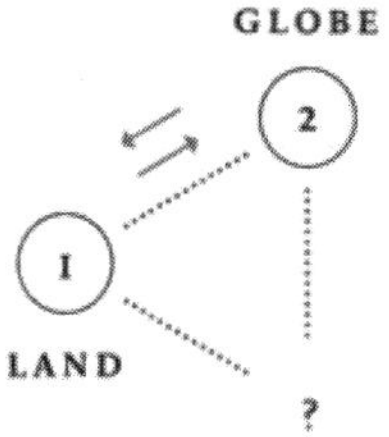

グローバルな世界の無限拡張に向かう進歩は、他人の土地への拘束や、国家や文化、伝統、身分によって規定される単一の確固としたアイデンティティからすべての人が脱却することによって、いつまでも続くものと期待されていました。そうした不可逆的な運動が「グローバル化」と呼ばれました。

左派と右派は何ごとにおいても異なるものですが、この運動の方向性だけは共有しています。「国土」にしがみつく人々は、主観的でロマンティックで時代遅れな幻想の虜とされました。客観性こそが向かうべき方向でした。

他方、無限の近代化という考え方に対する警告として、三つめの極が現れようとしています。さしあたりクエスチョンマークとしましょう。

手順C　責任を分有すること――崇高さへの別辞

一八世紀、自然の力（火山、嵐、洪水、地震）に対して人間は無力だという感傷は、人間精神は自然の力を超克できるはずだという確信とひとつの対照をなしていました。

人間が崇高さを感受できるという〔奇妙な〕事実は、この対照からもたらされたものです。ただしこの崇高という感覚は、自分が自然のスペクタクルから守られた位置にいるときにだけ感じられるものです。二一世紀にそんな安全地帯はもはや存在しません。私たちの時代は「人新世」――人間が地質を変化させるほどの力を持った時代なのです。

人間と自然のこの新しい関係においては、もはや鑑賞者の位置はありません。「向こう側で」起きていることの原因が自分だとしたら、崇高を感じることはできないでしょう。この新しい時代に適切な、道徳的な立ち位置を具体的に想像することができますか？　人間は大きくなりすぎました、それなのに、魂はあまりにも小さくなってしまったのです！

グローバル化に向かう途上で奇妙なことが起りました。グローバル世界が何か違ったものへと変化を始め、近代化主義者たちの無限の遊技場から、問題だらけで制限の多い「環境」になろうとしています。

客観的なグローバル世界の背後に、新たな世界が現れました。グローバル世界と同じように客観的でありながら、異なる物質でできており、態度を改めることを要求する世界です。

ある人々はそれを守るべき「自然」だと考えました。また別の人々は古き国土への回帰を叫び始めています。残りのほとんどの人々はその存在を無視して、グローバルな世界に視線を注ぎ続けています。

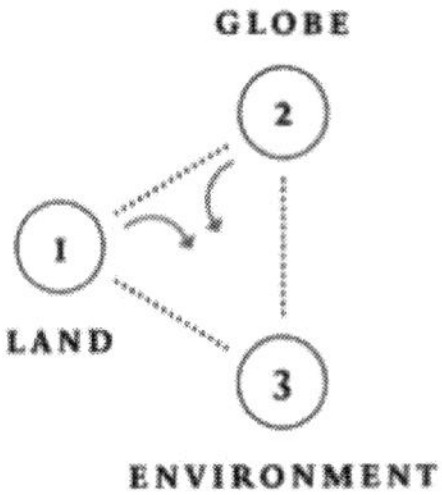

手順D　国土から係争領土へ

歴史を通じて、豊かな国々は新たな国土を占領しつつ、「グローバルな世界」と呼ばれるどこでもない土地に向かって進み続けてきました。次第に、そうした国々は自らの国土と領地の構成を定義しなおす必要に迫られるようになりました。

奇妙にも、グローバル化の空間はほとんど実空間ではないか、あるいは少なくとも土壌を欠いています。その中を動くことは、平面の地図上を動くことに似ていました。今日では事情は異なります。土壌の復讐です！　土壌を上から平面的に見るのではなく、下から垂直と眺めたらどうなるでしょうか。クリティカルゾーンを掘り崩しかけている「ブルー・プラネット」を眺める代わりに、すべての生命体の住処となっているこの惑星の薄い皮膜をよく探求してみたらどうなるでしょうか。明らかに、この新しい、立体としての土地を地図にすることはかなり難しいことが分かります。私たちには、この入り組んだ循環構造の数々に注意を向けるための検出器やセンサーが必要です。

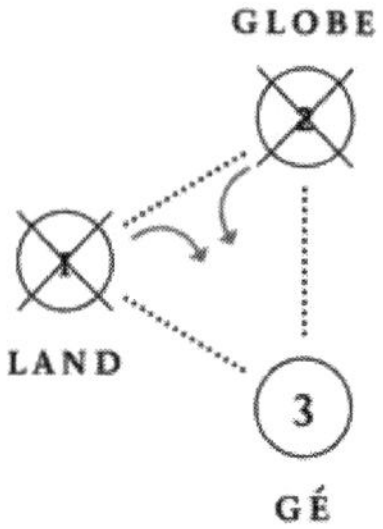

突如として、あらゆる人の注目が、伝統的な国土と近代のグローバル世界の両方に似た、新しくて古い世界へと向けられることとなりました。しかし、これはまったく別の場所にある世界なのです。私たちの下、足元に、この惑星の真っ暗な深奥に。

この世界にはまだ名前が付けられていません――自然とは異なります。ある人々はこれを「ゲー」あるいは「ガイア」と呼び、別の人々は「地球《アース》システム」と呼んでいます。

確かなことは、私たち誰もが懸命に辿り着こうとしていたグローバルな世界は、ユートピア――どこでもない場所――になってしまったということです。他方、私たちが後にしてきた国土もまた、ふたつめの失われたユートピアとして、消失してしまいました。

手順E　迷信からの脱出、ようやく！

近代人たちは宗教の桎梏を打ち破ることに習熟してきたようですが、それでもなお新たな宗教戦争の真っただ中にいます。近代人はいまだに「世俗的」の意味を掴みかねています。自分をこの地球の上に立たせるには、近代人はまだ宗教的すぎるのでしょうか？　それともあまりに非宗教的なのでしょうか？　宗教のエネルギーを飼いならすことは、政治のエネルギーと同じく困難です。それらふたつを合わせれば、途方もない暴力を解き放つことになるでしょう！　本当に現世的になること、つまり地球に気配りができること、どうやらそれはたいへんな難事業のようです。

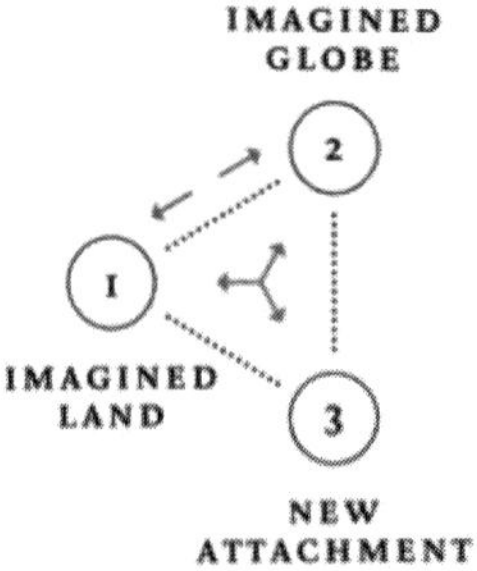

私たちは全員、迷子なのではないでしょうか？　アイデンティティの古い国土へ――もはや幻想となった共同体を再創造して――戻りたがっている人々も、蒸発してしまった無限のグローバル世界にすがりつく人々も？

誰もが壊れかけの古びた土台を使って宗教を改修しようとしているせいで、収拾がつかなくなっています。

他方で、高邁な大志と現実への新しい愛着を測る尺度になりうる新たな基準線が現れています――新しい土台が、まだ不確実な姿で、下の方に。

手順F　ハイプでない技術革新《イノベーション》

私たちは技術《テクニック》が大好きですが、技術を嫌うのも好きです！　技術が少しでも不気味な挙動を見せるとすぐに、私たちはフランケンシュタインの亡霊を呼び出します。人工的な環境で生きることにあまりにも慣れ、人工物に依存しすぎているせいで、技術が何をするものなのかしばしば忘れてしまいます。私たちは技術がどのようにつくられ、メンテナンスされ、正常に動作し続けるものなのか、ほとんど知りません。それらの存在様式は謎めいています。それらは、せいぜい回路図さえ見れば理解できる物体《オブジェクト》だと思われています。しかしながら、それらが世界に登場してくるのは物体としてではなく、いつでも事業《プロジェクト》としてなのです。技術は歴史に彩られ、軋轢に満ち、意図せぬ成り行きで溢れ、ジグザグな軌跡を描いて世界に登場します。技術についての説明にそぐわないものがひとつあるとすれば、それは制御です。したがって、技術に可能なことを誇大広告《ハイプ・アップ》しないことが必要であり、むしろ「技術のケアをすること」、これが新しいモットーとなるのです。

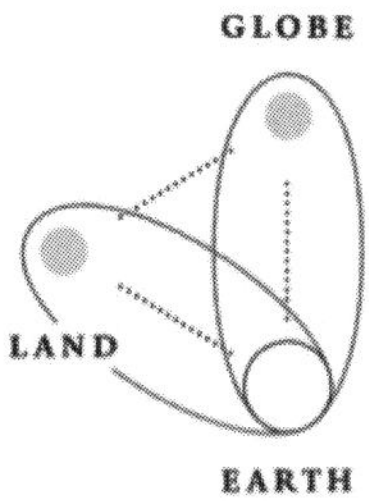

この新たな磁極――地球《アース》――へ向けてコンパスをセットし直せたのだとしたら、自分の立ち位置を定位し、守るべきものを確定させるために、私たちは新しい三角測量を始めることができるでしょう。新しい諸領域は、古い国土とも、もはや時代遅れとなったグローバル世界とも一線を画しています。

複数の保護層、あるいは環世界を立ち上げるために、そして昔日のグローバル世界よりもずっと複層的で込み入った世界へと漕ぎ出すために、いまや安心できるアイデンティティを探し求める人々との新しい連帯が可能となりました。

技術革新とケア――離れ離れになっていたふたつの単語――はふたたび結合できるでしょう。どうしたら技術を愛することが、真に愛情を注ぐことができるでしょうか?

ミュージアム・オブ・オイル

「リセット・モダニティ!」展にあわせ、「ミュージアム・オブ・オイル」展では重層的な領土を地図として描き出すことにまつわる問題に光を当てます。

みなさんは石油を使っていた時代のことを覚えていますか? このありえない未来における博物館は、あるもっとも緊張した地政学的状況へと来場者を導きます。地球システムを変化させるほどの二酸化炭素の影響力によって左右される、地下――地質的に生成される化石燃料――と地上――大気――の緊張関係です。この変化に抵抗するには、政治的判断によって私たちの経済を変えなければならないでしょう。しかし明らかなのは、この改革が十分なスピードで行われることはないということです。テリトリアル・エージェンシーは、フィクションを通じてそれを実施することを提案しています。私たちの石油依存を狩猟採集経済のような遠い過去として想像しながら、この博物館を訪ねてみましょう。

終章　中間地帯を求めて

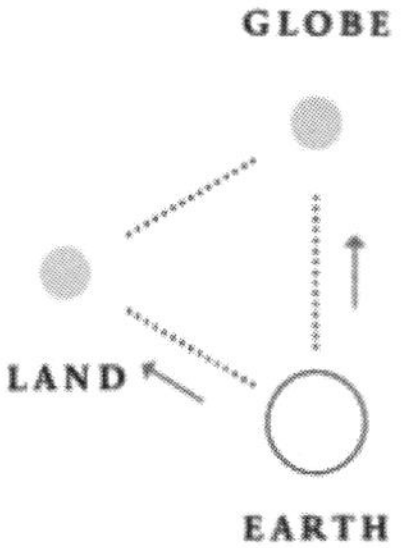

今度はみなさんが自分自身をリセットする番です。国土からグローバルな世界へ向かう直線上ではなく、別の角度から三角測量をしているのだと考えてみてください——新たに出現した、まだ謎めいているこの地球から。

どうやって、あの国土に対するあなたの愛着の中から、一番大切なものを見極めますか？

どうやって、あの近代化するグローバル世界へ向かうあなたの情熱の中から、この新たな第三極の審判に耐えうるものを選りだしますか？

あなたの敵と味方はそれぞれ誰でしょうか、何でしょうか？　前進と後退をどうやって見分けますか？

クリティカルゾーンとは？　——フィールドブックから②

ここがクリティカルゾーンの入口です！　クリティカルゾーンとは、地球科学者が考えた概念で、これまでうまく協働できなかった様々な専門分野をつなぐことができる考え方です。水、土、植物、岩石、気候、動物、どれを研究するにせよ、宇宙から見たいわゆる惑星・地球の全体と比べれば、いずれも〔地球の表層の〕ごく薄い領域に閉じ込められたものだと言えます。このクリティカルゾーンは、たった数キロメートルの厚さしかありません。そこが、幾累代ものあいだ生物たちによって作り変えられてきた地球上唯一の場所です。人が自らの感覚で直接経験できる世界も、そこだけです。

惑星のスケールで見た場合——宇宙のスケールは言うに及ばず——、人間の活動はほとんど目に見えません。しかし、クリティカルゾーンという薄くて脆い、高度に複雑な領域のスケールで見れば、そこらじゅうを引っかき回すような影響を及ぼしています。だから私たちは、自分の身体の仕組みについて知るのと同様、クリティカルゾーンがどんな振る舞いをするものなのかを学ばなければなりません。私たち人間は、自分の身体の健康状態を調べる器具や手段は無数に持っているのに、自分たちが住むクリティカルゾーンの健全度を調べる方法はあまり知りません。クリティカルゾーンには、私たちの生きる糧のすべてを与えてくれる生きものたちも住んでいるのに、です。

地球のほんの一部に過ぎないこの領域を「クリティカル」と呼ぶのは、私たちがすべてを依存しているこの場所が、ある種の集中治療を要する状態に突入したからです。その健康状態を保つためなら、どんな努力も惜しんではなりません。

みなさんをこれから、私たちの住む地球にとっての集中治療とは何なのか、そのスケールモデルの中へとご案内します。

1 観測開始――クリティカルゾーン観測所

重篤患者が集中治療室に入ったときにまず医者がするのは、患者の状態を精査するために色々な機器を使って種々の数値を測定することです。これと同じことで、地球のためにはクリティカルゾーン観測所（Critical Zone Observatory, CZO）を設立し、この領域の複雑で壊れやすい多様な構成要素をモニターする必要があります。それが過去どのように機能していたかを理解し、人類の活動とこれからどう折り合いを付けていけるかを想定するのです。アトリウム2では、そうしたCZOのひとつにみなさんをご案内します。カールスルーエから一五〇キロメートル、ヴォージュ山脈のオービュール村の近くに立ち上げられた、ストレンクバッハ観測所です。そこは様々な測定機器を備え、八〇ヘクタールの範囲をカバーする一種の野外研究所となっており、林冠の天辺から地下一五〇メートルまでのデータを集めています。

注意：こうして見るオービュールは、ヴォージュ山脈への観光客が見る風景とはかなり異なっています。みなさんにはむしろ、そうした風景を構成する様々な現象（水の循環経路、森林の生長、化学的風化、降雨パターンなど）を科学者たちがどうやって観察しているか、それをなるべくリアルに体験していただきたいのです。この風景を維持している要素のほとんどは、長期にわたるデータ収集と入念な観察を行わなければ目にも見えません。CZOのさまざまなセンサーは科学者たちに、普通とは異なる大地への感覚を与えてくれます。これらの感覚こそ、オービュールの住民がしているように、私たちが科学者と共有しなければならないものです。来場者のみなさんは、観測者となるのです。この観測領域では、複雑な機器を使う科学者たちがどのように地球の表層を観測しているかを体験できます。その中で、自分もまた大気や生物圏、水圏の自然な循環の一部だということに気付くことでしょう。みなさんは地球の上で暮らしているだけでなく、地球によって生きており、そのために地球を変化させてすらいます。このようにして、私たちが住んでいるこの土壌に対して私たちが行うことと、この土壌が集団としての私たちの行為に反応することとのあいだに、フィードバックの関係が成立しています。

2　私たちは自分のいる場所に住んでいない——ゴースト・エーカー

自分がどの土地に住んでいるか知っていれば、その土地を適切にケアすることはずっと簡単だったでしょう！問題なのは、自分の繁栄を支える資源を生み出してくれている土壌について、私たち自身、まったく無知であることです。私たちの国を区切る国境線と、私たちの資源を生み出している場所の本当の境界線は、まったく対応していません。なぜなら、クリティカルゾーンの働きをよく知らないためということもありますが、加えて、私たちの土地の境界線に関するふたつの定義のあいだに断絶があるからです。あなたはどこに住んでいますか、と誰かに聞けば、その人は地図を見て自分の家がある場所を指さすでしょう。しかし、あなたはどこから自分の豊かさを得ていますかと聞けば、その人は自分が依存している土地を指し示すために、別の地図を描かなくてはならないはずです。

このふたつ目の地図は「ゴースト・マップ」、もしくは「ゴースト・エーカー」の地図と呼ばれます（ケネス・ポメランツ）。それは地形図だけではなく、むしろ空間と時間の中に大きな広がりを持っています。たとえば国際貿易に、植民地政策の歴史に、何億年もかけて形成された石炭や石油やガスに、何億もの見えない生命体に、みなさんの生活は依存しています。それなのに自分の故郷（*Heimat*）の区域を指し示そうとするときには、これらの場所、土、存在、居住者たちはまったく無視されています。この展覧会の全体としてのアイデアは、みなさんが住む土地の上に、みなさんが依存している土地を重ね合わせる努力をいくらか注ぐことです。この重ね合わせがなければ、自分の土地を守ろうとするときに本当は何を守るべきなのかを知ることはできません。

3　私たちはガイアの中に住んでいる

地球をケアするのはとても難しいことです。地球が何でできているか、人の行為にどう反応するのか、私たちは感知することができません。レンガを積んで壁をつくる場合なら、レンガの重さや性質についてはよく知られているので、その態度や振る舞いをすべて予測することは可能です。しかし、一〇〇人のゲストを招待してパーティを開こうと思ったら、それとはまったく違った事態となるのは明らかです。全ゲストの個別の態度や振る舞いを予測し、色々な年齢や性格の人々が気分次第で取る予期せぬ動きとその影響に備えなくてはなりません。言ってみれば、みなさんが「自然世界」に住んでいると思うのか、「ガイアの中に」住んでいると思うのかによって、これと同じ対照性が生じてきます。

ガイアというのは、ジェームズ・ラブロックとリン・マーギュリスによって何年も前に定義された、驚くべきコンセプトです。クリティカルゾーン内の物的《マテリアル》世界を研究するには、生命体のさまざまな振る舞いを考慮に入れる必要があります。反対に、バクテリア、植物、動物を研究するには、それらが編み出してきた物的世界――その中にそれらは住んでいるわけですが――を考えなくてはなりません。たとえば、みなさんが吸い込む酸素は物的世界に初めからあったわけではなく、バクテリアや植物の活動の結果として存在しています。別の言い方をするなら、クリティカルゾーンの内部では、個々のあらゆる要素――岩石、ガス、鉱物、水、大気、土――が生命体の活動によってつくり変えられ続けているのです。その結びつきを無視するのは、蟻塚とシロアリの活動を分けたり、ビーバーダムとビーバーの行動を分けたりするのと同じことです。こうした視点は、私たちが「自然世界」と呼び習わしているものとの関わり方や理解の浸透に決定的な役割を果たしてきた、自然史博物館を再考することにも繋がります。

「自然」から「ガイア」へのシフトにより、まったく新しい領域への着陸が可能となります。いかにさまざまな生命体が他の生命体の居住条件を形づくってきたかについて、異なる見方ができるようになります。人類はどうすればこれらの居住条件を破壊するのではなく、維持し改善していけるのか、学ばなければなりません。

4　地球の便り

「地球の便り *Erdkunde*（Earth tidings）」は、ロマン主義の科学と芸術が見た法外な夢でした。この夢によれば、地球は聴く者に対しては便りをくれるといいます。それがとりわけ差し迫って伝えようとするのは、私たちがどんな場所、どんな時代にいるのか、という位置情報です。この情報はローカルなものとして与えられます。この特定の時点におけるこの地域、この経験のひらめきをもたらす、凝視されたこの風景、というように。地上のあらゆる場所は、進む時間上の地層に位置を持っています。地球の奥まった部分を見ること、鉱脈、洞窟、クレーターを覗き込むことは、ディープタイムへのショートカットであると同時に、「汝自身を知れ」との格言と実体的に等価な行為なのです。

ロマン主義絵画とロマン主義科学は、おぼろげで暗号のような地球の便りに耳を傾けようとします。そのためにはできる限り注意深く見なくてはなりません。それも、天文学者や宇宙論者のように空高くをではなく、地理学者や測量家のように広大な世界をでもなく、足下の地球を、大地を、です。

ロマン主義絵画は短い間に切迫感を失い、感傷的もしくは装飾的になってしまいました。ロマン主義科学は誕生時点ですでに終わったもののように無視されていましたが、人、文化、政治を巻き込んだもろくて動的なシステムないしプロセスとしての自然に対する先見の明があったゆえに、その後二世紀にわたって蘇生され続けてきました。

自分がどこに、どの時代にいるかを知ることによって、私たちは自分が何者であるかを発見します。私たちが地球上にいるということはもはや偶然ではなく、起源です。起源であるがゆえに、私たちに形、意味、方向性を与えてくれるのです。「ぼくたちはどこへ行くの」。ロマン主義を代表する文学者ノヴァーリスは書きました。「いつも故郷へ」†1。

このセクションに展示される現代の芸術作品は、地球の便りというロマン主義の考え方と共鳴する形で、特定の場所の感覚を捉えようとしています。チリの火山がもつ深層の歴史、スイスの森の音風景。それらは、科学的なセンサーと芸術的な感性によって見出されていきます。

5 テリトリーを描き直す

主権について語るときには、しばしば「国土《ソイル》」のメタファーが利用されます。しかし領土を語るときに、私たちを包んでいる大気のことを忘れてしまうのはなぜでしょうか？　クリティカルゾーンは私たちの頭上から足下へ数キロメートルの厚さを持つものであることを思い出しましょう。では、その中でどのように境界を引き直せるでしょうか？

一九世紀に国民国家が現れたとき、国同士を隔てる仕切りとして山や海が利用されました。こうして国家は司法

†1　ノヴァーリス　一九八九、『青い花』青山隆夫訳、岩波書店、二六五頁。

権力の及ぶ範囲を地理的に区画したのですが、それはいまやガイアの介入によってかき乱されている状況です。ハリケーンやいくつもの国にまたがる脅威、化学物質の雲。こうした現象はご存じのようにどれも国境などお構いなしに、司法の枠組みを超えたところで発生するものです。

このセクションでは、肉眼には見えないこの領域で起きている問題に関する論争を建築家たちに検証してもらいます。ペーター・スローターダイクが「大気テロリズム」と呼んだ問題や、「土地の主権を問題とする古い地政学的秩序がいかに大気の領域にまで拡張されたか」といった、ADS7によって明らかにされた新たな地政学的問題が取り上げられます。[*1]

6　テレストリアルになる

地球《グローブ》の上に住むことと、クリティカルゾーンの中に住むことは違います。不変の幾何学的物体の上に住むことと、自分の行動に応答してくる空間に織り込まれて暮らすことは違います。このセクションには、この違いの射程を見極めようとする試みが集められています。搾取構造や計画的陳腐化の悪循環から離れてプロダクトデザインを再考するもの。あるいは、こうした展覧会の炭素排出量を計算し、たんに量的に「オフセット」するのとは違う方法を提案する芸術活動家のプロジェクト。じっさい、ただ量的に埋め合わせるだけの方法では、どんな破壊行為にも同じだけの修復が可能だという幻想を生んでしまうでしょう。代わりに、このプロジェクトでは別のスケールで再生活動を試みます。カールスルーエ市内の機関同士の学際的アクションから、世界中の文化機関との交流を結んでいくことまで。残された問題は言うまでもありません。どこにセンサーを設置するか？　その理由をどう正当化するか？

テレストリアルになるということは、共通基盤を編成するということです。この動的編成《アジャンスマン》は、声やエージェント――人間と非人間――の多様さを生かして、集団的に行われなければなりません。そのため、私たちは地域の団体（公的／私的なアクター、活動家、科学者、芸術家、企業家）や、展覧会準備のためカールスルーエ造形大学（HfG）に二年間設置されたクリティカルゾーン・スタディグループの参加者らと協力しました。私たちはこうしてテレストリアルになるための諸集会《アセンブリ》や諸様態《モード》を構築する方法を追求してきました。この多岐的なプロセスへと、みなさんのこともお誘いしたいのです。

【原注】

＊1　The Royal College of Art, “ADS7: Something in the Air – Politics of the Atmosphere,” https://www.rca.ac.uk/schools/school-of-architecture/architecture/ads-themes-2019-20/ ads7-something-air/.

図 1 「クリティカルゾーン」展（2020–22、ZKM）内に設けられた読書室。© ZKM | Center for Art and Media Karlsruhe, photo: Elias Siebert.

解説　思考実験としての展覧会

鈴木葉二

1　宿命から始める

ラトゥールの展覧会は、ある世界史的なドラマの中で生じている。その見当をつけるためには、いま西洋人であるとはどういうことなのか、西洋人として展覧会をつくるとはどういうことなのかを想像してみる必要がある。それはとりもなおさず、あらゆる博物館が影のように引きずっている「近代」の功罪を背負いながら、いかに博物館を持たない世界と交渉してゆくか、という開かれた歴史に一章を書き加えてゆくことでもある。

独立直後のインド共和国に生まれた歴史家ディペシュ・チャクラバルティとラトゥールによる、歴史哲学を主題としたドラマチックなテキストが二〇二〇年に公開された。[*1] ラトゥールのエッセイに対してチャクラバルティが応答する、往復書簡のような体裁である。その対話からは、ふたりが互いに触発し合う関係であることがわかると同時に、「近代」の到来の時差がふたりの出自に刻み付けた、一種の憂わしい距離もまた明らかである。

ラトゥールはいわば「近代化の夢に挫折した西洋人」を引き受ける立場から、この発展の「夢」を批判する。地球がグローバルな政治交渉から長らく顧みられなかったのは、自分たちはある正しい歴史的発展の軌道を歩んでいるという自己肯定感が、近代人の視野を狭めてきたからである。その種の歴史哲学はもはや有害なものとなっているが、こうした「夢」にもバリエーションがある。たとえば、いまなお強者の歴史哲学を実践する現代の実業家——イーロン・マスクの名が挙げられる——と、かつて歴史哲学が「救済の神学」と同義であった時代に世界の文明化に賭けた人々とを混同すべきではない。また他方で、どんな「夢」にも魅了されず、自らの暮らす土地から離れずに生きる人々がつねにいることも忘れるべきではない。こうしてラトゥールは、種々の歴史哲学に基づく世界観を諸「惑星」として分類した上で、それらがいま同時代に併存しているという理解を促す。問題は、あなた自身の住む「惑星」はどれかを見極め、他の諸「惑星」との終わりなき外交過程に備えることである。[*2]

チャクラバルティは「かつて植民地支配を受けていたアジア人」の立場から、少々アイロニカルな返答をする。戦後の秩序は、第三世界の成長を公式的なモラルとすることに成功した。鄧小平とネルーが中華人民共和国やインド共和国の経済を開放した当時の、蔓延する貧困に取り組む情熱は切実なものだった。こうしたポストコロニアルな「夢」は、西洋の近代化の歴史哲学から可能な限り過ちを取り除くことを志向していたが、他方で大規模な資源開発を不可避的に伴ってきた。そもそも支配抜きの近代化などありえなかったのである。いまアジアの大国が巨大人口の生活を保障するべく進めているのは、第三国の経済的な植民地化と資源開発で埋め合わせる弥縫策である。だがこの綻びた「夢」には、すでに新たな国際秩序としての環境正義が突き付けられている。近代の到来の時差がもたらした、誰もが同じように近代化できるわけではないという宿命。それは新興諸国に抜きがたい屈折を植え付け、全人類の普遍的解放という近代が見た最良の「夢」を、建前としてさえ捨て去る暗い決意に至らせる。先進国と新興国を必然的に分かつこの宿命は、先に控える外交交渉が決して楽観的なものではありえないことを示唆している。

近年のラトゥールがチャクラバルティとの対話から大いに刺激を受けていることは、「クリティカルゾーン」展（二〇二〇-二二）の図録に七〇本以上収録されているテキスト群の中で、自ら行った彼へのインタビュー[*3]を冒頭に

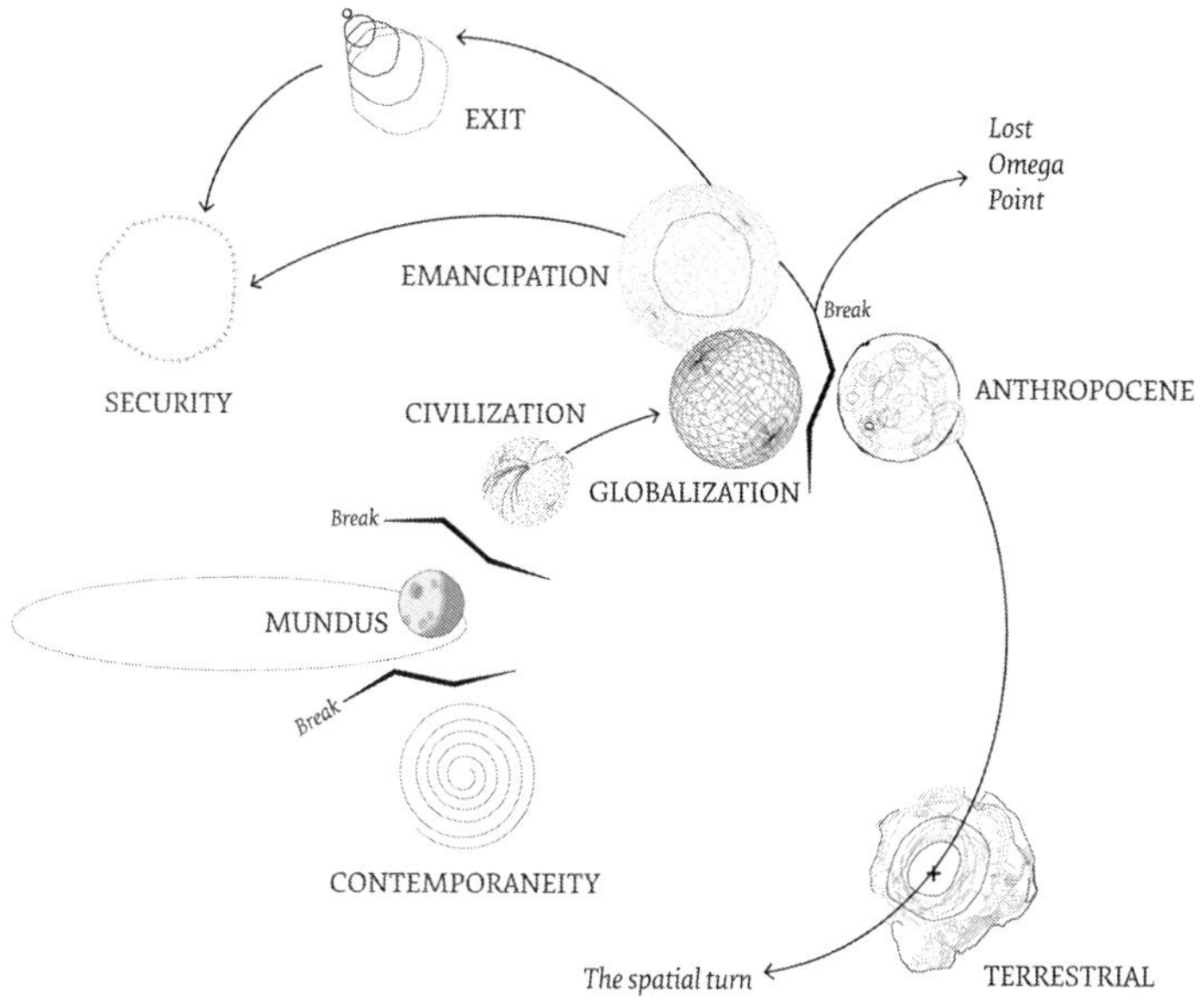

図1　諸「惑星」の配置を示す架空のホロスコープ。「リセット・モダニティ！」展フィールドブックで描かれた3点のアトラクターの発展形で、より詳細な分類がなされている。ラトゥールが自己定位するのは「テレストリアル」だが、イーロン・マスクのいる「イグジット」や自国第一主義者のいる「セキュリティ」、かつて善意で夢見られた「文明化《シビリゼーション》」、チャクラバルティが描いた戦後アジアの「解放《エマンシペーション》」などが配されている。「夢」を見ない人々は「同時代人《コンテンポラネイティ》」とされ、「テレストリアル」はそちらに惹かれている。詳細はラトゥールとチャクラバルティの共著論文を参照。図はアレクサンドラ・アレネによる。Drawn by Alexandra Arénes.

据えていることからも明示的だ。チャクラバルティはオーストラリア国立大学で歴史学を修め、今ではシカゴ大学を拠点に、欧米のいくつもの大学に招聘される著名な歴史家だが、生まれ育ったのはイギリス東インド会社が一七世紀に建設した街コルカタである。その彼とラトゥールの対話は当然ながら、たんにふたりの知識人の平和な思想的共鳴を演出するものではない。むしろこの展覧会にとって、西洋近代が出自の異なる対等な同時代人から見られ、試されている、という自覚を差し挟むものと理解すべきだろう。そこで改めて、私たちが住むべき「惑星」はどのようなものであるかが問われているのである。

2 共通世界の絶え間ない組み立て

同時代人たちの厳しい視線に晒され、「夢」を見ることも禁じられた中で、展覧会という近代的方法論に残された可能性はあるのだろうか。これがラトゥールの仕事の出発点である。彼の答えはシンプルで、参加者の視点の複数性を壊さずに、共通世界の組み立て作業を行うこと、これに尽きる（ここで共通世界とは、全員を一元的に内包する宇宙観のことではなく、全員に関わるが出入りは可能なフォーラム、外交のテーブルを指す）。多くの人が参加すること、パブリックに開かれてあること。これは展覧会という形式の原理的な条件である。仮に展覧会に近代性の問題が付きまとうとすれば、意識的にせよ無意識的にせよ、この原理を特定の方向への「大衆動員」に利用してきたからではなかっただろうか。もちろんラトゥールは展覧会をこのような動員には使わない。かといって、反対に展覧会を解体してしまう前衛的身振りに走るのでもない。いわばその用法を九〇度回転させ、垂直方向に深化させる。多数の人々の関与と公共性。この展覧会の原理そのものを丁寧に遂行することで、ある理想的な「議会」を上演しようというのである。

例として「クリティカルゾーン・スタディグループ」を紹介したい。これもラトゥールが哲学者として取り組んできた仕事の、ひとつの教育的実践と言えるだろう。「クリティカルゾーン」展を準備するために私を含む約三〇名が集められ、二〇一八年一月から五日間ずつ、通算六回のセッションで、展覧会のトピックに関するさまざまな形の議論が行われた。展示が始まるまでの約二年半、現実に展開した歴史は、学校ストライキで気候危機を訴えたグレタ・トゥーンベリの登場や新型コロナウイルスのパンデミックを含み、まるでグループの議論と噛み合った巨大な歯車のようだった。ラトゥールはいつも現在進行形の考えを惜しみなく話した後、自分でも答えの分からない問いを投げかけてグループを特殊な麻痺状態にさせた。たとえば同展の中心的テーマでもある次の問いは、もっともシンプルかつ効果的なものだった。「これがなければ生きていけない、と思うものを挙げて、どうやったらそれらを脅威から守れるか、発表してみてください」[*4]。水、空気、光、パソコンや図書館……と、気後れするほど単純なものを書き出してみるが、インフラの整った都市に暮らす自分たちが、具体的にはそれらをどこから得て、どう正当化しているのか、敵は何なのか、ほとんど言語化できない。次第にいら立った参加者たちは「ブルーノ、あなたはどうなの？」と聞きたがったが、彼はしばらくはぐらかした後、「いや、私も上手く答えられないんだ……」とはにかんだ。「だから君たちに聞いているんだよ」。私たちのあいだに、こんなことにも簡単に答えられない世界を生きているという自己定位が芽生える。時代と地理の両面に視界不良が広がり、私たちはその麻痺状態を脱却するために、それぞれの知識や経験を持ち寄り、話し合う必要があった。演劇にしたりオブジェをつくったり、上手くいくときもあれば、噛み合わないこともあった。なにせ答えと、答えを探す方法の両方を一度に発明しなければならなかったのだ。自分の無知をさらけ出しながら不器用に行うその作業は、配慮と駆け引きがない交ぜとなり、つねに独特の信頼感と緊張感に彩られていた。私たちは自分の手元で共通世界の小さなモデルが生まれるのを感じ、その脆さも身に沁みた。この感触は、私たちにとって今後も「公共性」のひとつの基準となるだろう。

図 2　アルミン・リンケが撮影したスタディグループの様子。研究所、実験室、議会、取引所、法廷など、「現代」を形作るあらゆる官僚的、事務的、専門的空間を撮影してきた特異なアーティストであるリンケの作品は、もちろん展覧会にも展示されている。その彼に撮られることは、この展覧会をつくること自体もまた世界を形作る過程の一部だという入れ子状の構造を、参加者たちに否応なく認識させた。Photo: Armin Linke.

そうした印象から言えば、ラトゥールの創意の少なくない部分が、完成形としての展覧会以上に、展覧会をつくる過程そのものをどう造形するかに向けられていたように思う。つまり展覧会づくりを口実として、若い参加者たちにあの「議会」状況を体験させること、自ら共通世界を組み立てなければならない手探りの状況を生み出すことこそ、彼の目指すところだったのではないか。

ただ端的な事実として、こうした公共性を生じさせるための道具立てや環境が西洋的な制度に由来するものだった点を意識しないわけにはいかない。スタディグループは美術館（ZKM）と大学（カールスルーエ造形大学、HfG）の連携事業であり、ドイツ連邦共和国や州などの公的資金に支えられていた。また、エクスカーションとしてストレンクバッハ観測所やカールスルーエ自然史博物館を訪ねたときの、とても丁寧に説明してくれた科学者たちのオープンさも忘れられない。係争含みの新たな共通世界としての「クリティカルゾーン」を確立させる――この観念的なミッションのためにここまで人や組織が動くこと自体、誤解を恐れずに言えば、きわめて西洋的な現象、つまりローカルな現象なのではないだろうか。こんなふうに公共性が信頼され、当然のように存在している世界は、他にあるのだろうか。

3 「実験」の神学的・政治的ポテンシャル

ラトゥールはフランス人でありながら、まさにそのことを当然視しないことを学んだ人である。その核心は「実験」というコンセプトの省察にある。これは翻訳論考でペーター・ヴァイベルとラトゥールがなぜあのように「思考実験」の展覧会にこだわるのか理解するために必要なので、理論的な話になるが手短に補足したい。ラトゥールは代表的著書とされる『虚構の「近代」』[*5]で、科学史研究の金字塔『リヴァイアサンと空気ポンプ』[*6]を足掛かりに近代の条件を分析した。一七世紀以降、科学が明らかにするひとつの事実、すなわち「自然」を中心に置けば客観的で正しい判断ができるという近代思想の無敵の方程式が成り立ち、近代化を自己肯定するロジックとしてあらゆる制度と思考様式に浸透した。そこで科学が重要な位置づけにある理由は、事実を製作する手続き論として、実験というかつてなくラディカルな方法を確立したためである。実験は、さまざまな専用器具を用いて自然現象にひとつの論理的解釈が与えられるような条件を整え、それを信頼できる紳士諸賢に目撃してもらうという手続きで行われた。ボイルが空気ポンプ実験で示唆したのは真空の存在だったが、その何が問題だったかと言えば、これは神学的なエーテル論を否定するものであり、ひいては教会の権威を脅かす反社会的な主張となりえた点である（ホッブズは内戦の続いたイングランドに秩序をもたらすことを至上目的とする政治的観点から、あらゆる手段で空気ポンプを批判した）。つまり、実験にはそもそも重大な神学的・政治的ポテンシャルが備わっているというのが重要な洞察である。しかし近代人は、科学の力能に合わせて神学と政治学の方を変形させることで、「ひとつの自然」

に基づく無謬なる発展のイデオロギーを「憲法」化し、「複数の文化」に対する支配力をひたすら拡大できるという発見にのめり込みすぎた。別の言い方をすれば、近代社会は実験が生み出す事実の「正しさ」に自らを適応させ、世界で唯一の現実主義者のつもりになることで無敵の力を振るってきたのだが、何年もそうしているうちに実験の神学的ポテンシャルを自分では忘れてしまったのである。ラトゥールは事実の製作過程に目を向け直すことで近代人のコスモロジーの再調整を行うことを提唱してきた。これは彼が近代人を人類学的に観察した場合に、その思考様式の中心に聖化された科学があったことを意味している。

この議論が形づくられた八〇年代後半から九〇年代前半は、「大地の魔術師」展がポンピドゥー・センターで開催された時期にあたっている。展覧会実践とポストコロニアリズム理論は、まだその蝶番となるべき科学人類学の成果と合流してはいなかった。美術館や博物館は、啓蒙主義の推進機関として「ひとつの自然」と「複数の文化」を収集し陳列することで、いわば近代「憲法」そのものの公開実験を続けていた。「大地の魔術師」展の文化相対主義は、いまから振り返ればその最後の袋小路だった。そこにラトゥールの議論が接続された契機は、ハンス・ウルリッヒ・オブリストが一九九九年の「ラボラトリウム」展に彼を招待したことだった。オブリストは子どもの頃訪れたザンクト・ガレン修道院図書館で、白手袋をはめた司書に見せてもらったアタナシウス・キルヒャーの博物学の本に魅せられ、すべての知識を結び付けるというアイデアを体現したくてキュレーターとなったという。彼の「芸術と科学を結びつける」情熱が、ラトゥールの怜悧な科学論を展覧会実践に取り込むこととなった。実際、ラトゥールはそれまでのキュレーターとはまったく異質な実験を始め、新たな展覧会の文法を、形式と内容の両面において発明していった。展覧会制作者としての彼の仕事は、美術館の実験のプログラムを書き換え、「複数の自然」に囲まれた「ひとつの近代」を仮設することにある。手始めの「聖像衝突」展（二〇〇二）で西洋の芸術と科学と宗教を一緒くたに扱い、偶像破壊の問題から一気に切り込んだ。偶像の破壊と保護は「ひとつの自然」と「複数の文化」を司る現実主義者たる近代人の信仰告白に過ぎない、というのがその論点であった。まさに人類学的展示である。ただし展示されているのが他文化ではなく、自己であるところの近代人だという点を除いて。

回転扉をくぐったように、よく似てはいるがまったく異なる世界が広がった。展覧会はあくまでもある観点から現実を整序して見るための一制度である。宗教者たちや科学者たちがさまざまな意図、願い、経験、観測データからひとつの表象を製作する諸労働の過程と組織を観察する。表象からその痕跡を読み解く訓練をし、政治的交渉ないし外交と呼ぶべき流動的過程への展開に備える。作品は交渉技術の多彩で象徴的なサンプルで、私たちはそこから配慮の深さを学び、応用することができる。美術館は、理想を冷凍保存するためではなく、変化する現実に取り組み続けるための西洋的道具立てとして、逆方向に向かって組織し直される。鑑賞者は壁の中の展示物を鑑賞するのではなく、配備された道具を持って壁の外を見るよう促される。そのとき、手にした「実験」の甚大なポテンシャルがまさに形づくってきたこの現実に取り囲まれて、鑑賞者は自ら製作しうる現実の可塑性を感じ取るはずである。新たな交渉が始まる。展覧会にそういう筋立てが切り開かれたのである。

4 新気候体制

「聖像衝突」展及び「モノをパブリックにすること」展（二〇〇五）と、「リセット・モダニティ！」展（二〇一六）及び「クリティカルゾーン」展のあいだに、ラトゥールは決定的な使命を得ている。二〇〇九年のあるカクテルパーティで、高名な気候学者が彼に話しかけてきた。「力を貸していただけませんか？　私たちは不当な攻撃に晒されているんです」[*7]。その頃、アメリカ合衆国でもフランス共和国でも政治的な気候変動否定運動が展開されていた。それらに対して科学者を擁護する、という新たな役割がラトゥールに与えられたのである。

皮肉な展開ではあった。それまでの彼は、科学的事実の製作過程を仔細に分析する仕事のために、科学者たちからは忌避される存在であった。科学的事実の「人為性」を強調することは、科学の権威、真実性を貶め、すべてを社会的構築物に過ぎないと見なす議論だと解釈されたのである。[*8] 彼はそれを悲痛に受け止めていた。ただ、問題はラトゥール個人のものではなかった。ソーカル事件に象徴されるように、科学と科学論のあいだには九〇年代を通じて素朴な誤解が存在していたのである。

だから状況の変化は歴然としていた。二〇〇〇年代の世論は気候変動の科学の扱い方に困っていた。気候変動ほど大規模で長期的な現象となると、直接的に実験で確かめることができないからである。地球温暖化が実際に起きているのか、起きているとしてそれは地球のバイオリズムに過ぎないのか、それとも人間が引き起こしたものなのか、といった論点について、色々な「専門家」がテレビで討論ショーを展開していた。科学が切り札としてきた経験的な明証性は、ここでは単純には通用しない。二〇〇九年にはグレートブリテン及び北アイルランド連合王国で気候科学の信頼を失墜させるクライメートゲート事件が起きた。コペンハーゲンで開催される気候変動枠組条約第一五回締結国会議（COP15）の直前の一一月、イースト・アングリア大学の地球温暖化研究者のメールが何者かによって大量にハッキングされる。そして懐疑論者たち——論客の多くは自ら科学者として立派な肩書を持つ人々だ——がメールの中からデータの編集や論文の投稿に関する研究上のやりとりを取り上げて、科学的事実が「操作」され、冒涜されているとの主張を強硬に展開したのである。マスメディアの議論は、視聴者の誰も真偽を確かめえない科学のブラックボックスをめぐって虚しく白熱した。そこで気候科学者は、自分たちの仕事を公平に取り扱ってくれるのは科学論者しかいないと気づいたのである。

この議論は、誰が本当の科学的事実を述べているかを検証している限り、水掛け論から抜け出せない。重要なのは、科学的事実の地位自体を流動的状況に置き直すことである。科学論者としてのラトゥールの仕事は、「科学的事実＝自然＝人の手が掛かっていない」という三位一体を解体し、「実験」の再解釈を回転軸として、「人の手が掛かっているからこそ＝科学的事実の確かさは構成され＝それを取り込みながら社会を作るのが私たちである」という製作の位相に移し替えることにあった。[*9] そのことは長らく不幸な誤解に阻まれて公共的な意義を発揮できずにいたが、気候変動を巡り切迫した政治情勢が、科学者の側の態度を変えさせた。この新しい状況においては、地球の振る舞いが「聖化された科学」を揺るがし、舞台を液状化させている。近代の核心がついに脱魔術化され、覆いを取り除かれた現実の相貌に、人々は戸惑っている（「リセット・モダニティ！」展フィールドブック「手順E　迷信からの脱出、ようやく！」を参照）。これは科学との付き合い方の問題であると同時に、歴史哲学なしでどう動けばよいのかという問題でもある。一〇年代のラトゥールが取り組んだ「ガイア」や「テレストリアル」、「クリティカルゾーン」といった目新しい概念の設計は、この新気候体制における選択や行動の指針を打ち立てる仕事だった。「リセット・モダニティ！」展と「クリティカルゾーン」展が提供するフィールドブックは、鑑賞者の思考回路を具体的に組み替えるマニュアルとして書かれている。近代人にとって「実験」の神学的・政治的ポテンシャルを理解し直す行程は、それだけ難儀なものなのだ。ラトゥールの展覧会はそれに見合う大規模な思考実験を通じて、「手が掛かっているからこそ＝確かさは構成され＝そこから私たちは社会を作る」という製作の位相へと、鑑賞者のコスモロジーを転回させるプロジェクトである。

5　展覧会のない世界と交渉する

この製作の実践へと踏み出すとき、科学と科学論を橋渡しすることや、近代人にとっての科学の位置づけを描写することは、目的ではなく前提に過ぎない。「リセット・モダニティ！」展がいわばその前提条件を整える、近代人のための内省の機会だったのに対し、「クリティカルゾーン」展はその先の外交的な世界へ扉を開くものである。そこに立てばあなたはもう、待ったなしの、一度きりの、流動的な現実の一員である。そこで初めて必要となるのは、博物館を持たない世界、展覧会のない世界と付き合うためのプラクティスであるだろう。

そのことは展覧会の構成や個々の作品から一目瞭然に見て取ることができる。残念ながら筆者は新型コロナウイルスの影響で会場を訪れることができずにいるが、同展のオンライン版[*10]を視聴した印象に、本書に抄訳したフィールドブックや、共同キュレーターがカタログに寄稿した展示構成に関するテキスト[*11]も読み合せた限りで、重要と思われる点を指摘しておきたい。

まず展覧会の最初の章は、実際のクリティカルゾーン観測所でのデータ収集に関する具体的説明に充てられている。展示室の空間全体が、ミニマルな鉄骨でストレンクバッハ観測所の地形を模したスケールモデルに覆われている（口絵参照）。実際の観測所のように、あちこちに計測機具や取得されるデータ、観測の様子を示す映像が置かれている。ジオフォンで地中の微妙な振動を「聴く」。深さ一二〇メートルのボーリング調査。ブナ林の水質調査。重力計で地下水面や潮汐を観測する。四つの水源と、調査区域の出口にある下流のリアルタイムでの水質記録。種々のデータを重ね合わせることで、「クリティカルゾーン」であるこの山の生態系や地質、季節などが全体として、そこを通過する水の量や質にどう影響しているかが浮かび上がってくる。こうした過程を丁寧に見せる展覧会の力点は、進行する環境破壊のエビデンスを示すことではなく、いかにして「自然」がデータに翻訳され、事実として再現されるかを示すことにある。科学が神学的・政治的な力を発揮するのは、まさにこの翻訳と再現の手続きによってだからだ。

リオデジャネイロ出身のアーティスト、バーバラ・マルセルによる映像作品《シネ・リアナ、ATTOアマゾン・トールタワー・オブザバトリー》（二〇二〇）は、この展覧会の理論的枠組みを鮮やかに色づけるような実践例のひとつである（口絵参照）。近代的科学が他者の視線に晒されることで「自然」が相対化され、別の知識体系との双方向的な交渉状態が生み出される。ATTOは主にアマゾンの大気組成を観測するために、マックス・プランク生化学研究所（ドイツ連邦）と国立アマゾン研究所（ブラジル連邦共和国）がアマゾナス州に設立した、三二五メートルの観測塔を中心とする研究施設である。マルセルは、隣接するパラー州のタパジョス・アルピウン採集保護区で「インテグレーション・コミュニティ・ラジオ」を通じて地域を守る活動を続ける地元のアクティビスト、ナタリナとミレナを誘い、一緒にATTOの科学コミュニティに入り、科学者と彼女らが意見や知識を交換する様子を撮影した。最後にはふたりがATTOの頂上に登り、科学者たちから得た知見や連帯についてラジオ中継で人々に伝えることになっている。この辺りでは世界的な環境問題と人々の生活様式をめぐる政治は不可分である。マルセルは資源採掘や発電のためのダム建設が進むタパジョス川で展開される地元民の環境保護運動の様子も写している。ラジオは地域の人々にとって日常に溶け込んだ重要な情報交換の手段で、自分たちの権利についての考察や、望まない開発に対抗するための議論が交わされている。ここでは科学者たちは、地元のラジオパーソナリティであるナタリナやミレナの倫理に照らして、自分の仕事を審判される立場にある。そのため両者が樹林の中で重ねる会話は真摯な、外交的なものとなる。一定の緊張感を保ちつつも、こうして相互的にこの土地に対する新たな倫理と連帯関係が立ち現われてくる様子は圧巻である。

ラトゥールがユニークなのは、鑑賞者を相対主義の空虚な自由の中に置き去りにするのではなく、はっきりと意識的に、西洋の知的マインドセットを力強くインストールした視点に立たせる点である。混迷の舞台上で、まずはある立場を取ることを彼は重視している。それが展覧会のない世界との交渉に臨む用意となるからである。この展覧会にはいわゆるアート作品と並んで、多くの研究や資料が隔てなく集められている。地球と生命の解釈を革新するガイア理論の提唱者ジェームズ・ラブロックや、シンビオジェネシスやホロビオントの説明により進化論的な競争原理に代わる生態系上の関係性を追究したリン・マーギュリスの研究が紹介される。ゼンケンベルク自然博物館から借りられた、およそ二億九千万年前の七つのストロマトライト（藍藻類が生じさせる岩石で、生命活動による最古の形成物とされる）の標本が展示される。世界を限りなく複雑かつ統合的に理解しようとしたロマン主義的情熱の系譜として、キルヒャーやアレクサンダー・フォン・フンボルトが参照され、カールスルーエ州立美術館から借りた一七〜一九世紀の絵画（ギュスターヴ・クールベやカスパー・ダーヴィト・フリードリヒを含む）から自然観が読み直される（図3）。ミュンヘンにあるドイツ博物館やドイツ気象局からは望遠鏡や気圧計など歴史的な観測器具が借用され、国立気象図書館からは一五〜一九世紀の気象観測関係の図書資料が貸し出されている。こうして西洋の知的制度を縦横に引用し、時間と精神を重層させた中に、現在のアーティストや研究機関の営みが配置されている。鑑賞者はそこで例えばボリビア多民族国のウユニ塩原の岩塩でできた列柱のあいだを歩き（ジュリアン・シャリエール《フューチャー・フォッシル・スペース》二〇一七、図4）、心細く考える。どんな歴史的経緯が、ここに塩の柱を作らせることになったのか。なぜ現代アーティストと呼ばれる職能が、こうした形でウユニでのリチウム開発への関心を表明するのか。自分は何を見ているのか。この想像力の可動域は、博物学的に充塡された時空間の中で展覧会の現在もろとも鑑賞者の現在を厳しく定位することで生み出されている。そこから見える景色は広く、あなたには大きな自由があるが、放縦な言動が許されているわけではない。そこは地政学的な負荷のかかった一地点であり、それゆえ次に何をなすかが問われている。

6　生存の知恵としての展覧会

「クリティカルゾーン」展に参加した若い世代は、ラトゥールとチャクラバルティが埋葬した歴史哲学の桎梏に

図3　Joos van Craesbeeck, *The Temptation of Saint Anthony*, ca. 1650, Staatliche Kunsthalle Karlsruhe. Installation view "Critical Zones: Observatories for Earthly Politics," 2020-22. Photo © ZKM | Center for Art and Media Karlsruhe, photo: Elias Siebert.

図4　Julian Charrière, *Future Fossil Spaces*, 2017, and *An Invitation to Disappear*, 2018. Installation view "Critical Zones: Observatories for Earthly Politics," 2020-22. © the artist; VG Bild-Kunst, Bonn, Germany, Photo © ZKM | Center for Art and Media Karlsruhe, photo: Elias Siebert.

は初めから囚われていないし、植民地以後の問題と環境危機の倫理も統合的に内面化し、芸術の実践と連結している。たとえばアーティストであり活動家であるステファン・ヴェルレ＝ボッテロは、同展のオンライントーク[*12]で自身の取り組みの前提となる認識を簡潔に要約してみせた。「人々の身体は膨大な量のトラウマを、とりわけ植民地主義のトラウマを蓄える貯蔵容器です。これは欧米の美術館に集められている近現代の収集物についても当てはまります。そして地球もまた、同じ力学によって付けられたたくさんの傷を蓄えている身体と言えます」。彼は展覧会の制作にかかる温暖化効果ガス排出量を推定し、これを象徴的にオフセットする取り組みを行った（《維持循環型美術館に向けてのノート》二〇一九―二〇二二、図5）。このプロジェクトは、ZKMが美術館の運営設備のひとつとしてカールスルーエ市内の打ち棄てられた果樹園を借り入れ（!）、そこに生えている樹木のケアをZKMのスタッフが市土地管理事務所のガーデナーから学び身に付ける、という形に展開した。林檎やプラム、チェリーなど多彩な果樹が植えられているだけでなく、さまざまな草花や昆虫を含むため、こうした果樹園は中央ヨーロッパにおける生物多様性ホットスポットと考えられている。その数は一九六九年から五〇年間で半減しているという。果樹園はケアを受ける代わりに、美術館が排出する二酸化炭素を吸収し、果物と学びの機会をスタッフや市民に与える。市のガーデナーたちは市民に対しても定期的に剪定のワークショップを行う。果樹園と美術館は互恵的なエコシステムとして位置づけられ、スタッフは美術館の業務として樹の世話をする。ZKMは少なくとも二〇二五年までその管理に責任を持つ。ここでは、ヨーゼフ・ボイスの《七〇〇〇本のオーク》（一九八二―一九八七）とは異質なプレゼンテーションが生じている。ラトゥールが「テレストリアル」と呼ぶ新たな惑星が出現しつつあることは確かなようである。

こんなふうに、年長者が生涯をかけて配った知恵が年少者に身体化され、具現化されていくところを見ると、私はある共同体の人々が状況の変化に適応して生き延びていくことへの感慨とともに、「芸術」が新しいフェーズに

図5　Stéphane Verlet-Bottéro, *Notes towards a permacircular museum*, 2019-22. Courtesy the artist, Photo © ZKM | Center for Art and Media Karlsruhe, photo: Elias Siebert.

入った印象を受ける。ただし、新しいと言っても、むしろ適度に後退することによってそうなったのである。西洋という共同体は、いま複数ある諸世界のうちのひとつに過ぎないことを経験的に受け入れざるを得ない状況にある。そのおかげと言うべきか、年長者たちの知恵を蝶番に、科学、芸術、政治といった近代的カテゴリがようやくひとまとまりの、等身大の自画像を得つつある。ラトゥールが展覧会を通じて描き直すのは、諸世界に取り囲まれ、内側にも不安要素を多く抱えたある共同体の、なけなしの「生存の知恵」である。そこでの「芸術」は、あくまでも美術館を持たない世界、展覧会のない世界に囲まれながら振る舞うための、配慮の技術に他ならない。学ぶべきことは無限にあるだろう。

【注】

＊1　Latour, B. and Dipesh Chakrabarty. 2020. 'Conflicts of Planetary Proportion – A Conversation,' *Journal of the Philosophy of History*, 14(3), 419-454. doi: https://doi.org/10.1163/18722636-12341450　PDFをラトゥールのウェブサイトからダウンロード可能（http://www.bruno-latour.fr/node/865.html　最終アクセス二〇二〇年一二月五日）。

＊2　ラトゥールとマルタン・ギナール＝テリン、エヴァ・リンがキュレーターを務める台北ビエンナーレ二〇二〇のタイトル「You and I Don't Live on the Same Planet」もここから来ている。

＊3　Latour, B. and Dipesh Chakrabarty. 2020. 'When the Global Reveals the Planetary: Bruno Latour Interviews Dipesh Chakrabarty.' In Latour, B. and Peter Weibel. (eds.) *Critical Zones: The Science and Politics of Landing on Earth*. Karlsruhe: ZKM|Center for Art and Media and Cambridge, MA: The MIT Press.

＊4　この問いは「パンデミックの後、どこに着地したいですか?」という質問票のプロジェクトに展開した（https://zkm.de/en/where-to-land-after-the-pandemic　最終アクセス二〇二〇年一一月三〇日）。その詳細はREALKYOTOに翻訳された記事からも知ることができる。ラトゥール、B　二〇二〇「COVID-19後の世界2　危機以前のシステムを遮断する振る舞いを想像する」飛幡祐規訳（http://realkyoto.jp/article/bruno-latour/　最終アクセス二〇二〇年一一月三〇日）。

＊5　Latour, B. 1991 (1997). *Nous n'avons jamais été modernes, Essai d'anthropologie symétrique*, Paris : La Découverte.（ラトゥール、B　二〇〇八、『虚構の「近代」──科学人類学は警告する』川村久美子訳、新評論）

＊6　Shapin, S. and Simon Schaffer. 1985. *Leviathan and the Air-Pump: Hobbes, Boyle, and the Experimental Life*, Princeton, NJ: Princeton University Press.（シェイピン、S　サイモン、S　二〇一六、『リヴァイアサンと空気ポンプ──ホッブズ、ボイル、実験的生活』吉本秀之監訳、柴田和宏、坂本邦暢訳、名古屋大学出版会）

＊7　De Vrieze, J. 2017. 'Bruno Latour, a Veteran of the 'Science Wars,' Has a New Mission.'（https://www.sciencemag.

org/news/2017/10/bruno-latour-veteran-science-wars-has-new-mission　最終アクセス二〇二〇年一一月三〇日）

*8　Latour, B. 1999. *Pandora's Hope: Essays on the Reality of Science Studies*, Cambridge, MA: Harvard University Press.（ラトゥール、B　二〇〇七、『科学論の実在——パンドラの希望』川崎勝、平川秀幸訳、新評論）本書第一章で紹介されている、ある科学者から「あなたは実在を信じますか?」と密かに尋ねられたエピソードを参照。

*9　このことがミュージアムとの関わりにおいてもっとも美しく述べられているテキストとして、次を参照。Latour, B. 1996. 'Ces réseaux que la raison ignore - laboratoires, bibliothèques, collections.' In Baratin, M. and Christian Jacob. (eds.) *Le pouvoir des bibliothèques. La mémoire des livres dans la culture occidentale*, Paris: Albin Michel.（ラトゥール、B　一九九九、「理性の知らないネットワーク　実験室、図書館、収集館」田村真理訳、岡田猛、田村均、戸田山和久、三輪和久編『科学を考える——人工知能からカルチュラル・スタディーズまで14の視点』北大路書房）

*10　二〇二〇年春のロックダウンでZKMが閉鎖され、展覧会のオープニングが予定通り迎えられなくなったことを受け、急遽制作されたもの。特設ウェブサイトで一部の作品がオンライン用に調整されて公開された他、Zoomを用いた三日間にわたるオープニングディスカッションや、「テレストリアル大学」と題したトークシリーズ等、会期中は相当数のイベントやワークショップがオンラインで実施された。

*11　Guinard, M. and Bettina Korintenberg. 2020. 'Observatories for Terrestrial Politics: Sensing the Critical Zones.' In Latour, B. and Peter Weibel. (eds.) *Critical Zones: The Science and Politics of Landing on Earth*. Karlsruhe: ZKM|Center for Art and Media and Cambridge, MA: The MIT Press.

*12　Terrestrial University: The Right Uses of Land（https://www.youtube.com/watch?v=bRovxnmWr5c　最終アクセス二〇二〇年一一月三〇日）

第9章　錯乱のミュージアム——アニミズムの再考を通して近代を問うキュラトリアル実践

アンゼルム・フランケ
（中野勉 訳）

本章は、東京芸術大学大学院国際芸術創造研究科主催パブリック・レクチャー（二〇一六年一一月一七日開催、会場：東京芸術大学上野キャンパス）として行われたアンゼルム・フランケ氏の特別講義「錯乱のミュージアム」の記録に基づく。図版はレクチャーで紹介された作品に基づくが、紙幅の都合上、点数を絞って掲載した。補足や訳注は文中〔　〕で示した。

1　人新世と近代

お招きくださったことに対し、長谷川祐子教授はじめチームの皆さんに深く御礼申し上げます。東京に戻ってこられたことをたいへん喜ばしく思っています。ご来聴くださった皆さんにも御礼申し上げます。

図1は、近代《モダニティ》を表現したものとして受け取ってみてください。近年、〈人新世〉と呼ばれるようになった状態を表すものです。人新世とは、人間たちが世界、地球をどのように変化させつつあるかを説明する概念です。この画像に示されているのは、永久的なマッピングや計測、テクノロジーによる媒介やコミュニケーションのネットワークが地球をすっぽりと包み込んでいる様子、フィードバック効果というサイバネティクス的現実、何百万というセンサーやデータから成る世界です。この世界では、銀行での自分の信用スコアはどのようにして決まるのかを知ろうと試みるだけで、すでにその信用スコアに変化が生じてきます。この世界の中では、集団や個人が人間としての

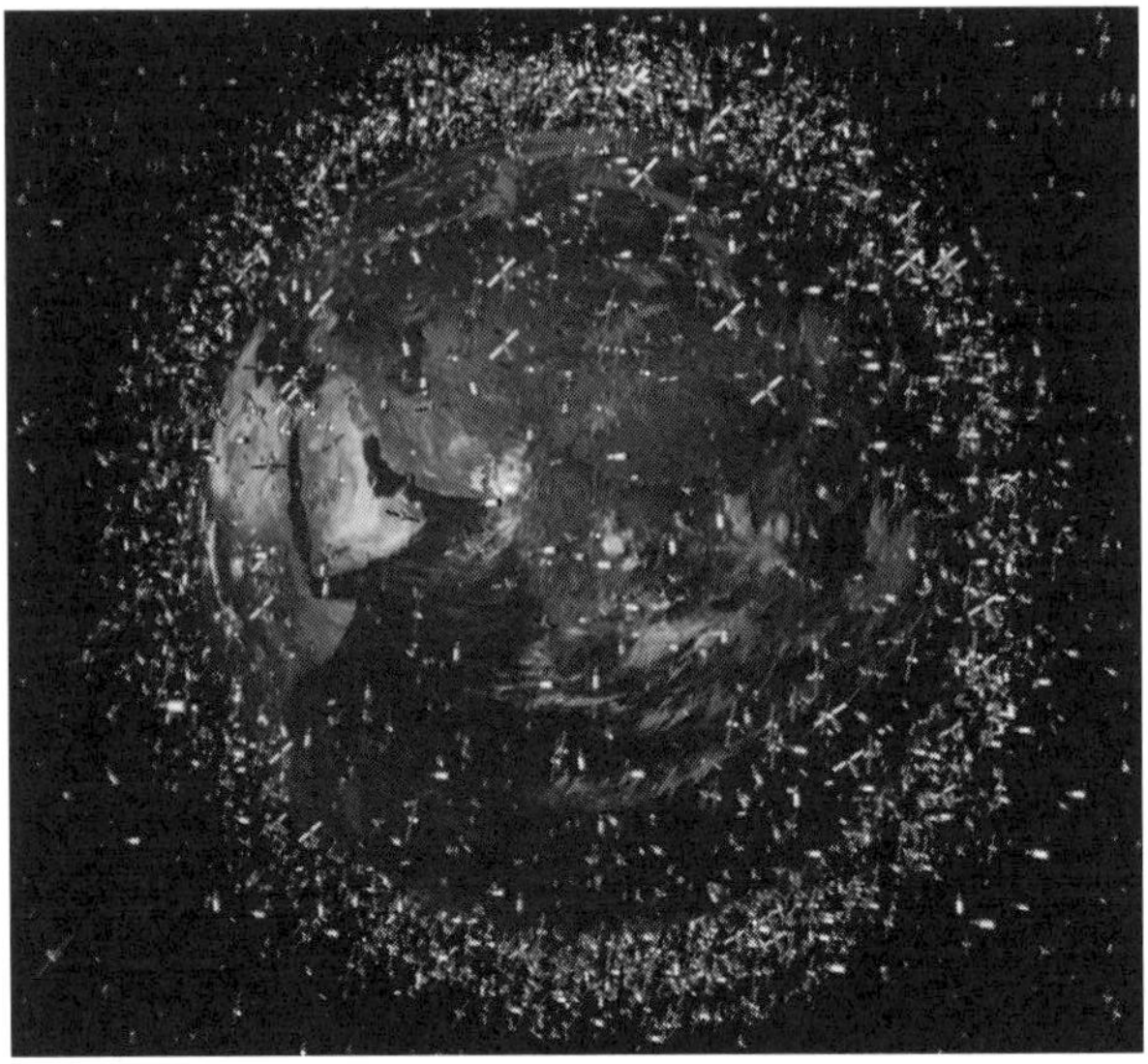

図1　モダニティのイメージ（特別講義「錯乱のミュージアム」スライドより引用・転載）

資格を持っているかどうかはまったく不確実です。

近代の始まりを画すのは、一六世紀のアメリカ大陸発見、一七世紀から一八世紀の啓蒙時代にかけての科学的大発見、社会秩序に疑問を投げかけた米国とフランスでの革命、ついで一九世紀における産業化やテクノロジーの発達、植民地を通じたグローバリゼーション、近代国家・国民国家の成立です。一九世紀はもちろん私たちそれぞれの祖国であるドイツと日本が、何よりも産業化と生産様式の面において近代化を遂げた世紀でもあります。今日見られる知の諸領域は、その大半が一九世紀後半に形成されました。美術館／博物館や大学の諸学科が、今日見られるような形で区分けされたのです。しかしながらこの画像が描き出している状態、つまりテクノロジーが世界を包み込む人新世という状態は、私たちの知に、そして今述べたような諸領域に、根本的な疑問を投げかけるものだと思います。新たな知が必要なのは確かですが、その知がどのようなものになるのか、私たちにはよくわかりません。

近代に話を戻しましょう。私の理解によれば、近代とはすべてを包摂する母型《マトリクス》であり、その外部は存在しません。近代はみずからが排除し拒絶する対象をも絡め取るのです。ブリュノ・ラトゥール教授が何度も書いているとおり、この近代という母型においては、急進的反近代の立場でさえもが急進的近代の立場なのです。他に選択肢はないということです。

近代の暴力や帝国主義はもはや過去のものだとする意見もあるでしょうが、それらは依然として取り組み、解決すべきものでありつづけています。私たちは近代を変容させ、その要求に応え、そこに秘められたより良い可能性を実現していかなくてはならないでしょう。近代化の主流と衝突するものは何もないと言っているのではありません。私たちの生は何処かで必ず近代化と衝突するのですから。近代と伝統の対立を考えてみてください。伝統という着想はそれ自体近代の産物なのです。とはいえ、私が今言っているようなことは伝統という名、つまり伝統の概念にしか関係しておらず、伝統の名で呼ばれる実践には関わりがありません。ですから私たちが伝統と呼んでいる当のものではなく、そのように呼ぶことが与える影響に関係しているのです。

2　近代を問い直すキュラトリアル実践の可能性

私自身の仕事について少しお話しします。最近は、近代が何を意味するのかを問う展覧会を準備しています。リサーチに基づき、現代アートと歴史的資料の両方を扱う展覧会です。真実と現実という観念は広く受け入れられていますが、私の理解では、キュレーターの役割とはこの二つの観念により深く親しむ方向に観客を導いていくことです。展覧会では、真実と表象のまさしく土台を成すものを対象としてさまざまな実験を行うための諸形式を観客に提供しようとしています。

「ルビンの壺」という、画像の中で位相が反転する、つまり地と図が反転するメカニズムを説明するのに使われる非常にシンプルな図があります。同じ画像が花瓶〔壺〕に見えたり、とても美しい人間の横顔に見えたりする。こういった種類の画像は、ある対象を見るとき私たちはその対象を構築しているのだということをあらためて気づかせてくれます。ただし、この画像をお見せしようと思ったのには他にも二つ理由があります。第一に、まさに位相反転というこの方法、つまり二つかそれ以上の事物が代わるがわる見える、しかし同時には見えないというこの入れ替わりこそ、私が展覧会の中で達成したいことだからです。もう一つの理由は、花瓶ではなく二つの顔が見えているときに両者を隔てている白い空間です。二つの額《ひたい》のあいだにあるこの空間は、まさしく媒介の空間と見なすことができます。しかし、二つまたはそれ以上の額のあいだで起きることとは何でしょうか。わたしたちのあいだで起きること、さまざまな媒介の過程は文化の奇跡ですが、それ自体は不可視のものとして書き込まれています。ですからこれらの展覧会の中心にあるのは、不可視のものを展示するにはどうすればいいか、資料であれアート作品であれ、モノをこうした複数の不安定な図に変えるには、歴史の語りという水準においても位相反転を創り出すにはどうすればいいか、といった問いです。

私は展覧会、またとくに美術館をやや特別な場所として考えたいのです。あたかも美術館や展覧会の壁は混沌から秩序を抽出するために建てられるかのように、この空間のまわりに、その中に魔法円が描かれているかのように、考えてみたいのです。大部分の展覧会は、可視的なものを可知的なものと同一視する、つまり私たちの目に見えるものとはすなわち私たちが知ることのできるものだとする、ある種の客観主義を生み出します。この考え方はアートとは衝突します。アートとは、さまざまなプロセスを通じて意味の安定性を揺るがしていくものだからです。それは、記号を機能や事物に縛りつけている結び目をほどき、存在論的不確実性の状況や表象の眩暈を生み出して、〔世界の〕表面下に潜む不安定な意味の無秩序な過剰を解き放ちます。ですからアートと展覧会のあいだで私は、客体と主体の両方を形成するさまざまな媒介の過程を明るみに出すような展覧会を企てているのです。

図 2　Max Ernst, Grosser Bogen, 1963.

図 3　トランス状態の男性（特別講義「錯乱のミュージアム」スライドより引用・転載）

3　試論的展覧会《エッセイ》――「アニミズム」展を例に

展覧会がアートとともに、あるいはアートを通して生み出しうる知とは、関係的な知であると私は考えます。アートや画像、想像力といった文化の地平とともに考えようとする、またその地平を通して考えようとする試みを、私は試論的展覧会《エッセイ》と呼んでいます。たとえば、近代とアニミズムとの関係の歴史を、異なる仕方で語ってみせること。アニミズムという概念を、入れ替わる図として用いること。会場はどんな美術館でもかまいませんが、「アニミズム」と題された展覧会を想像してみましょう。いわゆるアニミズム的文化が造り出した物品が展示されているはずです。仮面でも何でも好きなものを想像していただいて構わないのですが、そうした物品には何らかの形で精霊が宿っていると考える人々がいると私たちは教わります。しかし美術館には、そうしたモノに宿った精霊の痕跡はいっさいありません。理由は簡単で、精霊そのものを展示することはできないからです。モノを展示することしかできないのです。

しかし、何かモノを目にして、ごく当たり前に、そこには精霊が宿っている、あるいは精霊が棲みついていると見なす人々もいるのに、同じモノを見て、そこに精霊を見て取らないならば、私たちは近代の眼差しを実演していることになります。「アニミズム」プロジェクトの出発点となった問いはまさしく、どうすればそういった眼差しと決別できるかということでした。もう一点、画像をお見せします（図2）。一つ前の画像と同じく、私にとっては一つの方法を体現するものです。有名なシュルレアリストであるマックス・エルンストの作品で、ヒステリー患者を撮影した一九世紀の医学写真を題材としています。私としてはこの画像に反逆を見て取りたいと思います。地図化され名付けられること、固定化されることに対し、現実そのもの――つまり近代文明が抑圧するもの――が起こす反逆です。

「アニミズム」プロジェクトの出発点となったのは、諸媒体（media）や媒介（mediation）について、また〈前言語的媒介性（mediality）〉とでも呼べそうなものについて考えることでした。私たちはコミュニケーションのメディウム（medium）の中に、一つの環境 milieu の中に存在しているのだということ、それはテクノロジー的媒体のさまざまな条件のもとでどのように変化しつつあるのかを考えたのです。図3は、トランス状態でラクダの精霊に取り憑かれている男性の画像です。モロッコで毎年四日間かけて行われる儀式では、このように裸足のままサボテンの上で踊ります。この人物は霊媒（medium）なのです。

また、ジグムント・フロイトの治療を受けていたある有名な患者の描いたドローイングがあります。この人物が見た夢（フロイトによる分析があります）を描いた絵ですが、木の上に狼が五匹いるというものです。問題は、この夢が何を媒介している（mediates）のかということです。

次に、幅広くヨーロッパでのさまざまな催眠術実験の歴史を描いた画像、そして一九世紀末の、近代テクノロジー媒体を取り上げた風刺画《カリカチュア》を2点挙げておきましょう〔本書では図版は未掲載〕。他方は、電話と電報の線が見て取れます。またもう一方では、近代の与える衝撃と情報過多のせいで男性が神経衰弱に陥っています。

近代が明らかにするのは、人間であるとはすなわち無限定に開かれた媒体であるということであり、私たちは自分が何の媒介でありうるのかを知らないということです。これらの画像は、一九世紀に近代科学の中で生じた大論争の一部を成すもので、この論争の結果、近代的な知の諸領域の体系がまるごと一つ形成されることになりました。エドワード・テイラーは史上初めて教授として人類学を講じた人物であり、ある意味で、大学における学問領域としての近代人類学を創設したのですが、この論争の最中で「アニミズム」という用語を導入しました。これらの画像と同じく、この論争には人間とテクノロジー、両方の媒介が組み込まれていました。つまり霊媒（mediums）とさまざまな媒介（mediation）テクノロジーです。この論争の結末として、科学の諸学問領域ではメディア（media）という現象と霊媒術（mediumism）とが切り離され、テクノロジー的媒体、心理学、秘儀、宗教、人類学、医学の諸学問領域に分離されました。

4　アニミズムとアート——動物の表象を中心に

このとき以来、儀式などの集団的あるいは伝統的な霊媒現象を引き受けるようになったのが人類学です。エドワード・テイラー以後の人類学はこうした儀式の根底に太古のアニミズムがあると想定しました。このアニミズムによれば、あらゆるものが他のあらゆるものの媒介（medium）となりうるように見えます。近年のアート作品から例を挙げましょう。シンガポール出身のホー・ツーニェンに私がインタビューしたときの発言を引用します。

メディウム（Medium）という問い——私としてはこの言葉が持っている二つの意味を両方保っておきたい。チャネリングで霊たちを呼び出す霊媒という意味、そして現代の私たちがこの言葉を理解するときの、マスメディア mass media と言う意味でのメディウム（medium）です。ですからパフォーマンス『一万頭のトラ』では、私と協働するパフォーマー四名が霊媒となり、歴史上のいろいろな力や過去からの声を媒介します。その意味で彼らは、昔のメディア機械——グラモフォンとかラジオ——とさして違わないのです。

図4の出典である映像作品でホー・ツーニェンは、コンピュータ生成画像（CGI）などの今日的メディアの中で過去のチャネリングがふたたび行われることの意味を理解しようと試みます。同作はまた、人間と動物の境界線、

図 4　Ho Tzu Nyen, *One or Several Tigers*, 2017, synchronzied double channel HD projection, automated screen, shadow puppets, 10 channel sound, show-control system. Image courtesy of the artist and Edouard Malingue Gallery.

図 5　Anonymous (geographical origin: Addis Abeba, Ethiopia) , *Assembly of the animals*, 1965–1975 Oil on linen Courtesy the Tropenmuseum, Amsterdam.

あるいはより正確に言うとマレーシア、シンガポールにおける人虎の歴史を扱うものでもあります。人間と動物のあいだの境界線というこの問いはアニミズムにとってきわめて重要です。作品の中でホー・ツーニェンは人虎の歴史や人虎をめぐるさまざまな物語、シンガポールにおけるトラの絶滅を媒介として使いながら、シンガポールの歴史そのものと関係を取り結ぼうとします。マレーシアのトラ神話だけでなく神話の多くには、入れ替わりという形象が登場します。すなわち私たち人間が人間性を具えているのは動物たちのおかげかもしれない、と。これはヨーロッパの人狼伝説にも当てはまります。人間と動物の境界線を越えることができるのは普通、治療師やシャーマンなど、特殊な霊媒的能力を持った人たちです。

図5は「アニミズム」展を作っていくうえでカギとなった画像の一つです。動物社会を描いたエチオピアの絵画ですが、動物社会というのはエチオピアの伝統の中でジャンルとして定着しています。私が特に興味深く感じたのは、上半分を下半分から隔てている線です。社会・政治理論や神話学を図解するダイアグラムのようにさえ見えたのです。この線は社会をその外部から、秩序を混沌から、善を悪から切り離しています。キリスト教的なモチーフですが、キリスト教やその教義を遥かに超えた読解が可能です。

キリスト教、とりわけ古い時代のエチオピア・キリスト教では、この世の終わりに、人間たちは自分の中にひそむ動物的本性と和解するとされます。この絵画の上半分が表しているのはそのことかもしれませんが、それ以前にまず、調和した社会を描き出した一点の絵と言えます。聖書に定められた規則に従っているからです。ここでは恐怖に怯える猿が聖書の一節を読んでいます。調和を上から見守るのは聖霊の象徴である白鳩です。私としては、この聖霊の象徴はコミュニケーションを可能にする存在なのだと考えてみたい。ご覧のとおり、絵の上半分では共通の言語が話されているからです。他方、絵の下半分は野外で、動物たちはもはやおたがいに理解し合えない。それゆえ、木に上って怯えている猿は、頭を抱えているのです。

この絵はキリスト教の神話だけでなく、アフリカでは広範囲にわたって見られる二つのモチーフや情景を参照してもいます。太古の昔、あらゆる存在はまだ共通の言葉を話していて、おたがいに理解し合うことができたという発想です。世界の終わりに人間たちがみずからの動物的本性と和解することだけでなく、人類が堕落してエデンから追放される以前に暮らしていた楽園状態を提示するものでもあります。

動物を通して人間社会を描くことは、古いアフリカの寓話ではよく見られます。この画像を読み解く仕方は数多くありますが、私が取り上げじっくりと考えてみたいのは次のようなものです。すなわち、この二つの半分はどちらか一方しか選べない二者択一ではなく、おたがい厳密に帰属しあっているのだ、と。動物たちの輪は、テーブルの円形によって、社会生活がかたちづくる輪によって、一つの社会を創造するという行為を象徴していますが、それはまた必然的に、この輪に帰属しない外部を産み出します。「ルビンの壺」の図形を思い出してください。私としては、近代においてはこうした分割線、こうした輪を作り出すことに対して根本的な疑義が呈されており、かつ疑義を呈する必要があるのだと示唆したい。もはや自然に与えられた社会など存在しないからです。ここで人間たちが動物として描き表されているという事実は、存在論的境界線、あるいは存在論的越境と関係づけることもできます。動物と人間の分割とは、そうした存在論的境界線の一つなのです。

宮崎駿監督の映画『崖の上のポニョ』は存在論的越境、つまり動物が人間になるということを扱っています。魚が子供になるのです。重要なのはなぜ魚が子供に変容するのかという理由です。この魚を別の子供が見て、人間と認めたというのがその理由です。魚が人間になる過程で、天と地という秩序は完全に転倒します。私たちの現実の安定は、こうした存在論的境界線に全面的に左右されます。この転倒が意味しているのはそのことだと私は考えます。存在論的境界線に疑義が呈されると、現実そして私たちの現実体験は全面的に不安定になります（狂気、あるいは狂気を体験する人々に起きるのもこういうことです）。ご存知のとおり『ポニョ』には津波や地震など、現実の秩序を揺るがす出来事が勢揃いしています。

5　近代とアニミズムの関係性

存在論的境界線を越えるのは簡単ではないということも示唆しておきたいと思います。先程の絵画の中の線を思い出してください。この線は政治そのものであり、イメージや表象＝代表が生ずる場でもあると私は考えたいと思います。権利を求める政治的デモでは〔本書では図版は未掲載〕、人々が線を越えて下半分から上半分へと移ることを要求しています。そうした要求、つまり自分たちを受け入れるよう要求すること、声を上げる権利、声を聞かせる権利、自分の声を公の場で代表させる権利を要求することこそ、政治の核心を成す行為であると多くの人々が示唆していますし、私もそう考えます。だからこそこうした人々はプラカードを掲げ、私たちを人間と認めよと要求しているのです。一九六八年には、人権運動の一環として、テネシーで清掃作業員たちによるストライキが行われました。

ここでの争点はもちろん、有色人種、黒人たちがアメリカ合衆国で投票する権利であり、その歴史的な背景は言うまでもなく奴隷制、そして奴隷制が人間存在をモノに変えてしまったことでした。アニミズムと近代の関係において問題になるのもこの点です。アニミズムとは、モノ＝客体（object）を主体として認めること、あるいは、あらゆるものが主体でありうると認めることだからです。

また、「アニミズム」展の二つのポスターがあります。同展は四年間にわたり、八つの異なる美術館で開催されました。アダム・アヴィカイネンというアーティストが、自分の父親が木に耳を傾けているところを撮った写真が使用されています。

では、アニミズムと近代の関係とはどのようなものでしょうか。私は、近代化という言説、近代化というイデオロギーにとってアニミズムは、その反転像《ネガ》を成す地平だったと示唆してみようと思います。近代的になるということは、アニミズムを捨て去ることを意味する、そういう場合が圧倒的に多かったからです。

同様に近代科学もアニミズムを断念しなければなりませんでした。アニミズムを説明しようとすれば必ず、アニミズムを信念とか心理とかいったカテゴリーに押し込め葬ってしまうことになるからです。しかし現在までのところ、近代科学はたいていの場合、アニミズムの立場を採る人々が現実であると主張するところのものは本当に現実なのかもしれない、そう考えることすらできずにいます。これはおそらく、近代にとっての原光景あるいは起源を成すパラダイムなのでしょう。

図6は、ヴァルター・ベンヤミンがコレクションしていた児童書の一冊に収録されていた挿絵で、白い服を着たヨーロッパからの入植者または宣教師がアフリカに到着し、現地の部族に彼らのフェティッシュ（物神）を破壊させるさまを示しています。啓蒙時代には、フェティッシュ崇拝、つまり生命を持った強力な物体を崇拝するという発想はまさに反啓蒙そのものだったのです。

展覧会ではこの挿絵と図7の写真とを並べました。パク・チャンキョンの《シンドアン（新都内）》と題されたアート作品の一部を成す記録写真です。韓国のシャーマンが自分の所有していた聖なる絵図を燃やすさまが写っています。この種の画像は近代化を推進する国家的キャンペーンのために作成されました。これはセマウル（新しい村）運動と呼ばれ、韓国農村部の人々が行っていた心霊術の実践を終わらせることを意図していました〔原文ママ〕。朴将軍〔朴正熙《パク・チョンヒ》大統領〕は、労働者を創り出すためにはそれが必要だと考えたのでしょう。「アニミズム」展をソウルの一民《イルミン》美術館で開催した際には、こういった画像の隣に、セマウル運動をメディアがどのように取り上げたかをめぐって新聞記事を何点か陳列しました。

図 6 Illustration from: Joseph Josenhans, "Bilder aus der Missionswelt. Für die deutsche Jugend nach englischen Originalien bearbeitet u. mit kurzen Erklärungen versehen," Scholz, Mainz ca. 1860, From the collection of Walter Benjamin.

図 7 Park Chan-kyong, *Sindoan*, 2008, HD film, six-channel video installation, 45 mins (still). Courtesy of the artist.

おそらく日本を唯一の例外として、近代はあらゆるところでアニミズムと衝突すると言えます。国家権力と衝突し、資本主義的な生産様式とも衝突する。なぜそうなのか、ぜひいろいろな意見を聞いてみたいと思っています。ソウルでの「アニミズム」展では、なぜ韓国ではシャーマンはもう危険ではないのか、その理由を突き止めようとしました。一九七〇年代、超高速で近代化が進行する中で、シャーマンはみずからの実践を放棄しなければなりませんでしたが、今日まさにそうした実践は国家の文化財となります。なぜアニミズムはもはや脅威ではないのか。まだ適切な答えは見つけられずにいます。ひょっとするその答えは必ずしも楽観的なものではないのかもしれません。

「アニミズム」展のまた別の側面、その歴史的次元についてお話しさせてください。『啓蒙の弁証法』(1947)は戦争〔=第二次世界大戦〕直後、というか戦中に書かれた哲学書で、ヨーロッパそしてドイツで起きたホロコーストの衝撃もまだ生々しかった時期に、近代のどこがどう間違ったのかを理解しようとするものです。冒頭わずか三頁のあいだに〔著者の〕アドルノとホルクハイマーはこの二つの文章を書きつけます。「啓蒙のプログラムは、世界を脱呪術化することであった」。「世界の脱呪術化とは、アニミズムの根絶である」〔『啓蒙の弁証法』徳永恂訳、岩波文庫、二〇〇七年、二三頁、二六頁。一部改変〕。一九世紀以降、近代について書く人々の多くが、世界の脱呪術化こそ近代科学や近代テクノロジーの使命だと言っています。近代科学は、世界は無関心な自然法則から構成されており、この法則は私たちがそれをどう考えるか、どう感じるかに影響されることも影響することもないのだと示してみせます。これは科学をめぐって存在する非常に強固な神話です。イザベル・ステンゲルスやブリュノ・ラトゥールといった人々は近年、科学は必ずしもそういうものではないことを示すために非常な労力を費やしています。

脱呪術化というイデオロギー／神話は、植民地支配のイデオロギーの一部であるのかもしれず、先の引用の中の「アニミズムの根絶」というのは、ジェノサイド的植民地支配のことを指している面があったかもしれません。すすんで非近代的な文化を絶滅させようとする態度のことです。

二つの画像を紹介します〔本書では未掲載〕。一方は近代テクノロジー初の映画の一本であるエジソン社の『スー族のゴーストダンス』のカットです。これはいささか意地の悪い資料であると言えるかもしれません。なぜなら、ご存じの方もおられるとおり〈ゴーストダンス〉とは再生の大運動であり、自分たちの文化を絶滅から救おうとアメリカ・インディアンたちが行った精神的運動でしたが、失敗に終わったからです。この文化が完全に絶滅したという意味ではなくて、それを再生させようという夢が失敗に終わったのです。この短編映画の画像は〈ゴーストダンス〉の三〇年ほど後、〈バッファロー・ビルのワイルド・ウエスト・ショー〉で撮影されました。

もう一つの画像は、動く映像をもたらした近代写真テクノロジーの重要な発見者の一人であるエティエンヌ＝ジュール・マレーのものです。植民地の歴史、近代的テクノロジー媒体、アニミズム理論の関連性が「アニミズム」展のトピックでした。

展示の様子も紹介します。この画像は中国・深圳市での展示です〔本書では未掲載〕。手前の作品はアンジェラ・メリトポウロスの作品で、彼女は「アニミズム」展のために六年間を費やして展示を制作しました。哲学者・精神科医フェリックス・ガタリという人物形象を通じて、精神医学と狂気の関係性をコロニアル理論を通じて探求するものです。同作の最終章は沖縄で撮影されました。

アーティスト・映画作家ケン・ジェイコブスによる作品で、ステレオスコープ写真を元にした動画（animated stereoscopic photograph）というものがあります。この作品では、綿花プランテーション〔大規模農園〕で働く人々を取り上げています。他のプランテーション同様、綿花プランテーションも近代の起源的光景であり、工場の起源であるだけでなく、もちろん奴隷制の歴史ともつながりがあります。この映像作品は、「アニミズム」展の異なるバージョンのそれぞれにおいて重要でした。同展に錯乱的なリズムを与えたのはこの作品であったとさえ言えるかもしれません。近代労働史を近代メディアの歴史にリンクさせ、ほとんど映画の萌芽といえるステレオスコープ写真動画を、プランテーションや工場労働の規格化された身ぶりにリンクさせます。ですから私はこの作品が二つの起源的光景、つまり近代メディアの起源と資本主義の起源を融合させていると想像してみたい。そしてもちろん、映写機とカメラという機械を、工場や画像のこうした反復との関連において考えることができますが、映画の中で画像が動いて見えるのはもちろん、高速の運動を通じて私たちの知覚を欺くというトリックが基本になっているのです。

6　アニミズムにおける生と死——精神分析とアートの視点から

図8は一四九九年制作の、印刷所を描いた現存最古の画像で、印刷所の光景を〔中世以来の伝統的図像である〕〈死の舞踏〉として示しています。死者の領域から声たちが戻ってくるかのようです。ほぼ同じ頃、何が現実の基礎を構成しているかという観念そのものが、ヨーロッパでは変化し始めていました。現実は急速に、死んだ物質から構成されるようになっていくのです。

ウォルト・ディズニーのアニメーション・シリーズ『骸骨の踊り』（一九二九年）も、まさに〈死の舞踏〉です。アニメーション理論とアニミズムの関係も本展の重要な一部でした。比較してみると両者は親密な関係にあるのはもちろんですが、こうした比較を行うとたちまち、現実の複数の領域や存在論的分割を越境し混乱させることになります。『骸骨の踊り』は〔一九二九年の〕経済危機以前にウォルト・ディズニーが製作した息を呑むほど美しい映画の一本です。経済危機のせいでディズニーは、規範的家族関係のストーリーを語ってみせるような、商業的に成功する映画を作らざるをえなくなったのです。

図 8　The oldest picture of a printing press - *as dance of the dead,* 1499, from Friedrich Kittler.

言うまでもなく死と生の境界線とは、越えることができる境界線や分割の中で最大のものです。このことを心理学と美学の両面で理論的に考えようとした試みの一つが、〈不気味なもの〉という概念をめぐるジグムント・フロイトの試論です。この文章の中でフロイトが言っているのは、フィクションとかアートではなく実生活の中で〈不気味なもの〉が体験される際、たいていはアニミズムの回帰といった面があるということです。たとえば、生命を持っていない（inanimate）ことがわかっている何かが、突然生命を持っている（animate）試しを示したりしうる――そんな考えを私たちは、学習の結果、信じないようになっているのですが、そういった古くからの信念が回帰してくるというのです。

一理あると思いますが、より重要なのは、フロイトが何を言っているかではなく、自我とそれを取り巻く環境とのあいだの境界線を彼がどのように概念化しているか、です。媒体という問いに立ち戻って、フロイトはある意味で、冒頭で紹介した大論争の終わりに相当するという点を見てみたいと思います。フロイトのアニミズム論から抜粋します。

原始的な人間は内的知覚を外へと投射することによって外的世界の像を展開していた。この像を我々は強化された意識知覚でもって心理学〔の言語〕へと翻訳しなければならない〔「トーテムとタブー」門脇健訳、『フロイト全集12 1912–1913年』岩波書店、二〇〇九年、八六頁〕。

ここでの真の争点は、集団が一つの魂を共有するといったことはありうるのか、それとも魂は私たちの内部で完全に個別化されていて、私たちの成長過程と一体をなしているのか、ということです。フロイトは二番目の立場を採り、そのせいで、すべてを父親と母親に還元するはめになりました。ある意味でフロイトは、一つの人格と私たちを取り巻く環境のあいだの境界線、一つの人格と他の人格のあいだの境界線を画定しようとするエンジニアのようなものです。同時に彼は、自分の学問領域である心理学の境界線をも画定しようとします。フロイトは世界中のアニミズム的なものをすべて個々人の心理へと還元し、そのことによって心理学という学問領域を構築します。言うまでもなくこの結果、きわめて特殊な種類の人間、きわめて特殊な種類の主体が生み出されます。それは個別化されたブルジョワ的主体であり、あらゆる種類の霊媒的効果にたいへん手を焼くことになります。

フロイトの「不気味なもの」論のもう一つ重要な点は、こういった境界線は自然に与えられるものではまったくなく、逆に歴史の布置や文化上の差異に左右されることを示したところです。フロイト自身がそういうことを言っているわけではないのですが、彼の主張の強みは、こういった境界線が美学と密接にリンクしていることを示すところにあるのです。たとえば、私たちが何を「不気味なもの」として体験するかは、境界線を作り出すさまざまな技法と全面的にリンクしています。

最後に、ふたたび精神医学とアニミズムを扱ったアンジェラ・メリトポウロスの作品からの二点です〔本書では未掲載」。同作の冒頭でメリトポウロスは、自閉症の子供たちが風景の中で遊んでいる姿を示します。この子供たちは自己と外界との境界線をまったく異なる仕方で知覚します。

また、暗黒舞踏家の田中泯がラ・ボルド病院で行ったパフォーマンスがあります。同院でフェリックス・ガタリはある種の精神療法を実践していました。自己と外界との境界線を規律で守るのではなく、狂気や差異を病として処理するのではなく、人間が持つ未知なる媒介性の可能性に向けて開放していくという精神療法です。繰り返すなら、私たちは自分が何の媒介であるのかを知らずにいるのです。

第10章　タイプやスワイプする親指

ローレン・ボイル
（中野勉 訳）

本章は、東京芸術大学大学院国際芸術創造研究科主催「グローバル時代の芸術文化概論」特別公開講義（二〇一九年一月二〇日開催、会場：東京芸術大学上野キャンパス）として行われたローレン・ボイル氏の「タイプやスワイプする親指」の記録に基づく。図版は講義内で紹介されたものに基づくが、紙幅の都合上、点数を絞って掲載した。補足や訳注は文中〔 〕で示した。

1　DISの活動

ご紹介ありがとうございます。私はDIS〔ニューヨークで二〇一〇年にローレン・ボイル、ソロモン・チェーズ、マルコ・ロッソ、デイヴィッド・トーロによって結成された領域横断的なマルチメディア・アーティスト・コレクティヴ〕に所属しておりまして、メンバーは全員で四名いますが、二〇一〇年にDISを始めたときは七名でした。DISは、アーティストやライター、エンジニア、デベロッパーが集まって、今この時代、美学において起きているさまざまな移り変わりに備えて新しいパラダイムやプラットフォームを創り出す試みでした。

これがあっという間に一種のハブになり、テクノロジーが生活に及ぼすさまざまな効果を作品で取り上げるアーティストたちが、ニューヨークに限らず国境を超えて集結しました。また、現在私たちが暮らしている、根を持たずにネットワーク化した世界に生きることが何を意味するかも、共通のテーマでした。グループとしての私たちの実践の中で大きな位置を占めているのが、プラットフォームを構築するということです。DISマガジンはそのうちの一つにすぎず、つづけて他にも構築していきました。与えられた機会はすべて活用しましたし、多くの人々に参加を呼びかけました。そうして生まれてきた作品はアートとも非アートともつかず、自分でも何を作っているのかよくわかりませんでした。そのせいで私たちは、アートワールドではよそものだったと言っていいでしょう。

ＤＩＳとキュレーションの関係についてお話しするのが面白いかと思います。ＤＩＳのアーティストたちは、実作者として作品やインスタレーションを創り、美術館で展示するだけではありません。二〇一二年ごろだったか——気がつけばずいぶん前のことになってしまいました——展覧会の機会を与えられて、ストック画像ライブラリーを創りました。ニューヨークのあるギャラリーが、「展覧会を開きたくありませんか？」と誘ってくれたのです。「はい、もちろんです。しかし、何も出品できるものがないので、〔展覧会を〕スタジオにしましょう」ということで、二四日くらいのあいだに、アーティストたちに撮影してもらったり、作品を創ってもらったりし、最終的にこれをウェブサイトに上げて、商業目的でも個人使用でもダウンロードできるようにしました。ＤＩＳが面白いのは、大勢のアーティストにとって一種の隠れ蓑のような役割を果たし、ふだんとは違うこと、自分の安全地帯の外にあるようなことをするきっかけになるところです。このストック写真づくりに参加したアーティストたちも、ほとんどは写真家ではありませんでした。

図1も私たちの構築したプラットフォームで、二〇一四年ごろのものだと思います。このときもやはり展覧会を開催しないかと誘われて、小売店を創ることにしました。アーティストを何人か呼んできて、アート作品ではなくプロダクトを創ってほしいと頼んだのです。ですから展示物は販売可能でしたし、誰でも購入することができました。

二〇一六年にはベルリン現代美術ビエンナーレのキュレーションを任されました。私たちの手がけた超大型プロジェクトの最後のものです。私たちにとって一つの時代の終わりでもあって、このときまでＤＩＳマガジンが関

図1　DIS magazine の HP より。©DIS

係していたいろいろなアイデアの集大成といったところもありました。ビエンナーレのキュレーションが終わってベルリンから戻ってくると、世界では大きな変化が起きていました。米大統領選が行われてドナルド・トランプが勝ち、あらゆることが逆転しました。今という時代は、アーティストであること、何が価値ある活動なのかを突き止めることが並外れて難しい時代だと思います。だから私たちも懸命に考えました。今日は、今私たちがどういうことに取り組んでいるかをお話ししようと思います。

　まず、DISマガジンは終わりにすることに決めました（図2）。この〔雑誌という〕フォーマットには少々飽きてきていたのです。そして映像に転じましたが、〔このフォーマットは〕非常に人気がありますから当然の流れでした。

　DISが今日発表している内容は、私たちが今という時代に向かい合うときの態度が変化し、現代の複雑な社会・政治・経済が投げかけてくるさまざまな要求に応えることを目指すようになった結果であると言えます。

2　インターネット時代における学習

数学者・情報理論家のミシェル・セールに『親指姫』という著作があり、その中で彼は「親指っ子たち」を論じています。親指を動かせば世界にアクセスできるようになった世代のことです。この世代はさまざまなデバイスを親指で操ることができるだけでなく、時間・空間と関係する仕方がまったく違うのではないかとセールは想定します。このため、一つの変容（すぐには全容が把握できないものなのですが）が生じつつあります。次のような疑問が湧いてきます。私たちには親指があって、それでタイプしたりスクリーンをスワイプしたり、人間の精神にとっては莫大すぎるほどのインターネット上の情報の海で知識を探したりできるのだから、もう頭脳など必要ないのではないか？　二〇一七年から一八年にかけて私たちはまさにこの疑問について、アーティストとして、またコンテンツ制作者として、DISはどういう役割を担うべきかについて、長い時間をかけて考えました。こういった条件のもとでは、知識をプレゼンテーションするための方法や戦略を開発し吟味していく必要があることが明らかになります。教育だけでなく、政治参加や知識の処理といった行為はこれまでよりスケールの大きな数々の問題に、もっと長期的なビジョン、もっと繊細な感受性とともに取り組んでいかなければなりません。今はフェイクニュースやフィルターバブルの時代なのですからなおさらです。情報を得るのがこれほど簡単であったことは、いまだかつてありませんでした。未来がポスト・リテラシーになる、つまり将来読み書き能力は必要なくなる、というのは現に迫っている脅威です。私たちは長めの記事はブックマークして、すぐに忘れてしまいます。何枚もの画像が瞬時に現れては消えていくスライドショーのほうが、一つのことを掘り下げるよりも好まれているようです。

一世紀ものあいだ、多くの人が各自でマルクスの『資本論』を読もうと試みては失敗しています。この知識を得

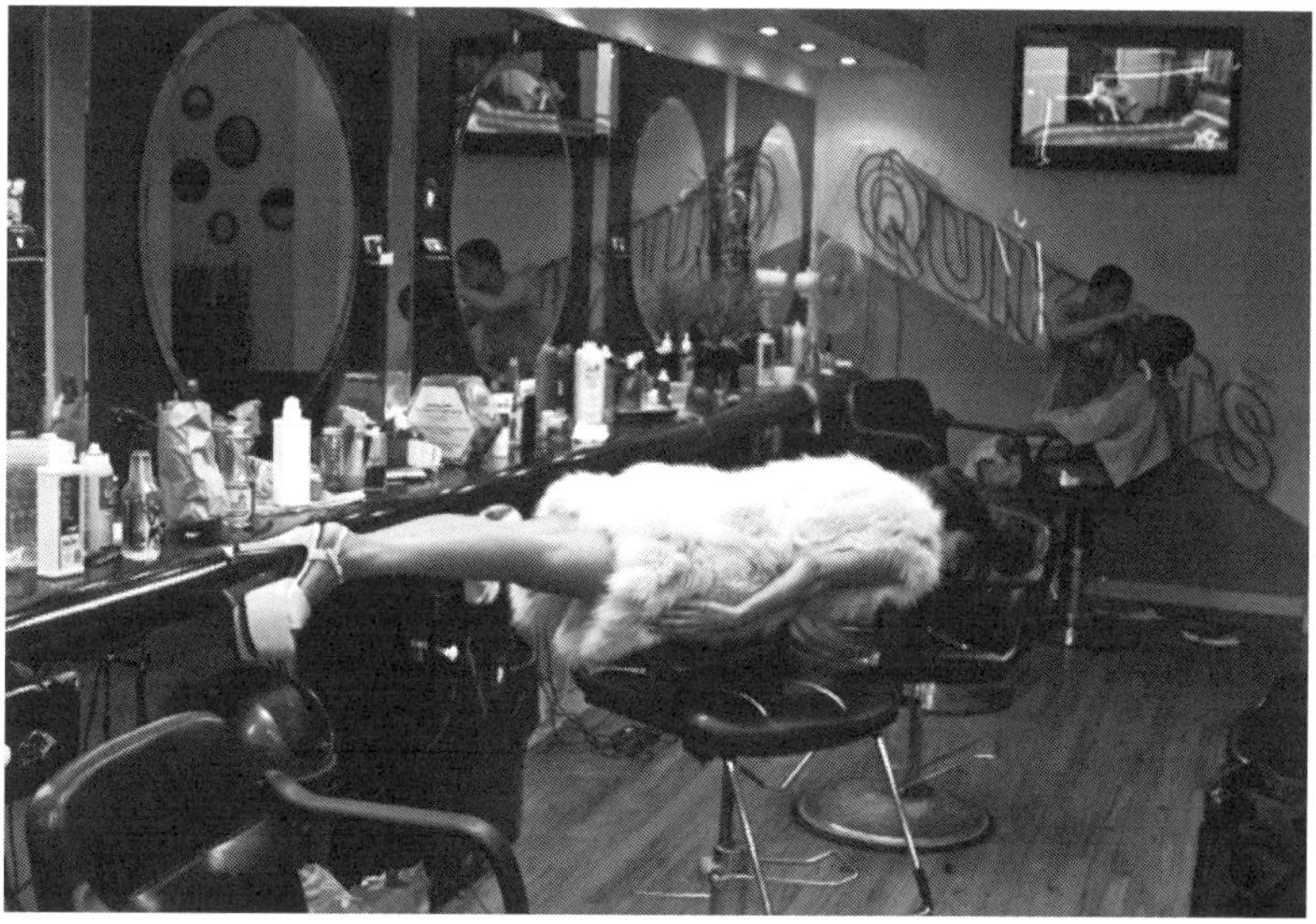

図 2　DIS magazine, *Plank Girl*, 2011. ©DIS

ようとする者の前に壁が立ちはだかっており、それがこれほど効率の悪いものであるなら、いったいどうすればこの知識を実践に適用できるというのでしょうか？　私たちが知識を得ようとすると、専門家や荒らし、保守派、過激派、でなければジャーゴン、フェイクニュース、流出メール、人種差別主義のスレッドなどが入り乱れて混乱を極めています。何かが明らかにされるといっても、そこで明らかになるのは明らかにするという行為それ自体のみであって、明かされている対象ではない、そんな世界に私たちは突入しているのです。オルタナティヴ・ファクト（もう一つの事実）というコンセプトがありますが、このコンセプトそのものが、コミュニケーションとは信用のおけないものだと力説するだけでなく、さらに危険なことには、コミュニケーションが信頼できるかどうかは無視してコミュニケーション手段のほうを重視する態度をはっきりと示しているのです。

目に見えない不可知の敵に対する批判がさまざまに試みられています。世界はひとときの団結して「#MeToo」が席巻し、そしてまた別のことに移っていく。ニュースは二四時間ごとにがらりと一変しつづけます。専門分化とオートメーションが手を組んだ結果、無能さの文化とでもいったものができあがっています。テクノロジーは生産性を高めてくれるものと期待されていましたが、逆に私たちは非生産的になり、だらだらとスクロールしたりタップしたりするばかりで何一つ行動に移せません。アプリはどれも見た目はすっきりしているけれど、背後には一人の人間にはとうてい把握できないほど巨大な複雑さが隠れています。後期資本主義のもと、アデロールの力を借りて走りつづける私たちは、集中力がないわけではなくて、同時にすべてに集中したくなってしまう。

過剰なまでの情報がデータセンターと個々のデバイスのあいだで共有されるのが特徴の情報経済においては、私たちが末端で消費するメディアは切り詰められ圧縮されています。大企業のデザインやライフハックはすべてを単純化することを勧めますが、それでは解決にならない。単純化は私たちの敵です。政治家やTEDトークなら切り詰めたツイッター上のつぶやきで十分なのかもしれませんが、当意即妙のキャッチフレーズとか元気になれるプレゼンテーションとかいったものは、私たちにとっては不十分です。

私たちが情報を処理する仕方は変化しているにもかかわらず、正規の教育は以前と比較的変わっていないように見えます。私たちが人間としても高く評価している一人に、バーゼル美術研究所のディレクターであるチュス・マルティネスがいます。さきほど述べたような移行が始まったころ、彼女は次のようなアドバイスをしてくれました。教育の前提には、ある種のツールを通じて知識を伝達する構造があるけれども、そういったツールは変化していて、人々はポスト・リーディングに〔読書を通じた知識の伝達をしなく〕なっている、と。

私たちは意識が集中していない状態で学習します。完全にポスト・リーディングではないかもしれませんが、読む能力を身につける人の数は日に日に増える一方で、世界はたしかにポスト・リテラシーに近づいていっています。私たちは認知能力を複数のデバイスに分散させ、いくつものハイパーリンクにまたがって広がる知識の水平なネットワークに依存しています。私たちの知識はクラウドの形をしているのです。学習の未来のほうが、教育の未来よりもはるかに重要だというのが私たちの信念です。一挙に大量に、吸収をつうじて学習し、情報を溜め込むのではなく物事をつなげ物語を組み立てて、ネットワーク化されたばらばらの情報や代理の機器を介した記憶に筋道をつけることを学習するのです。

3　DIS.art における教育とエンターテイメントの融合

古代の操り人形から先史時代の伝説に至るまで、教育学が誕生する以前から、教えることとエンターテイメントとは絡み合ってきました。教育とエンターテイメントを組み合わせると必ずどちらかが犠牲になるとするシニカルな見方もありますが、私たちはそう思いません。エンターテイメントから何かを学ぶことは不可能だとか、教育的なエンターテイメントなどありえないとかいった主張には根拠がありません。『セサミストリート』でABCを覚えられるのなら、料理番組で批判理論を学んだっていいはずです。エンターテイメントは愉しいし引き込まれますが、それは教育を「ゲーム化」しているからというだけではありません。現在のメディア状況のもとで私たちは学習するための多彩な方法を手にしており、エンターテイメントはそれらを理解し、最大限に活用しているのです。

DISが雑誌というフォーマットから映像に方向転換することを決めた際に重要だったのは、繰り返しをしないということでした。私たちの見るところ、ジャンルというものを理解しようとすると、どうしても既定の約束事を視野に入れなくてはなりません。ジャンルはつねに不変ですが、そうであるためにはクリーンであり〔既存の〕カテゴリーを遵守する必要が、つまりわかりやすさや正統的解釈を遵守する必要があります。ジャンルとは私たちにとって見覚えのあるものです。しかしながら、ジャンルが次々と増殖する現在のメディア状況のもとでは、ジャンルは見覚えのあるものではなく、絶えず生成し変化します。DISはジャンルに順応したくないと考えました。カテゴリーを脱すること、生産的な乱雑さや必然的なハイブリッド性が現実をかたちづくっているのだと認識することが重要でした。私たち自身がすすんではみ出し者にならなくてはいけません。かつ、成功を収めているかどうかがカテゴリーに適合していることとの尺度であるなら、自分だけのカテゴリーを創り出し、自分が発明したジャンルで成功するのです。

今日私たちは、もはや頭ではなくて親指で学習するという命題、そして、突破口を開くには新しいジャンルが必要だという命題にしたがって、エンターテイメント・ネットワークDIS.artを、いわば教育用ネットフリックスのようなものとして設立しました。先端的なアーティストや思想家を巻き込んで、現代アートやアクティビズム、哲学、テクノロジーにまたがりつつ沸き起こっている核心的な対話をさらに拡大していこうという試みです。ミクロな思弁を映像という形式で繰り広げたり、問いを発したり、複雑なシステムやインフラストラクチャ、ネットワークの構築を企てたりしています。DIS.art のオンライン・プラットフォームでは、映画や映像シリーズ、ドキュメンタリーが、現在を探っていくうえでの窓口ないしインターフェイスの役割を果たします。映像はどれも解決や問いかけ、そして絶えず揺れ動く私たちの現実を考える方法といったものを提案します。

4　DISの展覧会実践

DISはサンフランシスコのデ・ヤング美術館、マドリードのカサ・エンセンディーダ、ボルティモア美術館で展覧会を開催していますが、これはDISのデジタル・プラットフォームを物理的に再現したものです。親指、スクリーン、目のあいだで高まっていく実験的な学習体験というかたちをとった視聴覚展覧会です。カサ・エンセンディーダでは展示室ごとに異なるテーマを扱い、壁沿いにライトボックスを並べて順番に見てもらうことで背後にあるコンセプトを明らかにし、私たちの思考プロセスを呈示しています。部屋の一つは「タイプしスワイプする親指」というアイデア、そして現在を規定するさまざまな条件を洞察し、単に途方にくれるのではなく、教育にとって有益な仕方でそれらの条件を満たすにはどうすればいいかを取り上げました。この部屋で紹介したシリーズは、私のお気に入りである《総合的知性たち――マッケンジー・ワークと訪ねる》です。

また別の部屋、別のテーマとして〈ポスト国籍／市民権〉という概念があります。国民国家が設定する境界は、いわゆる「グローバル化」を経てネットワーク化した文化の中では急速に意味を失っているように見えます。にもかかわらず、国家はあくまで境界を維持しようとします。移民が移動し避難民たちが逃れる中、世界の国々はみずからを包みこむ政治の透過膜を越えて入ってくるものへの取り締まりをいっそう強化しています。右翼国家主義運動は、内側にいる人々の恐怖心を煽り立てることで、外からの人々を閉め出します。絶体絶命の主権国家の最後の悪あがきが、「イスラム教徒排斥」、ブレグジット、国境の壁なのです。しかし多くの人々が「インターネットが存在するのに、国境になんの意味がある?」と問うています。

このような硬直した同盟関係の支えになってきたのは市場や資産ですが、そういったものさえ急速に非物質化しつつある現在、市民権ももっと広範囲に拡散しているべきなのではないかと考える人々もいます。クリストファー・クレンドランとアニカ・クールマンの場合がそうであり、この二人は主張型ドキュメンタリー作品『六千万のアメリカ人が間違っているはずがない』という作品で、クラウド・テクノロジーによって市民権が消去される世界を提案します。

今の世代は「発言よりも離脱」を選びがちです――〔ブレグジットは〕一国の政府が起業家のように振る舞った例です。内部にとどまるのではなく外に出ることを好む傾向、すでに存在しているものを改善するのではなく新しい構造を創り出そうとする傾向、既存の組織の中でキャリアを積むのではなくスタートアップを立ち上げようとする傾向――あるいは、独自の国を始めようとする傾向です。

リバタリアニズム(自由至上主義)に則ってシーステッド(海上自治国家)を樹立しようとする一派がおり、ガバナンスに対しても競争原理に従うことを要求します。小さな政府が企業の役割を果たし、たがいに競い合うというわけです。ペトリ・フリードマンがピーター・ティールに財政支援を受けて二〇〇八年に設立したシーステッド・インスティテュートは、液状化した世界を構想します。そこでは各国政府がオープンな市場で選ばれ、気候変動は「ハック」で解決できるのだといいます。多数決による支配は実効力に欠けるとみるシーステッド派は、海上に浮かぶミクロ政府というリバタリアニズム的未来を提案します(図3、図4)。ユーザ=市民は加入も離脱も自由で、法は憲法よりもむしろソフトウェアに似ています。海上に活路を見出す自分たちの計画を実行に移すべく、シーステッド派はフランス領ポリネシア政府と手を組み、タヒチ沖の経済特別区で最初の浮島建設を開始しました。

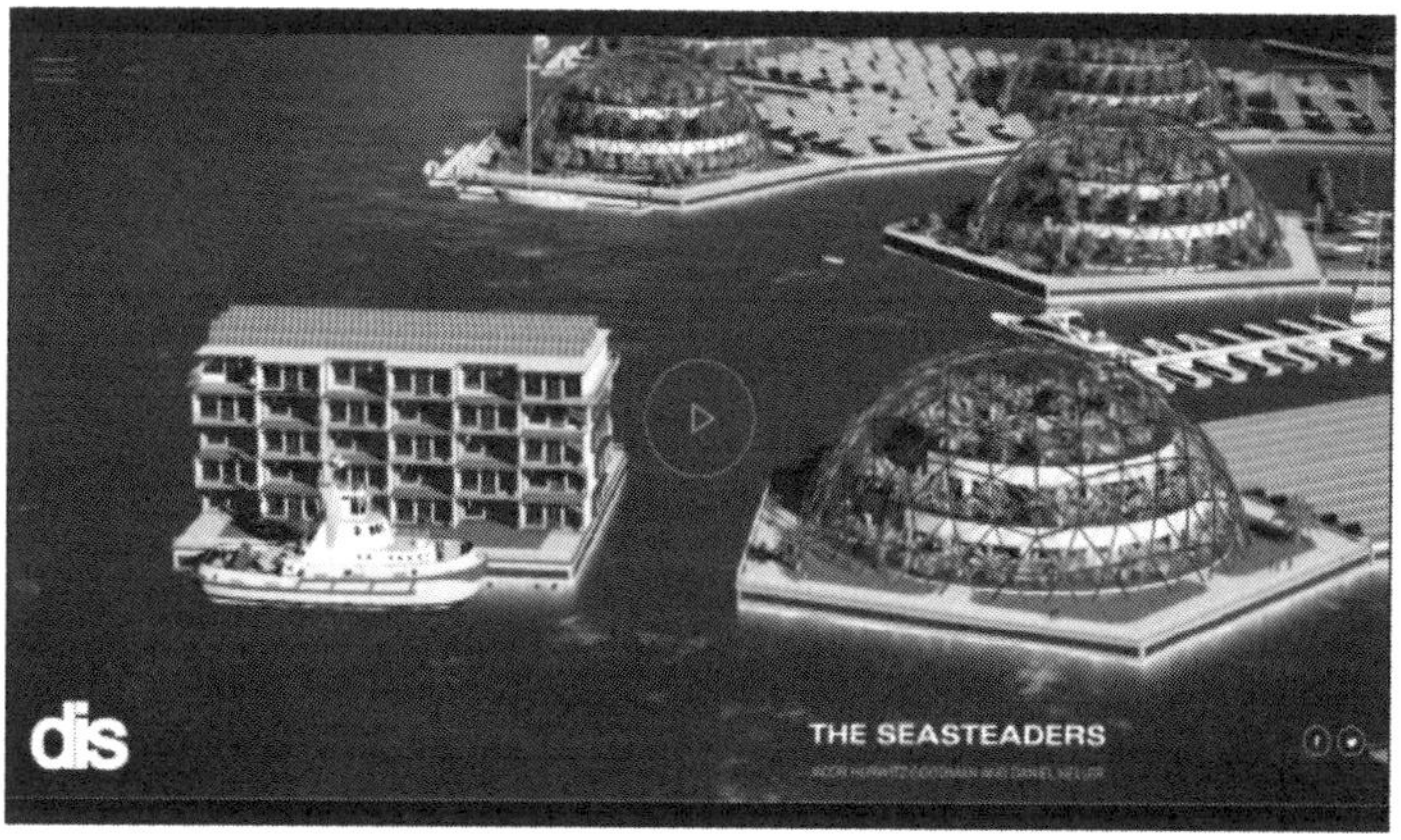

図3（上）、図4（下） ピーター・ティールによる海上に浮かぶミクロ政府のイメージ。“The Seasteaders,” by Daniel Keller and Jacob Hurwitz-Goodman on dis.art ©DIS.

こういった運動に接すると、私たちの政治経済はいまどのような光景を呈するに至っているのだろうと考えさせられます。憲法が時間とともに変わっていくものだというのは本当ですが、ただしこの変化は私たちの考える進歩とは必ずしも重なりません。つまり、万人がしだいにリベラル民主主義に順応するようになるといった直線的な軌跡ではないのです。リベラル民主主義は一〇年前にピークを迎え、現在では諸国家が権威主義に転じる中、ますます衰退しています。アメリカ以外の国々では、民主主義はもはや成長していません。アメリカでは、二年前よりも民主主義が薄れています。しかし、問題はなぜそうなったかという理由です。資本主義の弱点は民主主義です。資本主義は、放置すれば民主主義を実現する能力を蝕んでしまうでしょう。

そしておそらく、ますます広がる格差をめぐる論争は現代において、気候変動よりもさらにいっそう決定的な意味を持つ論争かもしれません。私たちが親しくしている経済学者で、格差研究の第一人者であるモーリッツ・シュラーリックはこう書いています。「ロックフェラーやカーネギー一族など悪徳資本家が活躍した二〇世紀初頭のいわゆる〈金ピカ時代〉以降、いまほど極端にごく少数の者たちの手に富が集中したことはなかった。今日、アメリカ人のうち最も富める五パーセントの者たちが、米国のすべての金融資産や物質的富の三分の二以上をコントロールしている。もちろん歴史的に見れば、カネは常に権力を買収するのに用いられてきた。〈金ピカ時代〉同様、少数者の手に巨額の富が集中するとたちまち、あらゆる人にとって、そして民主主義にとって大きな問題が生じる」。しかし、加速する格差と闘うために新たな発想や政策を開発するにはまず、金融資産や物質的富がなぜここまで増大したのかを理解しなくてはなりません。時とともに富の分配に変化が生じたのはどのような要因のせいなのか、それを理解する必要があります。ある社会の中で、財源の分配を書き換えるアルゴリズムとはどのようなものなのでしょうか。

5 「良い危機」展と所有の問題

DISの最新の展覧会、ボルティモア美術館での「良い危機」は、カネ・格差・民主主義を考えるものです〔図5〕。核となるのは、二〇〇八年の金融危機〔日本で言うリーマン・ショック〕と住宅バブル崩壊ののち、ミレニアル世代にとって経済が先行き不透明になったことをめぐってDISが制作した映像三部作です。第二次大戦後、ウィンストン・チャーチルはこう述べました。「決して良い危機を無駄にしてはならない」。この三部作で私たちは、チャーチルのこの挑発を、もっと最近の危機と関係づけて考察しています。二〇〇八年の金融・住宅ローン危機が変化の可能性を創り出したのだとしたら、それはどのようなものだったのか――それとも、こちらのほうがありそうな話ですが、このときの危機は、どういった可能性を無駄にしてしまったのでしょうか。それは「良い危機」だったのでしょうか。もしそうだとすれば、誰にとって良かったのでしょうか。

展覧会タイトルのもとになった映像作品『良い危機』には、HBOの人気ドラマ『ゲーム・オブ・スローンズ』の作中人物〈夜の王〉が登場し、二〇〇八年の世界金融危機のあと、経済革命を起こすチャンスがあったにもかかわらず、取り逃してしまったと語ります〔図6〕。大投資家やCEOたちは今や、「新レンタル社会」という、人々を隷属させる封建制度の確立に熱中している、と〈夜の王〉は説明します。

住宅ローン崩壊の直後、米国では〔モノを購入するのではなく〕レンタルする人が急増しました。そうした経済上のシフトを説明するためにプライベートエクイティ〔未公開株式投資〕会社が流行らせた用語が「新レンタル社会」です。

私が思うに、この展覧会が明らかにしようとしていたことの一つは、現行の資本主義、とくにアメリカ型資本主義は、大部分の人々にとってはうまくいっていないということ、現在の物事の有り様は不自然だということです。経済にとっても人間にとっても不自然なのです。一定の政策に従ってそうなっているだけであって、必然ではありません。

所有するということが根本的に変質しています。私たちが職業や身体といった様々な形式の価値創造を通じて時間を所有するあるいは所有しない、貸すあるいは与える仕方が、見違えるほどに変わっています。サブスクリプションや「シェア」によって、ごく一部の大企業や個人の独占が富――流動的、物質的、知的富――を独占する傾向がますます強まってきています。所有はもう終わった、というわけではありません。社会の頂点にいるほんのわずかな人々以外にとっては、手が届かなくなってしまっているだけのことです。大企業は危機を、自社の利益を操作し、契約社員、フリーランス、オンデマンドのユーザー／運転手や犬の散歩代行を利用して労働法や従業員福利をごまかします。ですから私たちはオーディエンスにこう提言します。未来は、私たちが専門職や視聴者としてのスキルに磨きをかけるだけでなく、理解することを求めているのだ、と。

DIS.artで私たちが目指しているのは、解決模索型のコミュニティを形成することであり、核になっているのは、社会や政治、経済はどういう構造になっているのかをあらためて考え、現在主流となっている物語の枠の外で、物事を生み出す力を持ったひな形を構想したいという気持ちです。私たち全員にとって決定的な重要性を持つさまざまな問題をめぐって、次世代に情報を提供し、インスピレーションを与えて動かしていきたいと考えています。

図 5　Installation view, DIS | *A Good Crisis* at The Baltimore Museum of Art, 2018 Photography By: Mitro Hood.

図 8　"A Good Crisis," by DIS on dis.art ©DIS.

装幀：近藤みどり

装画
Olafur Eliasson
Glacial currents（*black, blue*），2018
Photo: Jens Ziehe

Private Collection, Munich

ローレン・ボイル（Lauren Boyle）
ニューヨークを拠点として活動する集団「DIS」の結成メンバーの一人。DIS は 2010 年、ニューヨークでローレン・ボイルとソロモン・チェーズ、マルコ・ロッソとデイヴィッド・トーロによって結成された多種多様なメディアを横断して活動する集団。DIS が関わった主な展示に、ニューヨークのニュー・ミュージアム・トリエンナーレ「サラウンド・オー ディエンス」展（ニューミュージアム、2015 年)、「コワーカーズ」展（パリ市立近代美術館、2015 年）や「新しい写真」展（ニューヨーク近代美術館、2015 年)、第 9 回ベルリン・ビエンナーレ「プレゼント・イン・ドラッグ」展（2016 年)、「I Was Raised on the Internet（インターネット時代に育った私)」展（シカゴ現代美術館、2018 年)、「ジャンルの横断 :DIS エデュテイメント・ネットワー ク」展（デ・ヤング美術館、2017-18 年）のキュレーションや作品出品、「Thumbs that Type and Swipe（タイプやスワイプする親指)」展（カーサ・エンセンディーダ、2018 年）などがある。

中野勉（なかの・つとむ）
翻訳家。主な訳書にカルヴィン・トムキンス『マルセル・デュシャン　アフタヌーン・インタヴューズ』（河出書房新社、2018 年）などがある。

黒沢聖覇（くろさわ・せいは）
1991年生まれ。金沢21世紀美術館アシスタント・キュレーター、東京藝術大学大学院国際芸術創造研究科博士後期課程在籍。キュラトリアル実践を通して、自然環境・社会・精神の領域を横断するエコロジーと現代美術の関係性を研究。主な展覧会に、タイランドビエンナーレ・コラート2021コ・キュレーター、第7回モスクワビエンナーレ「Clouds ⇆ Forests」（トレチャコフ美術館新館、モスクワ）アシスタントキュレーター。ジャポニスム2018「深みへ―日本の美意識を求めて―」（ロスチャイルド館、パリ）などにアーティストとして作品を出品。

髙木遊（たかぎ・ゆう）
1994年京都生まれ。東京藝術大学大学院国際芸術創造研究科修了、ラリュス賞受賞。キュレイトリアル・スペースであるThe 5th Floorディレクターおよび金沢21世紀美術館 アシスタント・キュレーター。ホワイトキューブにとらわれない場での実践を通して、共感の場としての展覧会のあり方を模索している。主な企画展覧会として「生きられた庭 / Le Jardin Convivial」（京都、2019）、「二羽のウサギ / Between two stools」（東京、2020）、「Stading Ovation / 四肢の向かう先」（静岡、2021）などがある。

ブリュノ・ラトゥール（Bruno Latour）
1947年フランスのボーヌ生まれ。哲学者・科学人類学者。パリ政治学院メディアラボ並びに政治芸術プログラム（SPEAP）付名誉教授。2021年、第36回京都賞（思想・芸術部門）を受賞。主な著書に『諸世界の戦争――平和はいかが？』（工藤晋訳、以文社、2020年）、『地球に降り立つ――新気候体制を生き抜くための政治』（川村久美子訳、新評論、2019年）、『近代の〈物神事実〉崇拝について――ならびに「聖像衝突」』（荒金直人訳、以文社、2017年）、『虚構の「近代」――科学人類学は警告する』（川村久美子訳、新評論、2008年）などがある。

鈴木葉二（すずき・ようじ）
東京藝術大学国際芸術創造研究科修士課程修了。2018年より2020年まで、HfG及びZKMのクリティカルゾーン・スタディグループに参加。主な翻訳に、ブリュノ・ラトゥールによる「クリティカルゾーン：地球的政治学のための観測所」展（2020、ZKM）カタログ序論「地球に降り立つことへの7つの反対理由」邦訳（『美術手帖』2020年6月号所収）がある。

アンゼルム・フランケ（Anselm Franke）
キュレーター、ライター。「世界文化の家（Haus der Kulturen der Welt）」ヴィジュアル・アート＆フィルム部門のディレクター。展覧会プロジェクト「アニミズム」（2010～2014年）をはじめとして、台北ビエンナーレ「モダン・モンスターズ／フィクションの死と生」（2012年）や上海ビエンナーレ「社会工場」（2014年）などを手がける。

著者・訳者紹介

篠原雅武（しのはら・まさたけ）
1975年生まれ。京都大学総合人間学部卒業。京都大学大学院人間・環境学研究科修了。博士（人間・環境学）。現在、京都大学大学院総合生存学館（思修館）特定准教授。主な関心領域は、現代哲学、環境人文学、建築、現代アート。主な著書として、『複数性のエコロジー』（以文社、2016年）、『人新世の哲学』（人文書院、2018年）、『「人間以後」の哲学』（講談社選書メチエ、2020年）、主な翻訳書として『社会の新たな哲学』（マヌエル・デランダ著、人文書院、2015年）、『自然なきエコロジー』（ティモシー・モートン著、以文社、2018年）がある。

石倉敏明（いしくら・としあき）
1974年生まれ。人類学者。秋田公立美術大学アーツ＆ルーツ専攻准教授。シッキム、ダージリン丘陵、カトマンドゥ盆地、東北日本等でフィールド調査を行ったあと、環太平洋地域の比較神話学や非人間種のイメージをめぐる芸術人類学的研究を行う。美術作家、音楽家らとの共同制作活動も行ってきた。2019年、第58回ヴェネチア・ビエンナーレ国際芸術祭日本館展示「Cosmo-Eggs 宇宙の卵」に参加。共著に『野生めぐり 列島神話をめぐる12の旅』（淡交社、2015年）、『Lexicon 現代人類学』（以文社、2018年）などがある。

山本浩貴（やまもと・ひろき）
1986年生まれ。文化研究者、アーティスト。一橋大学社会学部卒。ロンドン芸術大学にて修士号と博士号を取得。2013～18年、同大学トランスナショナル・アート研究センター（TrAIN）博士研究員。韓国・光州のアジア・カルチャー・センター研究員、香港理工大学ポストドクトラル・フェローを経て、2020年より東京藝術大学大学院国際芸術創造研究科助教。現在、金沢美術工芸大学美術工芸学部美術科芸術学専攻・講師。京都芸術大学美術・大阪市立大学非常勤講師。著書に『現代美術史　欧米、日本、トランスナショナル』（中央公論新社 、2019年）、『トランスナショナルなアジアにおけるメディアと文化　発散と収束』（ラトガース大学出版、2020年）などがある。

エマヌエーレ・コッチャ（Emanuele Coccia）
パリの社会科学高等研究院（EHESS）准教授。専門は中世哲学。主な著書に *La vie sensible*（2010）、*Le Bien dans les choses*（2013）、*Métamorphoses*（2020、いずれも Payot et Rivages）、主な日本語訳に『植物の生の哲学』（嶋崎正樹訳、勁草書房、2019年）がある。2019年、パリのカルティエ美術財団で開催された「木々」展では、学術顧問を担当。

編著者紹介

長谷川祐子（はせがわ・ゆうこ）
京都大学法学部卒業、東京藝術大学大学院修了。東京藝術大学大学院国際芸術創造研究科教授、金沢21世紀美術館館長。これまでイスタンブール、上海、サンパウロ、シャルジャ、モスクワ、タイなどでの国際展を手がける。主な著書に Kazuyo Sejima + Ryue Nishizawa: SANAA（Phaidon Press, 2006）、“Performativity in the Work of Female Japanese Artists In the 1950s-1960s and the 1990s,” *Modern Women: Women Artists at the Museum of Modern Art*.（MoMA, 2010）、『破壊しに、と彼女たちは言う――柔らかに境界を横断する女性アーティストたち』（東京藝術大学出版会、2017年）、「新しいエコロジーとアート―Clouds ⇄ Forests 展にそって―」、『東京藝術大学大学院国際芸術創造研究科論集 第1号』（東京藝術大学大学院、2020年）、『ジャパノラマ：1970年以降の日本の現代アート』（水声社、2021年）などがある。

新しいエコロジーとアート
——「まごつき期」としての人新世

2022年　5月　5日　初版第1刷発行
2024年12月20日　初版第2刷発行

編　者　長谷川祐子
発行者　大　野　真
発行所　以　文　社

〒101-0051 東京都千代田区神田神保町 2-12
TEL 03-6272-6536　FAX 03-6272-6538
http://www.ibunsha.co.jp/
印刷・製本：中央精版印刷

ISBN978-4-7531-0369-0

Printed in Japan